UNION GÉNÉRALE D'ÉDITIONS
8, rue Garancière, PARIS-VIe

*Du même auteur
chez le même éditeur*

Lectures du XIXe siècle. Tome 1.

*dans la série « Fins de siècles »
dirigée par l'auteur*

HUYSMANS

Marthe / les sœurs Vatard
En ménage / A vau l'eau
A Rebours / le Drageoir aux épices
L'art moderne / Certains
En rade / Un dilemme / Croquis parisiens.

OCTAVE MIRBEAU

L'Abbé Jules
Sébastien Roch
La 628-E8
Les vingt et un jours d'un neurasthénique.

RAYMOND ROUSSEL

Comment j'ai écrit certains de mes livres.

LECTURES
DU XIXᵉ SIÈCLE

DEUXIÈME SÉRIE

PAR

HUBERT JUIN

INÉDIT

*Série « Fin de siècles »
dirigée par Hubert Juin*

ISBN 2-264-00800-8

On ne saurait comprendre ce siècle
des plus équivoques par une descrip-
tion de ses étapes successives...

Martin Heidegger.

PORTRAIT DE CHARLES NODIER

> *Je me faisais un siècle d'or à ma fan-*
> *taisie et remplissant ces beaux jours de*
> *toutes les scènes de ma vie qui m'avaient*
> *laissé de doux souvenirs, et de toutes*
> *celles que mon cœur pouvait désirer*
> *encore, je m'attendrissais jusqu'aux*
> *larmes sur les vrais plaisirs de l'huma-*
> *nité, plaisirs si délicieux, si purs et qui*
> *sont désormais si loin des hommes.*
>
> (Jean-Jacques Rousseau : *Monuments*
> *de l'histoire de ma vie.*)

Rien n'est plus bouleversé que la vie de Charles
Nodier : les événements, à chaque heure, viennent rompre son équilibre et briser la paix qu'il cherche. De ce
tumulte, cependant, il est complice : on le devine, on le
sait. Ce *dériseur* ne savoure que les instants aigus où
la destinée paraît sur le point de se défaire. Ce n'est pas
un homme qui reste, c'est un homme qui revient : voilà
le secret de cet amour contrarié qu'il tiendra dans le
fond de son cœur jusqu'à sa mort. La Franche-Comté,
c'est le havre, mais le havre n'existe vraiment, dans sa
splendeur imaginaire et imaginée, qu'au regard second
de celui qui poursuit, sous des cieux lointains et hostiles, sa rêverie.

Charles Nodier était un homme grand, maigre, mais aux fortes épaules. Il courait des lieues par plaisir. Il avait la tête emplie de sciences étranges, et les poches pleines de livres curieux. La bibliomanie lui était une nature à elle seule. Ses errances parisiennes le menaient d'un bouquiniste chez un autre bouquiniste, et il mandera Techener à son chevet dans son agonie. Le soir, c'est le théâtre. Les repas sont de conversations. Charles Nodier a besoin d'amitiés, avec gourmandise. Mais à l'arrière-plan de ces rues, de ces maisons fermées, de ces pavés amoncelés, il y a, dans le cœur et la tête de Nodier, l'odeur du vent dans les arbres lorsque le vent descend les montagnes du Jura ; le dessin des fleurs cueillies entre les roches ou dans le sein des taillis ; la chanson d'un ruisseau, là-bas, vers Novilars...

C'est un homme qui fait son œuvre dans le plein temps de son gagne-pain. Le destin ne lui fut pas, sur ce plan, favorable. Encore que nous puissions imaginer le goût qu'il avait pour le travail forcé. Je m'explique. La lenteur de Nodier se détache sur fond d'activité. C'est un forcené. Il entreprend mille recherches, cent travaux, dix ouvrages dans le même temps. S'il se plaint, ce n'est pas de son esclavage, mais de la brièveté de la vie. C'est qu'il est prêt à faire le double et le triple de ce qu'il a fait — qui est énorme. Cet esprit si juste était brouillon. La nécessité dans laquelle il était de bondir d'un article à une traduction, d'une notice à un commentaire, de l'élaboration d'un récit aux strophes d'un poème... cette nécessité lui est précieuse, bienvenue. Il aime et savoure l'odeur de l'encre, la luisance du papier, les épreuves qui s'accumulent sur sa table.

Sa présence au monde est là, dans cette hâte et dans cette minutie difficile. Le temps qu'il compose un texte, il note vingt projets sur ses tablettes. Il périt à mi-course, figé dans son étonnante jeunesse. Lorsqu'il meurt — à 64 ans — on peut dire de lui qu'il vient d'être fauché bien tôt. Il est de cette cohorte d'écrivains qui ne s'endorment jamais. Tant de travaux accumulés n'enlèvent rien à sa fraîcheur. Il est sans cesse nouveau, et surprenant. Parmi ces jeunes gens qui le fréquentent, et qui donnent au public leurs premières œuvres, les Dumas, les Hugo, les Musset, eh bien, l'écrivain d'avenir, c'est lui, le vieil homme malade de l'Arsenal.

Il n'y a qu'un seul secret dans cette longévité du sentiment et de l'esprit : c'est l'enfance. Charles Nodier n'a jamais su vieillir. Un livre rare l'enthousiasme de la même façon. Une fleur. Un insecte. Une actrice. Un poème. Il n'est blasé sur rien. C'est le démon « Elzévir », comme disait Dumas, oui, c'est vrai, mais éternellement dans l'adolescence qui ne connaît des choses que le ravissement. Deux jours avant de s'éteindre, il souhaite posséder un petit exemplaire des poésies de Cantenac.

Il est curieux de tout, exemplairement. Tels ces jeunes gens de la province qui prennent la culture à charge, jugeant qu'ils sont les premiers de leur lignée à lire et à écrire, Nodier est proie de cette passion boulimique : les livres. Il les accumule, les fête, les déguste. Entre ses mains, ils s'animent, ils vivent, ils parlent. Ils couvrent sa table de chevet, emplissent ses basques, l'accompagnent dans ses voyages. Au théâtre, entre deux actes, il lit. Avec ses compagnons, ce sont des disputes sans fin. On rêve d'Amsterdam pour les merveilles qui s'y publièrent. Paul Lacroix, le Bibliophile Jacob, court la poste pour un exemplaire rare. Charles Nodier disserte avec frénésie du choix des reliures. On trouvera de ceci dans Gérard de Nerval, qui manquait de fortune, il est vrai, mais qui avait hérité de ce *maître* (c'est ainsi qu'il revendiquait Nodier) ce goût profond.

Cependant, Charles Nodier n'était pas un maniaque : il pratiquait le bon usage de la lecture. Sa boîte de naturaliste au dos, lorsqu'il faisait halte sous un ombrage de sa campagne séquanaise c'était pour se plonger dans son exemplaire des *Œuvres* de La Fontaine. Il s'enthousiasmait d'autant plus à lire les pages du Bonhomme qu'il les lisait au ras du paysage pastoral. Qu'on s'imagine, dans un tel décor, et de cette façon, ce que fut pour lui la découverte de Jean-Jacques, auquel il doit tant (et auquel, par son entremise, Gérard de Nerval, ensuite, devra tant). Il faut s'en convaincre : l'herbier de Charles Nodier vient de Genève...

Mieux encore : l'herbier joue chez l'un et chez l'autre un rôle identique, c'est une mémoire sensible. C'est assez loin de Proust, cependant. L'herbier est une porte directement ouverte sur le havre lointain. Rousseau — dans les *Rêveries* — dira : *Maintenant que je ne peux plus courir ces heureuses contrées, je n'ai qu'à ouvrir mon herbier et bientôt il m'y transporte.* Campagne de Quintigny, frais ombrages à contrefort des rocs, coteaux de vignes et friches qui dévalent vers la plaine, soirs tristes du gel, matins déchirés de soleil, tout est là, dans ces planches botaniques soigneusement rangées par l'auteur de *la Fée aux miettes.* Il suffit d'ouvrir les cartons, et tout vous est rendu ! Dans la chambre de l'Arsenal où Nodier se retire pour travailler, qu'il touche à son herbier et aussitôt les murs s'écartent, et voici, retrouvées, les longues promenades solitaires vers la chartreuse de Bonlieu, le château du Pin, Ménétru, et jusque dans la grande salle du café Rodet, à Lons-le-Saunier, où vient s'attabler Rouget de l'Isle... Les trois flambeaux dont Nodier s'éclaire s'effacent eux aussi, et disparaissent dans le soleil de la Franche-Comté. C'est alors que l'article en cours est abandonné, et que la main, sur une liasse nouvelle, inscrit un titre : *Jean-François les Bas-bleus,* ou bien *Histoire d'Hélène Gillet.*

On sait que Rousseau préférait la pervenche à toutes les autres fleurs. Pour Nodier, c'est l'ancolie (on n'ignore pas que, de celle-ci, Gérard de Nerval, héritera :

La fleur qui plaisait tant à mon cœur désolé). On remarquera, au passage, que nos trois écrivains : Rousseau, Nodier, Nerval, sont trois promeneurs exemplaires. Ils vagabondent plutôt qu'ils ne voyagent. Et lorsque Nodier est la proie de cette fièvre maligne dont il mourra, rien ne le guérit qu'une longue marche dans les monts du Jura. Cet homme heureux était un neurasthénique incurable. Il sentait les jours fuir avec rapidité : ce mouvement lui ôtait le repos. Il parlait de la mort avec complaisance, comme quelqu'un qui la sait et connaît par avance. A ce mouvement involontaire qui est la course du temps, Nodier en opposait un autre : celui que lui donnait son écritoire. Il se tuait à la besogne, ce qui lui était une façon de ne pas mourir. Ou bien il s'en allait parmi les ancolies, réconcilié, par cet instant heureux, avec la loi fatale.

Puis, l'esprit toujours en mouvement, Charles Nodier reprenait les ouvrages d'un autre auteur de prédilection : Rabelais. Et il relisait pour la millième fois le chapitre XIII du *Gargantua,* celui qui a pour titre : *Comment Grandgousier congneut l'esperit merveilleux de Gargantua à l'invention d'un torchecul.* Et Nodier ne se lassait pas de cette lecture qui allait lui donner l'idée de l'*Histoire du Roi de Bohème et de ses sept châteaux.* D'ailleurs, n'avait-il pas écrit à Pixérécourt (bibliomane averti) que ce fameux treizième chapitre *contient le* compendium *de la sagesse humaine ?* Et il revient longuement sur ce même sujet (du *chapitre immortel)* dans une missive à Weiss.

Et la nuit faite sur l'Arsenal, aux feux des trois bougies, un flacon de vin blanc à portée de main, l'infatigable Nodier préparait son article du lendemain, seul avec les grincements de la plume sur le papier. C'est, après tout, le patron des écrivains. Je le prendrais volontiers pour maître.

Tout Nodier est dans ce balancement qui lui permet d'unir, en forme de trinité trônant dans le ciel des livres, ensemble, fermement, Rabelais, La Fontaine et Jean-Jacques Rousseau. Contradiction ? Aucunement. Il y a, dans l'érudition de Nodier, une aisance remarquable. Il se coupe peu du monde. Il est badaud avec naturel, et les petites gens de son quartier viendront suivre le char funèbre. Curieux, il ne néglige rien. Distrait, il s'accommode de tout. Rêveur, il est attentif. Bavard, il invente. Généreux, il sème et récolte. Vif, il se contraint. Hanté par la mort, il cherche la fraîcheur dans le rire. Incapable de vieillir, il n'économise ni ses forces ni son talent. Industrieux, il brille. On vient de partout entendre ses récits. Jeune homme, il donne à Dôle des cours publics : on s'y presse. Dans le salon de l'Arsenal, entre le dîner et la partie de piquet, il s'accoude, les mains dans les poches, et parle : il dit la Franche-Comté, les amours enfantines, les vampires, les fantômes, Trieste, Saint-Just, Pichegru. On s'aperçoit qu'il donne à tout un coup de pouce, mais quelle importance ? Nodier parle : il s'invente.

Ce qui le rapproche de Rousseau, c'est une perpétuelle rêverie. Ils ont chacun un pied dans la nuit. Ils vont par le monde, de biais. On les blesse facilement. Ce sont des hommes hantés par des amours imaginaires. Ils vivent peu, mais rêvent beaucoup. Ils se racontent si bien qu'ils ne peuvent plus faire le départ entre le récit et la vérité, accomplissant ce miracle de faire du récit la vérité justement. Ils ont leur enfance à portée de main, surpris du temps qui passe. Ils ne se décident pas à choisir entre ceci et cela, la blonde et la brune, la science et la littérature, la politique et la solitude, — ce qui rend leur démarche incertaine, mais inoubliable. Ils connaissent les intermittences du cœur, avec naturel. Ils ont de la pudeur, mais de la vivacité. Ils s'avancent, d'une démarche voisine, vers la nuit blanche et noire qui est dans *Aurélia* de Gérard de Nerval qui, ainsi, à la fin, singulièrement, les accomplit et les prolonge.

L'admiration pour les ouvrages de maître François Rabelais est constante. Comment être imperméable à ces livres prodigieux ? C'est l'Homère français. Il a donné au langage une folle liberté, et, ce faisant, lui a dicté son avenir. Rien n'échappe à sa frénésie. Sa justesse englobe l'essence littéraire elle-même. On a cherché mille clés à cette œuvre de l'écriture, dans le tort où l'on demeure souvent de ne s'étonner jamais que la littérature puisse être à son propre miracle une raison suffisante. Charles Nodier voit dans Rabelais une *Comédie humaine* à la façon de celle que Balzac commence, alors, à dessiner. *Rabelais*, écrit Nodier, *est l'inventeur de types le plus fécond qui ait existé. On n'a fait que glâner après lui.* J'ai parlé plus haut du significatif déhanchement de Nodier. Ne faut-il pas admirer cette façon qu'il a d'unir l'univers rabelaisien à ce *monde conjectural* (le mot est de lui) qui est, à la fois, le sien et celui de Jean-Jacques ? A moins qu'il n'ait, justement, saisi chez le Tourangeau et chez le Genevois un identique triomphe de la littérature. Il ne faudrait point s'en étonner. La vraisemblance veut que le trait-d'union, ici, fut Sterne, un écrivain fort prisé par Nodier : de Rabelais et Sterne, il dira qu'ils sont, *ces deux grands dériseurs*, placés *comme deux jalons dans la route philosophique de l'intelligence des modernes.* Ce qui était voir exactement.

La Fontaine, c'est très important, mais d'un degré moindre. C'est le compagnon docile, qui repose dans la poche du voyageur. A chaque halte, il vient rafraîchir l'âme, et redonner du vif à la sensation. Le fabuliste est populaire autant qu'averti : sa science est égale à sa candeur. Sa création est continue : *La Fontaine est plus riche lui seul en types d'une étonnante réalité que tout le reste des poètes.* Mais attention. Il faut se méfier d'un enthousiasme qui goberait tout sans choix. Et, ailleurs, le bon Nodier note : *Madame de Sévigné comparait le recueil de La Fontaine à un panier de cerises, où l'on choisit d'abord les plus belles, et dans lequel on finit par ne rien laisser. Cette comparaison est spirituelle, mais il faut avouer qu'il reste au fond du panier quelques cerises de mauvaise qualité.* Et le chroniqueur ajoute : *Il n'y a point de génie si rare qu'il ne trahisse l'humanité par quelques imperfections.* Parmi les fables les plus médiocres, à son jugement ? *La Cigale et la Fourmi...*

La hantise de Charles Nodier, c'est l'écriture. Il a, presque, ce ton des modernes pour lesquels parler, c'est être. Et lorsqu'il écrit cette fantaisie magnifique qu'est l'*Histoire du Roi de Bohême*, que fait-il d'autre que livrer, en parfait *dériseur* qu'il est, l'image d'un livre qui tente de devenir un livre ? Nouvelle contradiction ! Ce littérateur impénitent fait tout pour fuir la littérature justement : les sciences naturelles n'y suffisent pas. Il lui faut un sujet neuf : lui-même. Et ce seront les *Souvenirs de Jeunesse*, cette suite de courts romans qui le montrent au vif en le dissimulant au mieux. Ils égrainent des prénoms de femmes : Séraphine, Thérèse, Clémentine, Amélie, Lucrèce, Jeannette. C'est poignant : un mensonge véridique. Mais ce seront aussi, plus dangereux, les *Souvenirs de la Révolution et de l'Empire*, merveilleux de précisions inventées. Chaque détail y est d'une exactitude parfaite : il n'y a de faux là-dedans que l'auteur qui s'y promène. Et encore ? Lorsque Weiss lui faisait remarquer qu'il n'avait pas pu rencontrer Saint-Just, et que les dates contrariaient ses inventions, Nodier, superbe lui répondait que : *Si c'était pour dire de telles bêtises, il pouvait aussi bien s'en retourner à Besançon !* La vérité était donnée par Nodier à Nodier dans le tremblement des trois flammes sur sa table, dans la nuit de l'Arsenal. Cela suffisait.

Mais avant l'épreuve du papier, Nodier, chaque soir,

les mains dans les poches, les jambes l'une sur l'autre repliées, d'une voix lente à l'accent franc-comtois (ses ancêtres se nommaient Naudier ; il devint Nodier ; mais il fut jusqu'au terme incapable de substituer « o » à « au », et prononça toujours *Naudier*), contait, se racontait, s'inventait, et, au moment de gagner la table de piquet, devenait un peu plus, un peu mieux, Nodier, l'autre, le *vrai*. Oui, malgré diverses épreuves, elle fut heureuse cette vie à l'Arsenal. La bibliothèque du comte d'Artois. La chambre aux volets clos (il ne travaillait qu'ainsi). Les amis, dans le grand salon, faisant cercle autour du conteur. Et Marie, là-dedans, qui jouait du piano, dansait avec Dumas, avec d'Arvers, avec Fontaney. De quoi rêver. Et Nodier, justement, rêvait.

Ecoutez-le, néanmoins : *Que le monde positif vous appartienne irrévocablement, c'est un fait et sans doute un bien ; mais brisez, brisez cette chaîne honteuse du monde intellectuel, dont vous vous obstinez à garrotter la pensée du poète. Il y a longtemps que nous avons eu, chacun à notre tour, notre bataille de Philippes ; et plusieurs ne l'ont pas attendue, je vous jure, pour se convaincre que la vérité n'était qu'un sophisme, et que la vertu n'était qu'un nom. Il faut à ceux-là une région inaccessible aux mouvements tumultueux de la foule pour y placer leur avenir.*

Voilà Nodier dans son intime : un Lucien qui connaît les horreurs du cauchemar ; un Perrault qui s'intoxiquait à l'opium ; un homme, peut-être, qui se craignait lui-même. Car je soupçonne Nodier d'avoir mis des brides à son emportement. Si vous dégagez des œuvres ces noirs versants que sont *Smarra* et (autre exemple) *Piranèse ;* si vous avez souvenance de la fièvre étrange, faite de langueur et de crainte, qui cloue Nodier sur son lit, vous verrez, à la fin, un homme livré aux monstres. Encore plus proche de nous.

Les incertitudes de Nodier n'échappaient pas à ses

contemporains. C'était un auteur inclassable, aussi loin du feuilletonniste que de l'historien. Il mêlait de l'érudition à toutes ses fantaisies. Et il mettait de la fantaisie dans ses travaux les plus ingrats. Il ne faisait rien comme les autres. Il était naturellement différent. Son amabilité dissimulait mieux que tout son angoisse. Ayant lu, et bien, Montaigne à huit ans, il eut une vie très longue, mais il ne cessa jamais (je l'ai dit) d'être un enfant. Son instabilité le définit ; il conquiert sa constance. Il s'enchante du mélodrame avec Pixérécourt, du pastiche avec Roujoux, de la linguistique avec Chapelet. Sainte-Beuve a le mot juste : *Nul écrivain de nos jours, ne saurait mieux prêter à nous définir d'une manière vivante le littérateur indéfini, comme je l'entends, que ce riche, aimable et presque insaisissable polygraphe, — Charles Nodier.* Oui, tout semble y être : *littérateur indéfini,* ou, comme dit encore l'homme des *Lundis, littérateur errant.* Mais aussi : *presque insaisissable polygraphe !*

L'autre trait du tableau est donné par Mérimée, dans son discours de réception à l'Académie Française. C'est d'une plume acide que l'homme sec fait louange de son prédécesseur. Quelques traits sont justes : *Ce serait mal comprendre, en effet, M. Nodier ; ce serait ignorer, non seulement le caractère de son talent, mais la nature même de son esprit, que de supposer qu'il eut jamais l'intention de se donner pour un historien, et surtout pour un biographe. Qu'il s'agisse de lui, qu'il s'agisse des autres, qu'importe à M. Nodier l'exactitude rigoureuse des faits. Pour lui tout est drame ou roman. Il cherche partout des traits et des couleurs. Un nom propre lui rappelle une idée, d'où bientôt jaillit une composition tout entière. Ce qu'il touche, il l'orne à plaisir.*

A plaisir ? Le mot est inexact. L'explication serait trop simple.

Le 29 avril 1780, à Besançon, Suzanne Paris, servante de maître Antoine Melchior Nodier, met au monde un enfant qui sera déclaré « de père inconnu ». Charles Nodier ne portera son nom véritable qu'à partir du 12 septembre 1791, lorsque le mariage unira Suzanne Paris et Antoine Nodier, et qu'il sera, par cela même, légitimé. Son père, alors, est Président du Tribunal criminel du Département du Doubs : c'est un républicain de cœur, d'esprit, et d'allure. Si, à Grenoble, le grand-père Gagnon montrait au jeune Henri Beyle le buste de Voltaire qui trônait sur sa cheminée, le père de Charles avait Rousseau dans la mémoire. Il ne songe qu'au décalogue républicain. Il ne voit dans l'éducation que les préceptes de l'*Emile*, et les vertus spartiates. Que faut-il faire d'un enfant ? Un citoyen, ou un savant ? Sa réponse est immédiate, sans ambages : un citoyen. Et c'est ainsi que Charles s'exerce à la lecture dans Montaigne, cultive les lettres latines, fuit les mathématiques (il dira, plus tard : *Je veux bien que deux et deux fassent quatre, mais qui me le prouve !*).

Par ce biais, Charles Nodier rencontre la politique, cette déesse furibonde, lorsqu'il a onze ans d'âge. Coiffé de rouge, il prononce un discours dans l'enceinte du club révolutionnaire bisontin : les *Amis de la Constitution*, dont il va devenir un membre d'autant plus choyé qu'on fera de lui le « prince de la jeunesse ». La Terreur n'est pas encore à l'ordre du jour, et l'affirmation des Grands Principes ne cède pas encore le pas à la délation. On veut convaincre par le sentiment, et non par le bourreau. Nodier est de toutes les fêtes. Son père, de tous les jugements. Les accusations se pressent sur le bureau du Président. Les idées vagues s'accumulent dans la tête de l'enfant. Il est rousseauiste avec candeur, et se passionne pour la nature. Cela lui donne un compagnon : Justin Girod de Chantrans, un ci-devant, qui fut officier du génie. C'est un grand marcheur, un promeneur émérite, un naturaliste de bonne volonté, et, tout de bon, un homme de grande culture : il enseigne à son jeune compagnon la botanique et Shakespeare, l'entomologie et la littérature italienne. Il devient son second père, et l'auteur de *Séraphine* s'en souvient toujours avec, au fond de lui, une sorte d'exaltation du cœur : *Il y avait dans ma ville natale un homme d'une quarantaine d'années qui s'appelait M. de C°°°, et qu'au temps dont je parle on appelait plus communément le citoyen Justin du nom de son patron, parce que la révolution lui avait ôté le nom de son père. C'était un ancien officier du génie qui avait passé sa vie en études scientifiques, et qui dépensait sa fortune en bonnes œuvres. Simple et austère dans ses mœurs, doux et affectueux dans ses relations, inflexible dans ses principes, mais tolérant par caractère, bienveillant pour tout le monde ; capable de tout ce qui est bon, digne de tout ce qui est grand, et modeste jusqu'à la timidité au milieu des trésors de savoir qu'avait amassés sa patience, ou deviné son génie ; discutant peu, ne pérorant pas, ne contestant jamais ; toujours prêt à éclairer l'ignorance, à ménager l'erreur, à respecter la conviction, à compatir à la folie, il vous aurait rappelé Platon, Fénelon ou Malesherbes ; mais je ne le compare à personne : les comparaisons lui feraient tort. Le vulgaire soupçonnait qu'il était fort versé dans la médecine, parce qu'on le voyait le premier et le dernier au chevet des pauvres malades, et qu'il était à son aise parce qu'il fournissait les remèdes ; mais on le croyait aussi un peu bizarre, parce qu'il était avec moi le seul du pays qui se promenât dans la campagne, armé d'un filet de gaze, et qui en fauchât légèrement les cimes des hautes herbes sans les endommager, pour leur ravir quelques mouches aux écailles dorées, dont personne ne pouvait s'expliquer l'usage.*

Il fallait citer cette page tout du long. Le portrait est significatif qui fait de Nodier un disciple de Chantrans, mais aussi, de Chantrans, une sorte de Nodier idéal contemplé et décrit par Nodier. Cette force du calme, cette assurance de la lenteur, ce refus des agitations de l'univers, combien Charles Nodier ne cessera-t-il de les admirer, de les souhaiter, de les désirer. Sa destinée est au contraire, et il y prête la main. C'est un campagnard qui a du Rastignac dans le fond de lui ; un citadin qui ne rêve que d'ombrages, de maisons villageoises, de sentes forestières. Nerval sera sur le même modèle. Le silence donne du piquant au tumulte par le regret qu'on en peut avoir. Comment vivre de silence, lorsqu'on est un homme de mouvements ? Tout est là.

Viennent, dans ce moment de la dernière enfance et de la première jeunesse, les grands visages : Pichegru, un homme des mêmes villages, que l'on défendra jusqu'au bout, et contre l'évidence s'il le faut ; Saint-Just, une rêverie, jamais approché, mais dont Nodier prendra soin, faisant préface aux *Institutions républicaines,* ce projet qui est un aboutissement. (On imagine, plus tard, à l'Arsenal, la porte poussée par Fourier et ses idées de phalanstères : Nodier s'y retrouvait, avec bonheur). Il y a — aussi — Euloge Schneider : toute une histoire ! Non : une historiette. L'accusateur public, ancien prêtre, avait publié Anacréon. Antoine, le Juge du Doubs, lui envoya Charles afin qu'il puisse, dans cette fréquentation érudite, apprendre le grec. Strasbourg est en ébullition : Saint-Just y est invisible. Quelques jours se passent : Schneider est guillotiné. La vertu est triomphante, et Charles regagne Besançon.

L'année 1794. Charles débarque à temps pour prononcer, en l'église Sainte-Madelaine, rendue aux affaires civiles, l'éloge de Bara et de Viala, ces enfants glorieux. Charles s'exerce à l'éloquence : il ne cessera jamais d'être un causeur au parler lent. Le 9 Thermidor passe là-dessus avec fracas : les têtes courbées se haussent, les autres se courbent. La passion botanique du futur écrivain le met à l'abri : il rejoint Chantrans à Novilars : ce sont des journées bénies.

Mais, également, des journées incertaines : on conspire dans l'imaginaire, on prend le vrai pour le faux, les ronciers du rêve paraissent plus réels que les indolences de la réalité. On projette mille choses dont aucune ne vient au jour. Cela va se poursuivre durant quelques années. D'un premier séjour à Paris, Charles Nodier rapporte une tunique grecque et un amour au cœur : Lucie Franque. Il lit *Werther* avec délices et terreurs : c'est un travail du sang dans une organisation de jeune montagnard. Il illumine Besançon de sa flamme : les Philadelphes seront cinq. Le général Griois note : *Nous avions formé une espèce de société littéraire et gastronomique. Les séances, consacrées à la lecture de discours et de dissertations que nous faisions tour à tour sur les sujets donnés d'avance, se terminaient toujours par un souper où chacun apportait un plat et qu'animait la gaieté la plus franche et la plus bruyante.* Ces agapes devinrent, pour la mémoire vive de Nodier une machine de guerre. Il revenait de la capitale, riche d'une *Dissertation sur l'usage des antennes dans les insectes et sur l'organe de l'ouïe dans ces mêmes animaux,* rédigée avec la collaboration de F. M. J. Luczot de la Thébaudais. C'est d'une assise solide, mais d'un retentissement bien court. De quoi le mener, Antoine aidant, à la Bibliothèque municipale de Besançon, où il est nommé adjoint : le monde, décidément, est bien fastidieux !

Mais l'idée même de la Bibliothèque, déjà, et par avance, le séduit : il adore le grain des livres, le détail et la justesse des reliures, les traités méconnus, les ouvrages oubliés. Le rare de la culture l'attire. Le spectacle typographique l'enchante. Besançon l'empêche d'être heureux, c'est évident. Il est timide dans ses amours : c'est un frein insupportable. La politique bouillonne, ce qui le rend plus brouillon que nature. Il se met dans la tête d'être conspirateur : il conspire, et s'en trouve mal. Il se venge. Il écrit. C'est *Moi-même*, une autobiographie à grands pas, avec des échappées injustes, et des menteries d'adolescent. La province — seule — couve de tels canards boiteux. Ecoutez : *A vingt ans, j'ai tout vu, tout connu, tout oublié. A vingt ans j'ai épuisé la lie de toutes les douleurs et après m'être consumé dans des espérances inutiles, je me suis aperçu, à vingt ans, que le bonheur n'était pas fait pour moi...*

Romantisme ? Un mot qui fait le dos rond, qui n'explique rien. D'aucuns diront que les adolescents sont soumis à de telles crises, et qu'il faut, justement, qu'ils en sortent. Oui, mais comment ? Rompus ? Nodier sait ce qu'il dit, même lorsqu'il triche sur son âge et lorsqu'il ment au sujet des circonstances. Il craint de périr. Il demande qu'on le laisse dans l'abandon de qui il est : l'enfant. Et beaucoup plus tard, à l'Arsenal, Nodier marquera ce tournant et cette certitude. Consacrant un texte à l'avocat et comte Réal, il dira ceci, qui est capital : *...Et comment se seraient-elles entièrement anéanties ces premières émotions de l'enfant, puisque je n'ai jamais entretenu mon esprit d'autre chose depuis les jours de désabusement où j'ai reconnu que, hors la vie de l'enfant, il n'y avait rien dans notre vie qui valût la peine de vivre.* Et, parlant de l'enfant (ce Nodier en jabot de dentelles), il écrit : *C'est que pour lui tous les faits sont des spectacles et toutes les illusions des réalités.* (Voilà cette clé que nous cherchions : une manière d'être par la parole). Il poursuit : *... C'est que l'expérience n'a pas encore soufflé devant son prisme un nuage terne et grossier ; c'est qu'il n'a jamais soulevé le rideau de la comédie, et démêlé l'artifice des misérables machines qui l'éblouissent de fausses merveilles.* (Cette phrase de beaux mots, on le sent, est machinée pour la galerie : défaut commun aux orateurs). Enfin, ceci : *... je me suis* *conservé enfant par dédain d'être homme.* Aveu suprême : *Voilà le secret de ma mémoire et de mes livres.*

L'enfance dite, nous pouvons aller vite. En 1801, Charles Nodier publie *quelque chose de merveilleusement doux :* c'est une *Petite Bibliographie des insectes.* Le rousseauiste est à l'œuvre, mais aussi le linguiste : *Les nomenclatures, œuvre d'un génie tout poétique, et qui sont probablement la dernière poésie du genre humain, ont un charme inexprimable à cet âge où la fable et l'histoire n'ont pas encore perdu leur prestige...* Beau contraste : Nodier publie dans le même temps des *Pensées de Shakespeare :* il y donne le gauchissement de la tragédie romantique. Plus encore, il trace le premier plan d'un récit qui suit Faublas dans sa trace : *Le dernier chapitre de mon roman.* Nodier choisit bien : Louvet de Couvray est un bon auteur, mais on reproche au bisontin d'être un peu bien leste, d'autant qu'il s'enflamme en rimant *la Napoléone :*

La Roche Tarpéienne est près du Capitole,
L'abîme est près du trône, et la palme d'Arcole
S'unit au cyprès de la mort...

Besançon, Paris, Paris, Besançon, des escales fiévreuses. Paris, une gargote ; Besançon, un tombeau. Nodier écrit *Stella ou les Proscrits.* Il s'écrie : *Mon roman est plus fort que moi...* Il aime. Mais c'est Lucie Franque, un peintre d'histoire, l'épouse de Quaï, des *Méditateurs.* Nodier rentre à Besançon. L'ancien juge lui ouvre les bras, comme toujours. Il s'en va dans les cafés où l'on conspire. Ce milieu, pour lui, est trop étroit. Il rentre dans Paris, en conquérant, mais Lucie est morte. Le temps de composer *le Peintre de Salzbourg,* il se dénonce à la police impériale. C'est que le tout-Paris en parle, de cette *Napoléone,* revenue de Londres. Tout le monde est suspect, sauf lui. L'incartade lui vaut trente-six jours de prison. Ce n'est pas la gloire, certes ! mais quand même... C'est Sainte-Pélagie.

Il importait que *la Napoléone* soit reconnue comme étant la production du jeune ambitieux. C'est un mouvement à la Rastignac, qui donne peu de gloire mais beaucoup d'agitation. Le 5 pluviôse de l'an XII, il faut quitter Paris. L'enfant terrible regagne Besançon. Que fait-il ? Il retourne au café, rameute les Philadelphes et les Méditateurs, conspire. Il s'agissait simplement de faire assassiner l'Empereur.

Rêvais-tu quelquefois le poignard de Brutus ?... c'est un vers de *la Napoléone,* et c'est Charles Nodier qui rêve. La conspiration n'est guère prise au sérieux. Deux arrestations, et Nodier s'enfuit dans la campagne, rêvant le jour aux gendarmes, marchant la nuit, découvrant des gîtes de hasard. Mérimée, avec cette méchanceté qui est la sienne, dira : *Il croyait fuir les gendarmes et poursuivait les papillons.* C'était autre et plus sérieux que cela : Nodier, même si personne ne le poursuivait, était poursuivi. Il avait son roman dans la tête : un roman dans le sein duquel les amours et la poésie, le suicide et la politique, les sciences naturelles et le goût de la promenade jouent à colin-maillard. C'est un homme qui a le cœur chaud et la cervelle en feu.

Il le prouve en 1806, publiant *les Tristes.* Il est rentré dans Besançon. Il est soumis à surveillance. Il y a, dans *les Tristes,* cette étoile que l'on retrouvera, plus tard, dans *Aurélia* de Nerval : Lucie Franque et les filles du juge Claude Charve :

La treizième revient, c'est toujours la première, dira le doux Gérard dans ce Paris qui bascule vers la clinique du docteur Blanche...

Lucie Franque, la jeune morte, est l'une des filles de Charve. Nodier, à Dôle, cherche l'héroïne de son *Peintre de Salzbourg :* il s'éprendra de Mme Charve, de ses deux autres filles. Les yeux de Désirée, la plus jeune, le séduiront. Il y contemple sa propre image : un jeune barde au cœur souffrant. Il lit *Werther* jusqu'à plus soif ; s'essoufle à donner des cours publics ; se fatigue à deviner l'avenir. C'est le mariage, et l'insécurité. Désirée sera une ombre aimante, présence constante, refuge contre les démons du cauchemar. Elle marquera peu le *dériseur*. C'est comme une main d'affection posée sur le front d'un fiévreux. Puis elle lui donnera Marie, cette fille tant aimée qu'elle sera — peut-être — Lucie revenue de la nuit du tombeau. Et Nerval, avec cette voix, parfois, à la Nodier, demandera :

Où sont nos amoureuses ?

sans que l'homme de l'Arsenal ne puisse répondre, qui pratique cet épanchement de la vie réelle dans la vie rêvée dont on fera, ensuite, si grand cas.

Le mariage touche au deuil : Antoine Nodier, ce père vigilant et attentif, meurt en cette fin de l'année 1808. Charles est semblable à une barque démâtée. Désirée lui tient la main, mais il est tout au désarroi. On projette de partir pour la Louisiane : des lettres sont échangées, le dessein se précise. Mais cette imagination américaine est détruite par une proposition nouvelle (et mirifique) : devenir, à Amiens, le secrétaire de Sir Herbert Croft, un érudit qui offre monts et merveilles. Adieu, flore tropicale ! Les malles sont bouclées, chargées, et les chevaux foncent vers le projet d'un *Horace éclairci par la ponctuation*. Rien n'est plus singulier que ces deux personnes, Herbert Croft et Mary Hamilton, qui, sur le tard, ont choisi de vivre ensemble par amour et passion pour les lettres. A table, au couvert de chacun d'eux est joint une écritoire : on s'empare d'une plume d'oie entre l'entrée et le poisson, et voilà le dîner au diable. Charles copie, corrige, traduit, compare

quarante-sept éditions différentes du *Télémaque*, s'ané-
mie à la tâche, et ne voit rien venir. Parbleu, milady
et le baronnet ont la tête si perdue d'imprimés qu'il faut
se rendre à l'évidence : ils sont ruinés. Et c'est ainsi que
Charles Nodier quittera celui qu'il disait être *l'Epicure
de la syntaxe et le Leibnitz du rudiment*. On refait les
malles, et l'on s'en retourne, gros-Jean comme devant...

Dans ce Jura follement aimé, la famille Charve, aussi
peu fortunée que la famille Nodier, possède une maison.
C'est à Quintigny que Désirée et Charles reviennent. Il
y aurait là quelque chose comme une période de bonheur si l'argent ne faisait si cruellement défaut. Désirée
est enceinte. Charles herborise : il marche comme faisait
Rousseau, un livre dans la poche, des papiers dans la
manche, la boîte du naturaliste au dos. Les arrêts sont
pour le vin blanc des coteaux qu'offrent des amis...
Mais un article publié de temps à autre, cela ne fait pas
une ressource ! Nodier postule un poste de facteur
rural : on lui préfère un homme dont la candidature
ne fut jamais posée à l'Académie de Besançon, et cela
se conçoit. En 1811, la maison de Quintigny est couverte de fleurs pour la naissance de Marie. Charles, qui
rime par convenance, se met à rimer par plaisir : il lui
semble que s'il a les poches vides, il a cependant un
trop-plein de joie dans le cœur.

Heureusement — et malheureusement, tout à la
fois — Charles est nommé bibliothécaire à Laybach, en
Illyrie. Il occupe de plus les fonctions de rédacteur du
fort officiel *Télégraphe des provinces illyriennes*. Le
temps de *la Napoléone* et de la fronde est loin. Pas pour
longtemps. Des amis avancent l'argent du voyage, et
voilà Désirée, Marie et Charles embarqués vers les
honneurs, la fortune et la gloire. C'était compter sans
les revers du destin, les calculs de Fouché et la poussée
des Autrichiens. Le salaire est réduit. Fouché manœuvre : Nodier est un pion sur un échiquier qu'il ignore.

Les Autrichiens se regroupent, et il faut fuir. La voiture verse : Désirée a la jambe cassée dans le temps où Charles apprend qu'il est accusé de trahison. On s'endette encore. On repart. Voici Quintigny. Le temps de respirer un peu, et c'est l'installation à Paris, où Charles est appelé à collaborer au *Journal de l'Empire*. Maintenant commencent les nuits de veille. C'est l'écrivain au travail.

Les écrits de Nodier lui avaient valu quelque considération. La justesse qu'il met, dans sa besogne de feuilletonniste, à mesurer et fonder ses jugements le porte au premier rang de cet art somme toute nouveau : la critique. Il distingue l'artiste qui va, demain, se détacher de ses compagnons, et briller. Il signale le livre dont les salons parleront. Il glisse des allusions politiques qui font de son modeste appartement de la rue des Trois-Frères un foyer royaliste. Son érudition lui ouvre des portes. Sa bibliomanie lui fait des amis. Il n'est pas l'homme du jour, certes ! mais il est connu, apprécié, écouté.

L'Empire glisse vers son déclin, et les Bourbon, traînant le char du roi podagre, entrent dans Paris, *le Journal de l'Empire* redevient *le Journal des Débats*. Nodier gronde aux basques du Buonaparte et rappelle *la Napoléone*. Il sera décoré de l'ordre du Lys. C'est maigre, et d'autant plus que le Corse, dans l'enthousiasme des Cent Jours, vole de l'île d'Elbe au cœur de la Cité. C'en est trop. *Puisqu'on veut absolument pour la France,* s'écrie Nodier, *un souverain qui monte à cheval, je vote pour Franconi.* C'est un mot qui, s'ajoutant à mille imprudences, pouvait conduire son auteur bien bas. Fouché comprend trop les retournements de vestes pour se formaliser. Il convoque son ancien complice (un complice involontaire, on l'imagine) d'Illyrie, et lui demande ce qu'il désirerait. Rien, répond Nodier, sinon un sauf-conduit pour Gand où est le roi. L'insolence, cette fois, fait craindre le pire. Le duc de Caylus, qui aime les livres rares avec une passion toute nodiériste, offre aux Nodier un refuge dans son château de Buis. On accepte.

Et voilà Nodier rendu à Rousseau, aux promenades, à l'herbier, et à cette science botanique qui a ses raisons dans le rêve.

1815 ! Ce sont les adieux au château de ce bon M. de Caylus. Les beautés pastorales de Buis sont abandonnées ; l'*Histoire des sociétés secrètes dans l'armée* paraît. Il y a un peu de tout dans cette relation : ce n'est pas de l'histoire événementielle — comme on dira — mais de l'histoire conjecturale — comme on ne dit pas encore. A Paris, le *Journal des Débats* accueille le semi-proscrit avec plaisir : il publiera plus, et sera mieux payé. Ce n'est pas le pactole, mais un surcroît de besogne. Qu'importe ? Nodier tire ses rideaux, allume ses trois chandelles, écrit des articles et ouvre un cahier auquel, depuis Laybach, il songe beaucoup : *Jean Sbogar*. Le livre est publié sans nom d'auteur. C'est un succès. Le brigand téméraire, avec sa charte singulière, émeut salons et boudoirs. On attribue l'écrit à Chateaubriand, à Benjamin Constant, à dix, à vingt autres. A Nodier ? Jamais, ni personne. L'auteur en acquiert un soupçon d'amertume, mais il se résigne à être double. L'idée du masque finit par lui plaire. Mais il se résoud cependant à vouloir, une fois encore, quitter la France. On propose Odessa ? Va pour Odessa. Cette ville aux grands pavés de bois possède un lycée français, Richelieu oblige. Un poste y est vacant. Mieux, une imprimerie sera fondée, un journal créé. Nodier fera tout. Il est ravi.

Il ne perd pas une minute. On donne congé aux *Débats*, au propriétaire de l'appartement. Les meubles sont vendus. Les livres sont confiés à des dépositaires de toute sûreté. Les voyageurs s'en vont s'installer à Quintigny, en attendant d'affronter la Mer Noire. Mais

Odessa donne des signes de contrariété : pas d'imprimerie, et, décidément, point de journal. Le poste de professeur ? Oui, mais à un tarif de misère. Les passeports, du coup — et par contrecoup — se font attendre. En 1819, les Nodier s'établissent au nº 1 de la rue de Choiseul.

La soupière n'est pas trop emplie. Le gigot est maigre. Désirée s'active. Heureusement, les précieux ouvrages, dans leurs belles reliures, occupent les rayons de nouveau. Les bouquinistes ouvrent leurs portes à cet infatigable mais difficile amateur : on dîne de la contemplation d'un Elzévir et on soupe d'amitié. Nodier cependant publie : *Thérèse Aubert,* en 1819 ; *Des Exilés,* la même année, une brochure dont Désirée ne saura rien, et qui manque d'attirer sur la tête de l'imprudent auteur les foudres du souverain. Tel est Nodier : il maudit le tyran et ses complices des années durant, puis se désole des rigueurs qu'exerce le pouvoir tant souhaité !

La santé de Charles connaît toujours ces hauts et bas dont on finit par moins s'alarmer tellement ils sont constants. La fièvre hypocondriaque lui donne une peau de lézard. Couvert d'écailles et de sueur, il songe à la mort. La nuit le transperce de visions horribles : il dira que c'est son portier qui rêve. C'est une invention. Quelque chose sort du tombeau pour se nourrir de lui, et de lui se repaître jusqu'au premier chant du coq. Dans ce temps d'alarmes et de singulières humeurs, le médecin de Byron, Polidori, publie son livre *Le Vampire.* C'est comme si la monotone songerie de Nodier était, soudain, tirée au jour.

Si d'une main notre Charles, dans ses *Mélanges de littérature et de critique,* ironise, et se retranche derrière ces nouveaux remparts religieux que font *les Martyrs* de Chateaubriand, il est manifeste que, la même année (nous sommes en 1820), il donne sous les initiales C.B.

(celles de Cyprien Bérard, homme connu dans le théâtre de l'époque) un roman qui est une suite à la fantaisie de Polidori : *Lord Ruthwen ou les Vampires* ; puis, en ce même temps, il présente en collaboration avec Carmouche et Jouffroy, à la Porte Saint-Martin, un mélodrame qui a pour titre *le Vampire*. Voilà, n'est-il pas vrai, qui s'organise bizarrement ! Et d'autant plus qu'il est tenté plus qu'il ne veut ou ne désire par l'examen de ces superstitions dont il est l'un des premiers à ne pas se moquer : c'est sa préface aux *Voyages pittoresques dans l'ancienne France*, de Taylor et Cailleux. La Légion d'honneur l'empêche-t-elle de s'enfoncer dans les profondeurs douteuses de la nuit ? Non. Il publie *Smarra*, cet aveu. Et Jules Janin voit juste, notant aussitôt que c'est là *le rêve d'un poète éveillé*. Peut-être. A moins qu'il ne s'agisse, plus précisément, du rêve d'un poète qui est sur le point de ne pouvoir plus s'éveiller.

Le dormeur se débat sous le joug qui veut l'enfoncer vers des régions plus insupportables encore. Une clairière : la naissance de son fils Amédée. Puis un voyage en Ecosse, un petit livre, et la découverte de Mathurin, l'auteur de *Melmoth*, dont il adapte *Bertram*. On voit que les ténèbres le tiennent encore. Sur sa table : les épreuves de *Trilby ou le lutin d'Argail*, que Victor Hugo, la chevelure en bataille, saluera d'un poème. Chez l'imprimeur : *Infernaliana*, une collection d'histoires dites infernales prises aux sources les plus diverses et collectionnées au long des mois de ces deux ou trois années fébriles...

C'est un drame qui va tirer Charles hors de son cachot hanté : la mort de son enfant, ce petit Amédée, frêle et chétif, une sorte de rançon déléguée aux divinités mauvaises. Nodier se ressaisit dans l'ébahissement. Il est incapable de décider à quel moment il vit : lorsqu'il croit rêver, ou bien lorsqu'il pense vivre. Ce qu'il sait, avec son grand corps de montagnard perdu dans les serres citadines, c'est qu'il veut « raison garder ». Voilà le Montaigne de ses huit ans. Voici les leçons de son père Antoine, le juge. C'est l'enseignement du ci-devant Chantrans dans les campagnes francs-comtoises. Bien sûr, mais Nodier, dans *la Quotidienne,* où il collabore, prend la défense de la nouvelle école : *Les classiques continuent à régner au nom d'Aristote sur la littérature européenne. Leur domaine n'est qu'un vaste désert. Les romantiques réussissent au théâtre, chez les libraires et dans les salons. On avoue les premiers. Ce sont les autres qu'on lit...*

L'année bénéfique, c'est 1824. Le soleil se lève pour Nodier. Le ministre de l'Intérieur, M. de Corbières, signe sa nomination à la Bibliothèque du comte d'Artois, à l'Arsenal. Toutes les bonnes têtes de ce temps s'y retrouveront, depuis Balzac jusqu'à Nerval, en passant par Hugo, Gautier, Dumas, Arvers, Guttinger, Latouche, Musset, Vigny, Lamartine, Sainte-Beuve. Une porte s'ouvre : voici Fourier et Considérant, suivis par Ballanche. On y reçoit Aloisius Bertrand et Delacroix. Marceline Desbordes-Valmore qui est belle à force de laideur s'assied entre la duchesse d'Abrantès qui écrit ses *Mémoires* et la charmante Delphine Gay. Emile Deschamps y cause avec Devéria et les frères Johannot. Sainte-Beuve note : *A l'Arsenal, on croyait à l'amitié...*

Le maître (car pour tous ceux que je viens de citer, Charles Nodier est un maître, il n'en faut pas douter), le maître travaille. Il avoue en 1828 : *J'ai neuf volumes sous presse.* En 1829, Delangle rassemble les *Poésies* de ce poète qui ignorait l'art de faire des vers. En 1830, il mande à l'ami Weiss qu'il publie l'*Histoire du roi de Bohême et de ses sept châteaux,* et il ajoute : *C'est un ouvrage qui n'a d'harmonie actuelle dans aucun esprit et qui n'est pas du temps ; j'en ai fait mon deuil.* Pour nous autres, modernes, c'est l'un des plus importants qu'il ait fait. L'un des plus précieux. L'un des plus complets et des plus enseignants. Il voit le jour, ce *Roi de Bohême*, dans le moment où Marie, l'enfant trop aimée, épouse un fonctionnaire des finances : Jules Mennessier. Pour Charles, une consolation : le couple vivra dans l'appartement de l'Arsenal. Marie est là, à une volée de marches, un escalier à gravir. Et c'est pour Marie, de nouveau perdue, bien que si proche, qu'il se propose maintenant d'écrire : *Je ne veux composer d'ici à ma mort, qui peut survenir quand elle voudra, que des contes de fées...*

Et c'est ce qu'il fait, justement. Mélangeant aux récits les *Souvenirs de Jeunesse* (ce chapelet aux grains qui sont des prénoms de femmes), les textes d'acuité critique qui composeront les *Rêveries* : sur le sommeil, la palingénésie, les superstitions... Jules Janin, à propos de *la Fée aux Miettes*, s'exclame : *Jamais il n'avait plus d'esprit qu'entre deux parenthèses...* C'est que Nodier se méfie de la raison qu'il connaît incertaine, et fait peu de cas du réel qu'il sait douteux. Ce qui est trop positif lui paraît de mauvaise monnaie. Il préfère le pain des rêves au marbre des académies. Et pourtant ? Il la contemple d'un œil curieux, cette Académie Française, là-bas, pas très loin de chez lui, à pied, où sont beaucoup de ses amis, quelques envieux, mais beaucoup de bibliophiles. Il fait campagne, avec nonchalance. Ses amis se mettent de la partie. Avec fruit : Nodier est élu dans la docte assemblée le 26 décembre 1833. Il succède à Laya. Désirée pleure de joie.

Encore des livres, des récits, des fantaisies. Cela va des *Notions de linguistique* jusqu'à *la Seine et ses bords*, en passant par l'étonnant *Piranèse* et l'étrange *Monsieur Cazotte*. Dans le fil de ces mêmes journées, il fonde avec Techener le *Bulletin du Bibliophile* pour se donner, j'imagine, la satisfaction de reparler encore de son cher Rabelais. Les grands textes se succèdent, les hauts récits : huit en sept ans (dont *Inès de las Sierras, le Génie Bonhomme, la Légende de Sœur Béatrix, Lydie*).

1843. Nodier est de plus en plus maigre, de plus en plus long, de plus en plus faible. Il ne quitte plus son lit. Balzac lui demande sa voix pour l'Académie et Charles lui répond : *Je vous donne ma place. J'ai la mort sur les dents.* C'est Mérimée qui prendra le relais, faisant un portrait mondain où il aurait fallu le génie de l'amitié.

Charles Nodier meurt le 27 janvier 1844. Autour de l'Arsenal, Paris est en deuil.

Le vrai portrait de Charles Nodier a été dessiné par lui-même : *Je ne me ressemble pas pendant dix minutes consécutives.* Mais cette mobilité, que dissimule-t-elle ? Elle est, d'évidence, suspecte. Elle ne révèle rien qu'elle-même ? Voire ! Cela serait par trop simple. Au contraire : elle indique avec une certaine âpreté le mal profond. La rêverie de Rousseau, celle de Sénancour (et l'on sait le goût qu'avait le rêveur de l'Arsenal pour l'admirable *Obermann*), son terrain, c'est une nature non souillée, souveraine : la Nature, ce dieu secret du XVIII° siècle. Pour Nodier, au contraire, il n'y a pas de *bon sauvage*. L'homme est de société par le fait même d'être homme. L'enfant ? Mais il est déjà prisonnier du masque : il lit Montaigne. L'homme fait refuse de vieillir : c'est le mouvement — nous le savons — de Nodier. Ce qui n'empêche que la nature (ou la Nature), pour lui et ses contemporains, n'est plus la divinité vierge et sainte : elle est polluée, compromise, complice. Le déchirement de Nodier se situe entre son moi social et son moi profond. C'est un homme socialement exquis : sa gentillesse est proverbiale. Il ne condamne jamais. Il trouve du bon à tout. Il s'accommode des plus hautes vertus civiles ; et se refuse à consentir aux médiocrités de la compromission quotidienne. Poussé dans ses re-

34

tranchements, l'humour le sauve. Voilà pour le moi social.

Mais pour l'autre ? Là, tout est ténèbre et menaces. Adieu l'innocence du botaniste ! Le Rousseau des *Dialogues*, il est vrai, frôlait de tels gouffres. Nodier craint d'y succomber. Il a le ton moderne. Se donner tout au moi profond, c'est perdre la raison, devenir la proie des monstres, ouvrir grandes les portes aux harpies et visions affreuses. Tel est le déhanchement de Nodier, et l'explication de ce mal mystérieux qui le rongeait de fièvre et le menait vers la tombe. Il emploie volontiers — dans ses titres — le mot de « suicidé ». C'est qu'il se tenait dans un précaire équilibre entre le monde positif aux règles duquel il ne croyait pas, et cet « autre » monde dont il avait, en quelques instants d'égarement, compris les menaces impitoyables.

Pour lui, il ne fait aucun doute qu'il existe, en l'homme deux personnalités. Ecoutez-le : *Il semble que l'esprit, offusqué des ténèbres de la vie extérieure, ne s'en affranchit jamais avec plus de facilité que sous le doux empire de cette mort intermittente, où il lui est permis de reposer dans sa propre essence, et à l'abri de toutes les influences de la personnalité de convention que la société nous a faite.* On aura compris que cette *mort intermittente*, ici, désigne le sommeil, et, qu'ainsi, Nodier oppose, par un mot, à la vie onirique un état d'immobilité. Pour lui, le rêve est passif. Il est subi. Son dynamisme s'exerce contre le dormeur lui-même. C'est par une fatalité de cette sorte que les vampires triomphent, dont l'homme endormi est la proie docile et séduite.

Cependant, cet état immobile, voilà le lieu de la personnalité véritable : reposer dans sa propre essence, révélation de l'esprit à lui-même. Refuser la personnalité de convention ? C'est le travail de Jean-Jacques, empêtré dans son état de citoyen de Genève et dans ses rapports avec l'Encyclopédie. C'est l'effort de Nodier, préoccupé — malgré tout — de se reprendre avant qu'il soit trop tard, et s'inventant une personnalité de convention pour échapper, à la fois, à celle que la société lui impose, et à celle que la nuit lui ôterait. C'est la victoire, enfin, de Nerval, qui passe les portes de corne et d'ivoire, mais qui *ne revient pas*. On voit le dessin de ces trois destinées.

Le lecteur attentif découvre dans les œuvres de Nodier d'une part cette terreur dont j'ai parlé, et d'autre part l'expression d'une harmonie heureuse, comme si, après tout, le rêve et la vie positive s'étaient, en quelque point, miraculeusement, accordés. Cette harmonie (qu'il nous transmet, ce qui ne veut pas dire qu'il l'ait lui-même, dans son intime, ressentie), Nodier l'obtient en opposant au personnage de convention que la société impose à chacun, un personnage de convention, certes, mais de *sa propre convention* : comme il faut nécessairement être Nodier, avoir vécu une certaine vie, être né à telle date, se souvenir de ceci et de cela, eh bien, Nodier va faire *un* Nodier. Il va s'inventer lui-même. Ce qui lui permettra *d'allonger les lisières de la vie positive et d'en franchir la portée*. Et ce qui, du même coup, donnera permission à son œuvre de s'élaborer.

Et si Nodier ne se suicide pas, ne devient pas fou, c'est en écrivant son œuvre justement. Elle seule va vaincre les angoisses et les fantômes qui le menacent. Le réconciliant avec lui-même, elle le réconcilie avec le rêve. C'est une grande et magistrale leçon.

STENDHAL

Voici peut-être le plus indispensable des auteurs. Il apprend à réfléchir sur soi. *On peut connaître tout, excepté soi-même,* disait-il, et dans cette longue recherche qu'il fit sur soi et dont témoigne toute son œuvre, il a durablement enseigné qu'on ne s'engageait que libre, et que l'individu ne pouvait aller jusqu'aux profondes racines du monde et de la société qu'en passant par lui-même. La vieille parole des Grecs : *Connais-toi toi-même,* combien, avec Beyle, elle change ! Plus rien, ici, de statique, mais le mouvement qui emporte tout. Cette recherche n'est pas immobile : elle met tout en branle. Le vrai est qu'on n'a jamais fini de se connaître soi-même, puisque croyant se découvrir aussitôt l'on se modifie, et qu'il faut reprendre la même allure pour courir à la conquête de ce nouveau visage, et ainsi sans cesse. Taine et Bourget, en découvrant Stendhal, ne firent, en vérité, que découvrir Beyle et donner ainsi le départ à cette fastidieuse recherche d'anecdotes que l'on sait. C'était perdre le meilleur en chemin. En réalité, il n'y a là qu'un homme : Beyle et Stendhal, c'est tout un. L'homme qui vit est aussi l'homme qui écrit. Nous autres, aujourd'hui, nous donnons au contraire le pas à l'œuvre sur la vie, mais voilà bien le miracle qui fait que Stendhal échappe à l'histoire (universitaire) des

Lettres : on ne peut séparer l'un de l'autre, la vie est dans l'œuvre, l'une à l'autre inextricablement liées...

Autre chose encore, et singulière, enseignante en diable : c'est que Stendhal sans cesse se réactualise. Ce qui requérait la génération de 1880 n'est pas la même chose — on s'en doute — que ce qui requiert les contemporains du Cosmos. L'essentiel demeure : Stendhal requiert ceux-ci et ceux-là. Cet homme a mille facettes, et l'on sait bien qu'on n'en viendra jamais à bout. Il a pour chacun une réponse. Il fait, en même temps, le désespoir de la critique, qui sur lui s'acharne en vain. La chirurgie la plus minutieuse n'en vient point aux plus secrets ressorts. Toujours quelque chose échappe. Léautaud pensait que Stendhal lui avait appris à bien ou mieux écrire. Il se trompait. Stendhal lui avait donné le virus du *fait vrai*, et la hantise d'être maître de soi. C'est une maladie singulière, dont on ne parvient jamais vraiment à se remettre !

Mais c'est une maladie tonique (si l'on peut dire) qui est bien utile pour qui veut écrire : Stendhal enseigne l'honnêteté, ce qui est grave ; la rapidité, ce qui est dangereux ; l'acuité, ce qui est difficile. Mais quoi ! ne disait-il pas lui-même, madré comme il était, notre cher « Milanese » : *Quand on chasse pour l'utilité, il vaut mieux tuer un sanglier de deux quintaux à bout portant que quatre cents bécassines au vol ?* C'est une leçon pour les écrivains, et qui vaut son pesant d'or.

Stendhal qui se bat pour le romantisme se méfie du génie : il faut écrire chaque jour, dit-il. Et cet homme qui ne cherchait que lui-même, avec une constance sans faille, une véracité de chaque instant, n'avait pour devise cependant que ce curieux mot d'ordre : *Cache ta vie !* Contradiction ? Je ne pense pas. Stendhal qui avait un besoin constant de la réalité (le petit fait vrai) et de la chronique s'oubliait volontairement lorsqu'il écrivait un roman. Jamais il n'aurait dit : Julien Sorel, c'est moi.

Et cela, c'est justement parce que Sorel n'est pas Beyle, mais l'image d'une génération perdue (comme nous dirions aujourd'hui), née trop tard. Julien Sorel, au fond, c'est Bonaparte né trop tard pour pouvoir devenir Napoléon.

Dans les œuvres de Stendhal on voit le monde, mais de telle façon que le monde n'y est point figé mais saisi dans son dynamisme même. Lire *Lucien Leuwen*, c'est découvrir nos propres hantises, nos problèmes, nos questions sans réponses. Au fait, Balzac écrit large et Stendhal écrit profond.

DU COTE DE CHEZ HENRY BRULARD

Ecrivain autobiographique, Stendhal ? Voilà qui est
d'évidence. Il met dans ses livres désordonnés le besoin
d'ordre qui est le sien. Il se partage entre l'héritage des
idéologues, ce profond besoin de logique qui en fait un
ami, presque un amant, des mathématiques « sévè-
res », — et cette sensibilité qui lui est propre, qui le met
en quête d'un bonheur également composé d'abandon
et de stratégie. Il a le besoin du vrai parce qu'il est épris
des illusions. On peut établir, dans l'abondance de ses
écrits intimes, et pour simplifier le propos, une trilogie :
De l'Amour, qui se veut froid et qui est brûlant ; les
Souvenirs d'égotisme, qui gravitent autour d'un axe
absent, dissimulé ; la *Vie de Henry Brulard,* qui est la
plus curieuse machine de va-et-vient qui se puisse voir.
Il faut partir, dans cette entreprise, de l'*odor di femina,*
qui est tout et qui fait tout, dans la mesure même où
sa fonction première est de masquer le cœur. Mais rien
n'est aussi simple. Je n'ai estimé, dira-t-il avec constance, qu'un homme : Napoléon. Les actes manqués de
l'enfance, soigneusement dépeints, brutalement livrés au
lecteur « à venir », délibérément délégués à un futur
supposé quitte des embarras du temps présent, tout ce
travail enfin d'écriture de soi ne naît ni du hasard ni du
caprice. Le Stendhal-Brulard qui vit et écrit dans les

débuts de la Monarchie de Juillet, qui sort à peine des Restaurations, parle du Stendhal-Brulard enfant puis adolescent qui vécut (sans écrire) sous la Révolution, le Consulat et l'Empire. Le livre d'Henry Brulard ouvre les branches du compas, et, du même coup, éclaire le « romanticisme » de Stendhal. Il ne peut du tout être, sous la Restauration (disons : dans l'entre-deux, dans le désert quasiment de l'autobiographie), « romantique », les romantiques étant des ultras en politique. Il ne peut être non plus, parce qu'il écrit, du côté des libéraux, où sa politique le porte, parce que les libéraux défendent, en littérature, les sains principes, et sont classiques bien au-dessus de la tête de Thiers. Après l'« éclair de Juillet », espérance en un instant tarie, il n'y a plus que le désert. Les amis les plus proches — Félix Faure par exemple — sont des arrivistes : ils ont, dit-il à propos de celui-là et de quelques autres, « la vanité de deux Français » : ce n'est pas rien. Il est contre le *King*, et pour des guillotinades satisfaisantes. Lui aussi, Beyle-Brulard, aurait pu s'enrichir. Il aurait pu, et pourquoi non ? entrer dans le parti jésuite, se faire aux banquiers, servir Orléans, courir la poste de la presse vendue. Il ne l'a pas voulu ? Soyons logiques (dirait-il) : il a été jeté dans l'opinion adverse par les positions de Chérubin, les convictions de Séraphie, la tyrannie Raillane. Dans *Henry Brulard*, cela revient sans cesse : s'ils avaient été moins odieux à mon égard, je serais devenu un coquin de la belle eau. Et pourtant ! Il y a, dans le livre, cette scène de campagne où paraissent les jambes nues de Séraphie : *J'étais tellement emporté par le diable que les jambes de ma plus cruelle ennemie me firent impression. Volontiers j'eusse été amoureux de Séraphie. Je me figurais un plaisir délicieux à serrer dans mes bras cette ennemie acharnée.* Il fallait aussitôt après de telles rêveries voluptueuses songer que le père haï, ce Chérubin exécré, pinçait cette douce taille, caressait cette gorge, dénudait jusqu'aux cuisses ses jambes désirables. Il en avait été de la même façon pour la passion première : *Ma mère, Mme Henriette Gagnon, était une femme charmante, et j'étais amoureux de ma mère. Je me hâte d'ajouter que je la perdis quand j'avais sept ans.* En l'aimant à six ans peut-être, 1789, j'avais absolument la même conviction qu'en 1828 en aimant à la fureur Alberthe de Rubempré. *Ma manière d'aller à la chasse du bonheur n'avait au fond nullement changé.* Passion rarement avouée dans le siècle : *Je voulais couvrir ma mère de baisers et qu'il n'y eût pas de vêtements. Je voulais toujours les lui donner à la gorge.* Et, d'ailleurs : *J'aimais ses charmes avec fureur.* Quelle joie, dès lors, dans cette confidence : *En me parlant de ma mère, un jour, il échappa à ma tante de dire qu'elle n'avait point eu d'inclination pour mon père. Ce mot fut pour moi d'une portée immense.* J'étais encore, au fond de l'âme, jaloux de mon père. Le père, c'est l'aristocrate. Séraphie, c'est le parti-prêtre. Sa tournure de corps plaisait au « diable » du libertinage juvénile, si les prérogatives et les privautés de Chérubin ne venaient tout gâter. D'autant que l'imitation de l'oncle Gagnon est séduisante : *La plus belle chose du monde est donc d'être un homme aimable, comme mon oncle.* Lui, c'est un Clausewitz des alcôves de Grenoble : qu'une femme vous congédie, enseignera-t-il à son neveu, faites aussitôt une déclaration à la soubrette ! Un conseil que Stendhal ne parviendra jamais à suivre. Aussi est-ce un singulier lecteur. D'une main (cela, note-t-il, se lit d'une main), il tient *Félicia ou Mes Fredaines,* d'Andréa de Nerciat. (Parlant de Louis de Barral, et se voulant vrai en tout, il écrira que ce dernier *passait pour porter à l'excès une mauvaise habitude que nous avions tous).* D'autre part, il est au fait des *Liaisons dangereuses,* et avant d'en rencontrer, plus tard, l'auteur, il en voit les modèles, et principalement, à Grenoble, la Merteuil, c'est-à-dire Mme de

Montmaur, née de Loys de Loinville. Un libertin ? Mais il pleure en dévorant *La Nouvelle Héloïse* : c'est un sentimental. A Rousseau, il doit beaucoup plus, à l'en croire, que la vocation à l'autobiographie : de *la Nouvelle Héloïse,* il confesse : *C'est un livre lu en grande cachette et malgré mes parents qui m'a fait honnête homme.* Voici donc le beylisme en action. Brulard en sera une étape à la fois fiévreuse et désabusée. Le désert de Civita-Vecchia est à l'image du vide politique. Brulard cesse, par ce biais, d'être entièrement Stendhal, totalement Beyle : il déborde, sorte d'image qui dénigre les pièges et les faux-semblants du bien-écrire (« à la Chateaubriand »), et reflète une génération entière. Par Brulard interposé, Beyle devient, comme Julien Sorel, comme Lucien Leuwen, comme Fabrice del Dongo, un personnage de Stendhal.

Lorsque la volonté autobiographique se manifeste résolument, elle aboutit à des textes qui tournent court, cessent brusquement. Il s'y dessine une pression (le mot convient) de l'écriture qui emporte jusqu'au souci du style. C'est à l'inverse de Chateaubriand qui sculpte dans le langage et ses périodes un isolement splendide du *Moi.* Voilà bien ce que Stendhal redoute : *l'action d'écrire ma vie m'en fait apparaître de grands lambeaux.* Pourquoi lasser le lecteur par l'accumulation des *Je* et des *Moi* ? L'entreprise est-elle vaine ? Non : *Droit que j'ai d'écrire des* Mémoires : *quel être n'aime pas qu'on se souvienne de lui !* Et surtout s'agit-il, pour ce professeur d'énergie, d'un autre dessein : s'apprendre lui-même, réaliser le principe grec de l'auto-connaissance, plus loin encore : vérifier la technique de la chasse au bonheur, la stratégie de l'*odor di femina.* Enfin : peupler cette existence louis-philipparde, cet échec dû aux *Kings.* C'est l'attaque d'*Henry Brulard,* la note inaugurale de ces vingt premières pages qu'admirait tant Charles Du Bos : *Je vais avoir cinquante ans, il serait bien temps*

*de me connaître. Qu'ai-je été ? que suis-je ? En vérité, je
serais bien embarrassé de le dire.* Reste, comme dans la
liste de Leporelo, le masque Don Juan (reflet exact et
tronqué de l'oncle Gagnon) : dans *Henry Brulard*, les
initiales des femmes aimées (de telle ou telle façon)
s'ordonnent en une série mathématique. L'oncle, toujours ? *Mais j'allai trop loin : au lieu d'être galant, je
devins passionné auprès des femmes que j'aimais, presque indifférent et surtout sans vanité pour les autres ;
de là le manque de succès et les* fiasco. Un art d'être au
monde (entendez : dans et de la société). Qui n'est pas
sans risque...

La première tentative avouée : les *Souvenirs d'égotisme* gravitent autour de deux épisodes magistraux : le
fiasco avec la belle Alexandrine, et les petites prostituées
de Londres. Autour de cela, une galerie de portraits,
vifs, enlevés, drôles, méchants, — mais aussi une dispersion du sujet (le *Moi*, le *Je*) et le constant et muet
rappel d'un manque, d'une absence. Cette absence justement qu'il faut aller chercher dans *De l'Amour* : Métilde Viscontini, épouse du général baron Dembowsky,
aimée puis adorée sans succès : triomphe du cœur sur les
plans de batailles sensuelles ! C'est bien pourquoi *De
l'Amour*, ouvrage écrit au crayon — et à l'emporte-
pièces — dans ce Milan souhaité comme triomphe funèbre, est, premier ouvrage, le premier ouvrage délibérément (malgré les masques) autobiographique de Stendhal. Le déhanchement sera constant : l'auteur, l'auto-
auteur, écrit d'hier en tenant compte de l'aujourd'hui où
il est, se morfondant, — et biffant, et gommant l'époque
de Métilde désirée, l'événement par excellence anti-
hussard, et, par cela même, le faisant apparaître et le
privilégiant. Reste le lecteur ! *Mais que diable est-ce que
cela fait au lecteur ? Que lui fait tout cet ouvrage ? Et
cependant si je n'approfondis pas ce caractère de Henri,
si difficile à connaître pour moi, je ne me conduis pas en*

44

honnête auteur cherchant à dire sur son sujet tout ce qu'il peut savoir. Il faut donc accumuler, additionner les « petits faits » ; ajouter les uns aux autres, les uns par-dessus les autres, sans prendre garde aux redites, dans une hâte rapace, ces traits assurés, réels, par quoi le *vrai* du caractère et de l'historique se donnent à voir. Il faut s'écrire soi : c'est la démarche initiale. Mais une telle entreprise (disons : l'autobiograhie, le masque ôté, l'aveu net) est-elle possible ? *Je ne puis pas donner la réalité des faits, je n'en puis présenter que l'ombre.* Puis, en un autre endroit des confessions d'Henry Brulard sous la plume de Stendhal, cette réserve qui désigne Beyle lui-même : *Je proteste de nouveau que je ne prétends pas peindre les choses en elles-mêmes, mais seulement leur effet sur moi.* Il n'empêche : l'essentiel est de scruter avec minutie non pas les grands mouvements qui donneraient, si on s'y laissait prendre, tête baissée, dans la rhétorique, — mais les détails, ces choses que l'Histoire, en marchant, dissimule et détruit : *J'écris des* considérations *sur des événements bien petits, mais qui, précisément à cause de leur taille microscopique ont besoin d'être contés très distinctement.* Oui ! mais l'autobiographie est travail d'écrivain. Il faut avoir écrit avant de songer à écrire si intimement sur soi. Peut-être faut-il, à quelque moment creux (et quoi de plus creux pour ce politique-né qu'est Stendhal que ce temps où il rédige les *Souvenirs d'égotisme* et la *Vie de Henry Brulard ?*), que l'envie ou le goût viennent de s'interroger sur le point de savoir si l'on a réellement vécu ou si l'on est passé, l'écritoire aidant, au large de la vraie vie ? Le salut, si salut il y a, vient du lecteur. De sa qualité. *Il me faudrait pour lecteur une Mme Roland.* Elle n'est plus de ce monde ? Déléguons l'écrit à ces sages d'une autre époque : ceux de 1880, de 1900, de 1935. Alors le jugement, songe Stendhal, sera net : Beyle existera ou sera mort définitivement. Tâche malaisée, cependant :

Qui diable aura le courage de couler à fond, de lire cet amas excessif de je *et de* moi ? Qui prendra la rêverie en charge ? Car il s'agit bien de cela : *Je vois que la rêverie est ce que j'ai préféré à tout.* L'autobiographie de Stendhal nous met aux pieds du mur...

Voyez, en outre, comment il rédige : avec fébrilité. Et de deux façons : par une écriture qui refuse le moule bienséant, et par des dessins ou croquis un peu tremblés qui zèbrent les feuillets, désorganisent le langage du mot et de la plume. Avant de s'effacer, le souvenir exige ces sévérités scéniques : l'autobiographie est un théâtre. H était à tel endroit dans ce rectangle qui figure une chambre, devant ce carré qui est une table, — et de là, il va en H', vers cet autre — plus petit — rectangle, qui est une armoire. Le texte (écrit) court et rebondit entre ces figurations nerveuses : il s'enracine dans ce qu'il n'a pas le loisir de détailler : *Souvent, mouvements nerveux dans la main.* Il faut bondir sur ce qui se présente devant l'écran flou de la mémoire : *Les idées me galopent, si je ne les note pas vite je les perds.* Un tremblement, qui soudain se rompt et s'arrête : aucun des écrits autobiographiques n'est terminé, non plus que n'est terminé, si l'on examine bien, l'essai titré *De l'Amour.* Il est vrai que l'ensemble est l'indice, le signe à-demi hiéroglyphique, d'une entreprise décidément unique.

STENDHAL ET RAYMONDE BRANLEE

Il y a, dans Stendhal, quelque chose qui persiste à gêner le lecteur. On aura vite dit : un certain ton de la liberté. Faut-il suivre Gide sur ce terrain : *Sa pensée ne prend même pas la peine de se chausser pour courir ?* Mais c'est un mot : il brille et trompe. Il suffit d'examiner les manuscrits de Stendhal qui nous restent pour saisir sur le vif le jeu des repentirs, et plus encore : la correction par ajouts successifs. Il dresse à grands pas une esquisse en blanc et noir, puis il nuance avec une minutie surprenante et acharnée. Qu'il se mette à *Henry Brulard,* et il recourt aux croquis pour fixer son matériau, nous livrant ainsi, tout vif, aux ambitions de l'autobiographie et à son impossibilité. Puis, cette pensée entend bien ne se livrer que masquée. Il y a, d'abord, l'usage bien amusant et parfois d'une dissimulation fort niaise (ainsi qu'en usait, dans ses journaliers, Victor Hugo lorsqu'il souhaitait voiler ses pratiques ou exploits sexuels) d'anagrammes et de leurres cryptographiques. C'est un trait juvénile qui porte à son comble le plaisir des miroirs : Beyle devient Brulard, Henry se veut Dominique, puis un écrivain nommé Stendhal se sert des fantaisies de Beyle et des fantasmes de Dominique pour créer Octave, Julien Sorel et Lucien Leuwen. Notre Grenoblois savait, du fond du cœur, qu'il était voué à produire un chef-d'œuvre au moins. Il en produisit plusieurs qui doivent se prendre ensemble, et se lire d'un trait. Mieux : il donne le seul exemple d'ouvrages dont les marges doivent accompagner le texte. Du coup, les lettres, les notations intimes, les « mélanges », les esquisses, les ébauches sont convoqués, deviennent indispensables, pénètrent dans cet espace que tout, depuis l'usage jusqu'au bon sens et à la raison, devait leur interdire : l'espace du roman. On jurerait que Beyle est devenu Stendhal pour cette raison-là, qui tient à la liberté des aveux, certes ! mais aussi, mais surtout, à l'invention de soi. C'est ici le second masque. Il trouve son application dans un mouvement double : Stendhal mêle Beyle et Sorel pour faire *le Rouge et le Noir,* Beyle et Lucien pour tâcher de mener à terme *Lucien Leuwen ;* et, dans le même temps, il crée et offre à Beyle le Grenoblois une destinée et des triomphes qui le vengent de son temps. Il a très présent à l'âme la médiocrité de son époque. Son enfance l'a fait jacobin. Le clan de Chérubin, le père détesté, de Séraphie, de l'abbé Raillane y est pour quelque chose, c'est incontestable. La possibilité donnée de quitter Grenoble fait le reste. Mais quoi ? Le voit-on quitter Grenoble ? Oui. Il n'y a pas plus nomade que lui. Non, si l'on voit que Verrières est Grenoble, que la ville imaginaire de Nancy est Grenoble refusée. Bonaparte est son grand homme. Napoléon le déçoit. Mille propos de ses personnages le prouvent. Julien Sorel : *Ah ! s'écria-t-il, que Napoléon était bien l'homme envoyé de Dieu pour les jeunes Français ! qui le remplacera ? que feront sans lui les malheureux, même plus riches que moi, qui ont juste les quelques écus qu'il faut pour se procurer une bonne éducation, et pas assez d'argent pour acheter un homme à vingt ans et se pousser dans une carrière ! Quoi qu'on fasse, ajouta-t-il avec un profond soupir, ce souvenir fatal nous empêchera à jamais d'être heureux !* La chasse au bonheur ! Quoi de plus stendhalien ? mais quoi de plus obscur ? Professeur d'énergie, disait Maurice Barrès. Qui ? Stendhal ? Il montre une génération, la sienne, qui est tombée malheureusement dans un creux de l'histoire. Plus d'épopée, la Charte. Que Marmont se fasse sabrer dans Paris insurgé parce que le peuple refuse les ordonnances et renie un roi maussade guidé par ce dévôt de Polignac qui demande sa politique à la Vierge, dans son oratoire ; que les X de Polytechnique, une école qui a donné des chefs de guerilla aux insurgés et des « pilotis » au romancier, prennent la tête des barricadiers pour se défaire d'un monarque qui tantôt s'en va chasser avant d'entendre la messe et tantôt gagne la chapelle avant de courir les bêtes : seuls faits notables et notoires pour la presse aux ordres (et le Pouvoir n'en veut plus d'autre !) ; que la légende napoléonienne, avec ses accents Béranger, amène les plus pauvres à rejoindre les voraces du Budget et la bourgeoisie de commerce, — voilà l'espoir qui s'éveille. C'est une espérance de trois journées qui s'éteindra vite. Louis-Philippe est si mal élu que son règne s'en ressentira jusqu'au terme. Les factions se multiplient : les légitimistes se partagent entre carlistes et partisans de Henri V ; les bonapartistes rêvent dans l'ombre ; les républicains vont du rouge sang au gris rosâtre. La Restauration s'était efforcée d'éteindre les énergies. Il faut retenir ce passage, dans *De l'Amour*, qui souligne le désarroi : *La plus grande flatterie que l'imagination la plus exaltée saurait inventer pour l'adresser à la génération qui s'élève parmi nous, pour prendre possession de la vie, de l'opinion et du pouvoir, se trouve une vérité plus claire que le jour. Elle n'a rien à continuer, cette génération, elle a tout à créer. Le grand mérite de Napoléon est d'avoir fait la maison nette.* C'est l'avis de Stendhal, retiré à Milan, en 1819, 1820, découvrant les vertus de l'Italie, humant avec délice l'odeur forte des conspirations, s'enivrant enfin des refus de Matilde Dembowski. La maison nette, la place ouverte, le monde à faire ? Il faut revenir de cette illusion. L'essayiste Stendhal continue, en ces années-là, à rêver théâtre. L'illusion évanouie, il se découvre romancier. *Armance* vient d'une anecdote dont Latouche et Mme de Duras se servent. Ils y mettent du scabreux, Stendhal va plus loin. Octave est un « babilan » : une lettre à Mérimée le confirme absolument. Les héros de Latouche et de la duchesse étaient eux aussi impuissants : la nouveauté et le piquant du romanesque tenaient bien sûr à cela. Stendhal, pour qui l'amour est entreprise du cœur ET du sexe, n'est pas à son aise devant Octave. Une telle machine, qui ne peut marcher parce qu'elle n'en a pas les moyens, lui échappe un peu. Il peine à ce portrait. Du coup, il le manque. Et, dès lors, en réussit un autre. Son beau ténébreux (il tient trop aux modes du temps, et n'a pas cette sécheresse pulpeuse qui va rendre, demain, inoubliables, les jeunes éperdus décrits — et écrits — par Stendhal) souffre — qu'il soit babilan tout de bon — d'une autre forme de l'impuissance, celle-là même que nous découvrons, métamorphosée, en Julien Sorel, et plus encore chez Lucien Leuwen : c'est une impuissance très réelle à être. Entendons bien : à être dans le monde ! Il faut, au passage, remarquer que ce sont les écrits autobiographiques qui sont, par leur auteur, délégués à des lecteurs nés dans des générations futures ; pour les romans, ils sont présents, ils collent à l'actualité, ils sont livrés à des gens qui vivent au même pas que le romancier : les *happy few* sont non pas, comme on a cru, ou comme on a feint de croire, les hommes du futur, nous, mais plus précisément les contemporains de Stendhal qui connaissaient le dessous des cartes ou étaient décidés à abattre le jeu. Dès lors, le « romanticisme » d'*Armance* ne doit pas nous voiler les motifs et mobiles véritables et éprouvés. Une phrase de la préface sonne curieusement : *Il faut* de l'économie, du travail opiniâtre, de la solidité et l'absence de toute illusion dans une tête, pour tirer parti de la machine à vapeur. Telle est la différence entre le siècle qui finit en 1789 et celui qui commença en 1815. Chaque mot, ici, est à peser. Et comme si cette vigueur ne suffisait pas, Octave, dans l'espace, cette fois, du roman, s'écrie : *Ah ! que je voudrais commander un canon ou une machine à vapeur ! que je serais heureux d'être un chimiste attaché à quelque manufacture ; car peu m'importe la rudesse des manières, on s'y fait en huit jours.* A quoi, désolée et n'y comprenant rien, la jolie Armance, objecte : *Outre que vous n'êtes point si sûr qu'elles soient si rudes.* Et Octave, captif de son idée : *Le fussent-elles dix fois plus, cela a le piquant de jouer la langue étrangère ; mais il faudrait s'appeler M. Martin ou M. Lenoir.* On voit ainsi percer le discours : la Restauration a bloqué la société. Le dessin est visible : l'argent et les privilèges. Pire (ou mieux) : l'argent contre les privilèges. Réflexion d'Octave : *Depuis que la machine à vapeur est la reine du monde, un titre est une absurdité, mais enfin, je suis affublé de cette absurdité.* M. Martin et M. Lenoir, sous peine de n'être rien, doivent devenir industriels ou banquiers. Autrement qui peuvent-ils intéresser, incapables qu'ils seraient de faire un député ? Le vote censitaire est un frein puissant. La Charte accordée par Louis XVIII, boudée et grignotée par Charles X, les manières de la Cour, le poids vaille-que-vaille réduit des émigrés, cela accorde aux privilèges une grande place dont l'empreinte est visible dans le Budget. Les hommes d'argent marchent courbés. Un mot d'Armance : *Je ne trouve point que M. Montange, le jeune banquier qui vient chez Mme de Chaix, ait des manières rudes.* Remarque d'Octave : *Il les a mielleuses.* C'est une métamorphose des manières rudes, quand elles ont peur. Alors quoi ? Saint-Simon (l'économiste) ? Pas si simple. Stendhal ne s'enthousiasme ni pour l'argent ni pour les privilèges. Il est d'un autre parti. Le sien ? Non, ce serait réduire son discours et confondre égotisme avec égoïsme, deux mots que le monde entier sépare...

Nul n'est moins que Stendhal replié sur soi. S'il s'examine et s'interroge avec un tel soin (Qui suis-je ? demande Henry Brulard), Lucien Leuwen reprend une même interrogation. Cette analyse du *Moi* ne se distingue aucunement de sa position dans la société, dans l'histoire, et, d'un mot : dans la politique. Souvenir d'enfance à Grenoble : *M. Raillane, comme un vrai journal ministériel de nos jours, ne savait nous parler que des dangers de la liberté.* Par « de nos jours », il faut entendre 1835. L'adolescence est placée sous un autre signe : *l'extrême dégoût que 1815 m'a inspiré.* Deux événements : la Restauration que désignent *Armance* et *le Rouge et le Noir ;* la Monarchie de Juillet que *Lucien Leuwen* échoue à dévoiler et dévoile cependant. Le « Je » de Stendhal ne se conçoit qu'ainsi : occupé à son devoir social. Par « devoir », il faut comprendre une activité complexe dont le plaisir et le bonheur sont les termes ultimes. L'énergie que Barrès voyait au travail dans les livres de Beyle se transcrit par un terme plus convenable au vocabulaire stendhalien : le caractère. *J'appelle caractère d'un homme sa manière habituelle d'aller à la chasse du bonheur ; en termes plus clairs, mais significatifs : l'ensemble de ses habitudes morales.* Par le biais de quoi nous sommes rendus à notre perplexité, tant la morale de Stendhal tient à la singularité du caractère, et non à des règles dictées par l'idéologie dominante. On le soupçonne d'amoralité ? Non, pourrait-il répondre : je fais paraître la passion. Dès lors, il n'y a pas de prêche possible : *les livres moraux sont ma bête noire !* La machine dont il ne faut s'éloigner jamais tellement elle assure de l'efficace et maintient la clarté du jugement, c'est le comique. *Lucien*

Leuwen fait de Stendhal le Molière de Louis-Philippe. Mais Molière peignait des caractères convenus, pas Stendhal. L'humour, affirme-t-il, c'est *le sérieux qui donne du plaisir à qui s'en sert*. On prétend, alors, que Stendhal, parce qu'il invente, en quelque façon, le roman moderne, invente le « réalisme ». Voilà paraître un terme douteux, traîné dans les boues, figé dans les excès du grotesque, mis et accommodé aux sauces les moins ragoûtantes, et sur lequel il conviendra quelque jour de s'expliquer avec franchise. Notre réaliste, au moins par l'égotisme qui est à la fois sa vocation et sa méthode, échappe à cette fidélité trompeuse que certains — élisant les apparences — n'hésitèrent pas à attribuer aux démarches du réalisme. Si le « Je » de Stendhal s'ouvre au monde et s'interdit de quitter la société, il est manifeste, dans le même temps, qu'il s'inverse et s'intériorise, plonge en lui-même, et, ainsi faisant, mélange le vrai et le fantasme, le vécu et le désirable, la rhétorique obligée et ce qui est tu dans le discours général. Les mœurs de lit, par exemple, sont, dans les marges de ses livres, donnés à deviner, alors qu'elles ne l'étaient pas ailleurs, ni surtout dans la littérature « érotique », laquelle poussait les jeux du sexe hors du possible et du probable. Ainsi, Stendhal écrit dans le « texte » de *Lucien Leuwen* cette phrase : *La jeune femme l'emportait sur la capacité politique.* Mais dans les marges du manuscrit : *Exactement la matrice l'emportait sur la tête.* En un autre endroit de la version publique, on lit : *Pour la première fois de sa vie, elle était timide, parce que cette âme si riche, si froide, depuis quelques jours éprouvait des sentiments tendres.* Dans la marge : *La matrice, excitée par un jeune homme bien, parlait.* Voici donc la dénonciation, par Stendhal, du double discours qui est constant dans la littérature, et qui atteignit son sommet durant le XIXe siècle (et peut-être parce que les grands auteurs du XIXe siècle et du romantisme, voyez Lamartine ! ont lu, et bien, le marquis de Sade, mais l'ont tu), ce que l'examen de l'arrière-texte à l'œuvre dans les œuvres de Victor Hugo prouve : on « dit » à côté de ce qui est vécu. Mieux : à côté de ce qui est dit, il existe un vaste domaine, dangereux, incertain, sans contours fermés mais d'un trouble à la fois tentant et lugubre (parce que délégué à l'*interdit*) : le non-dit. La littérature « érotique » que j'évoquais ne dévoile nullement le non-dit. C'est au contraire : elle l'accommode, le discipline, l'exorcise. Les marges de Stendhal, quelques notes du *Journal*, une démarche un peu partout affleurante, vont plus loin. Il rend à l'impulsion ce que les autres donnent au délibéré. La « matrice », ici, dévoile le dessein vrai. La fameuse *Lettre à la présidente* de Théophile Gautier, pour ne prendre que cet exemple, remplace les timidités de Gautier par d'incroyables hâbleries. Stendhal se méfie de ce piège avec naturel. Lorsque le Ministre de Vaize pénètre, à l'Opéra, dans la loge qu'occupe Lucien Leuwen et dans laquelle il est en compagnie de Mlle Raymonde, il arrive, dit l'auteur, *au plus fort de cet examen de conscience et de la folie de Raymonde*. La note qui est en regard de ce passage nous renseigne : *le lecteur qui connaît les lieux lira : assise sur les genoux de Leuwen, qui avait la main je ne sais où et allait la b...* Que Lucien, dans sa loge de l'Opéra, branle Raymonde, le lecteur, dit Stendhal, *le sait*. Il est donc inutile d'être, sur ce point, précis. Ce serait affaiblir le propos entier, distraire sur un cas fort commun et habituel le raisonnement que le lecteur est amené à construire, et qui est un raisonnement *politique*. Raymonde, dont le « pilotis » était une jeune actrice des Variétés, Mlle Cayot, maîtresse de Prosper Mérimée, un expert en libertinage, n'est dans le roman qu'à la façon d'un meuble : elle rend crédible ce qui se passe réellement, et que le seul Stendhal donne à voir : les manigances des sphères dirigeantes sous le roi bourgeois. Pour cet amateur de faits vrais, Raymonde branlée est une anecdote sans signification : elle ne dévoile rien — que la belle fille pâmée. Et malgré tout, Raymonde branlée (avouée seulement dans les marges du manuscrit) contribue à faire surgir le vrai : c'est un ministre qui entre dans la loge, c'est un maître de requête qui tient Raymonde renversée, c'est de « faire » les élections dont il va tantôt s'agir. Le pouvoir est en cause, dans ce moment même où les doigts de Lucien jouent avec le plaisir de Raymonde. *Je fais tous les efforts possibles pour être sec. Je veux imposer silence à mon cœur qui croit avoir beaucoup à dire. Je tremble toujours de n'avoir écrit qu'un soupir, quand je crois avoir noté une vérité.* Certes ! Remarquons encore que la scène de Raymonde branlée acquiert, dans la thématique stendhalienne, un autre sens, et touche directement à l'amour éprouvé par Lucien pour Bathilde de Chasteller. Raymonde, c'est la femme-objet : tout est aisé, facile, *sans risque*. Bathilde, elle, c'est la femme aimée : tout change. Dès lors, la version définitive de l'entrée de M. de Vaize dans la loge de Lucien, et qui gomme absolument Raymonde branlée, est moins due à la pudeur de Stendhal ou à sa prudence qu'à l'application stricte de sa théorie. En effet, si rien ne complique d'ordinaire les relations avec la femme-objet, dès que la femme aimée entre dans le théâtre du sentiment et de la sexualité, ces mêmes rapports deviennent vite honteux, in-désirables et non souhaités. Lucien qui, quoiqu'il veuille ou prétende, a Mme de Chasteller dans l'esprit, ne peut branler Raymonde autrement que par politesse et convenance : cela se fait, et le lecteur *le sait*. Ne pas le dire explicitement renforce l'impression générale d'un Lucien qui parcourt toutes les étapes qui, comme il est expliqué dans *le Rameau de Salzbourg* (croquis à l'appui), séparent Bologne de Rome, c'est-à-dire les strophes successives de cette Carte du Tendre remise au net par Stendhal : la cristallisation. *J'entends*

par cristallisation *une certaine fièvre d'imagination, la-*
quelle rend méconnaissable un objet le plus souvent
ordinaire, et en fait un être à part. Il y a, là-dessous,
partout et toujours, le fantôme de Metilde Dembowski,
génératrice semblablement des héroïnes du romancier
Stendhal et des fiascos de Beyle-Dominique. Nous sommes rendus à la passion : *Je n'appelle passion que celle*
éprouvée par de longs malheurs, et de ces malheurs que
les romans se gardent bien de peindre, et d'ailleurs qu'ils
ne peuvent *pas peindre.* On jurerait que la passion met
en cause le roman et son espace, renvoie au non-dit,
convoque l'inavouable. Ce n'est pas exactement de cela
dont il s'agit. Et pourtant ! Dans un autre endroit de
De l'Amour, Stendhal écrit : *Il n'y a que l'imagination*
qui puisse se résister à elle-même. Comme si Beyle était
devenu Stendhal et était entré dans la voie du roman
pour être *écrit* par Stendhal et projeté par lui dans le
romanesque. Une fois encore : Julien Sorel, Lucien
Leuwen, Fabrice del Dongo, d'autres, sont tous, et chacun, Beyle *imaginé* par Stendhal, projeté par lui dans
l'inverse de son vécu, mais emportant avec lui, dans la
profondeur du texte, dans les notes marginales si im-
portantes, son vécu. Beyle délégué à Stendhal parfois
se rebiffe : *J'aurais eu ce déplaisir amer et qui rabaisse*
de m'apercevoir trop tard que j'avais eu la duperie de
laisser passer la vie sans vivre. Dès lors deux manques
se conjuguent : celui que creuse et révèle l'écriture, qui
est éloignement de la saveur et de la touffeur du vécu ;
celui qui est propre à une génération jetée bas en 1815
et embourbée depuis. Altamira, le conjuré qui traverse
Le Rouge et le Noir le dira explicitement : *Il n'y a plus*
de passions véritables au XIXe siècle : c'est pour cela
que l'on s'ennuie en France. On fait les plus grandes
cruautés, mais sans cruauté. On devine que la découverte
par Stendhal des manuscrits qui lui permettront de
rédiger ses *Chroniques italiennes,* ce réservoir et témoi-

gnage des passions fortes, sera pour lui comme une bolée d'air pur et l'occasion d'opposer à un siècle dévoyé par ce que le même Altamira dénoncera comme *l'esprit de parti* une vivacité ouverte : le « risque » retrouvé. Tout se passe comme si, dans ce XIXᵉ siècle dépeint par Stendhal, les rites sociaux avaient remplacé les interdits. On se croirait dans ce chapitre d'*Armance* qui évoque le salon de Madame de Bonnivet : *Le fond de sa société était composé de ces gens qui pendant quarante ans n'ont jamais fait que ce qui est de la convenance la plus exacte, de ces gens qui font la mode et ensuite s'en étonnent.* Cette Madame de Bonnivet est, à vrai dire, exemplaire de son époque. Stendhal a, sur elle, et à son sujet, des remarques qui la dénudent : *Elle fit son éloge* (celui d'Octave) *avec la bonhomie de l'innocence, si le mot* bonhomie *ne rougissait pas de se voir employé à l'occasion d'une femme qui avait de si belles poses dans sa bergère et des mouvements d'yeux si pittoresques en regardant le ciel.* Madame de Bonnivet, c'est la Restauration. Madame Grandet, dans *Lucien Leuwen,* c'est la monarchie de Juillet. Elle est plus terrible encore que la première. Elle a la froideur de Mlle de la Mole, et elle succombera — vainement — comme elle aux lois du sentiment, mais elle montrera l'ambition industrieuse qui définit le moment. Femme d'un banquier, elle rêve aux privilèges. Il lui faut et la proie et l'ombre. Les modèles de l'Histoire sont pour elle les Tables de la réussite. Elle a l'ambition bien trempée, mais elle n'ambitionne que ce qui est à rebours de la passion italienne du Milanese, ou de l'« espagnolisme » de l'enfant Beyle. En marge du manuscrit, face à Mme Grandet, on voit l'indication du « pilotis » : *Ssertdele* en un endroit ; à d'autres : *Siardelé.* Il faut lire : Delessert. Son mari, le banquier ministrable, ce n'est pas Delessert, mais une combinaison où se retrouve Martial Daru : *M. Grandet a une peur du diable des*

*épigrammes, comme Martial, comme les sots qui s'im-
posent la corvée de lire et d'être littéraires.* Nous voilà,
par ces mots, reconduits aux pages autobiographiques, et
à toute la songerie en demi-teintes qui en découle. Ne
quittons pas si vite, cependant, les marges du *Lucien
Leuwen.* On y saisit aisément la juvénilité de la fausse
graphie, ainsi qu'elle s'établit un peu partout chez Stendhal. Pour le roi, il écrit *The K.,* par quoi il espère tromper son monde. Pour Soult, il inscrit *Touls,* ce qui est
enfantin. Pour Guizot, *zogui* : voilà, bien entendu, de
quoi égarer la police. Le censeur attentif ne devinera
jamais M. Thiers sous cet à-peu-près mathématique :
1/3. On trouve encore *sulkon* en place de consul ;
sseme pour messe ; et, merveille dupée, catholiques se
transcrit par *tolikeskato.* Cet affamé du pseudonyme
crie à l'espion comme le berger de la fable criait au
loup. « Henry Brulard » est né pour égarer le cabinet
noir, ce qui est une feinte un peu grosse : elle nous
permet de mesurer l'entrelacs des noms propres et sup-
posés chez notre Grenoblois. Mais les marges nous
livrent les clés. Et ce sont des clés futiles, car le paradoxe est bien de voir que les romans de Stendhal qui se
veulent miroirs fidèles ne sont pas, justement, des romans à clés. L'intrigue, l'écriture, le romanesque disent
mieux et plus que la découverte des « pilotis ». D'ailleurs, la chasse aux « pilotis » est à la fin désespérante
et décevante. On lit : *Voyez M. de N... On peut même
observer à l'égard de cet homme célèbre que quand le
mépris est devenu lieu commun, il n'y a plus que les
sots qui l'expriment.* Le bavardage des marges nous permet de comprendre que ce M. de N... n'est autre que
« randtalley », c'est-à-dire le prince de Talleyrand, — ce
qui est loin de valoir, comme trait, le trait impérial du
tas de merde dans un bas de soie. Les « pilotis » ne
sont pas si simples à manier. Ainsi, Martial Daru, s'il
entre pour quelque chose dans la figure de Grandet

intervient également dans les manières du ministre de Vaize. Stendhal se donne des plaisirs, il est vrai. Dans les mœurs de M. de Torpet, *jeune ex-député, fort bel homme, et rédacteur éloquent d'un journal ministériel*, il loge les mœurs d'une de ses bêtes noires : Salvandy, lequel, sous le règne de Louis-Philippe, sera ministre et ambassadeur à répétition, — mais il ajoute aussitôt un zest emprunté au comte Beugnot. Mieux même : les marges, si elles évoquent Delessert en face du nom de Mme Grandet, ne donnent qu'une idée fausse de la *combinaison* du personnage. Mme Grandet a la beauté de Mme Gourieff, qui était fort louée, étant épouse d'un diplomate russe et femme désirable, dans les salons. Elle possède le caractère un peu vulgaire et étroit de Mme Horace Vernet. Stendhal lui a donné en partage la froideur connue de Mme de Saint-Aulaire. Pour faire bonne mesure, et « faire vrai » son emportement dans le bureau de Lucien au Ministère, il a logé en elle la jalousie qu'avait, à son égard, témoigné la comtesse Clémentine Curial (qui fut sa maîtresse de 1824 à 1826, date à laquelle elle rompit : Stendhal, pour sa part, ne rompt jamais ; c'est quelqu'un que l'on quitte). Peut-être, à d'autres instants, où la jalousie de Lucien se manifeste, a-t-il rêvé à Alberthe de Rubempré, ces trois mois de 1829, fiévreux, déchirés, avec le grand rival, Eugène Delacroix, redoutable et présent ? Il est difficile d'apprécier cela. Avec exactitude. Ce qui est incontestable, c'est que le pseudonyme a fait de son inventeur son invention. Stendhal *écrit* Beyle (je l'ai noté plus haut : c'était son désir). Il *écrit* les amours de Dominique, tantôt par science, tantôt par prémonition. Le scripteur Stendhal traite Beyle comme il avoue traiter les personnages des romans qu'il écrit. Il s'agit, pour Beyle, d'*avoir* des femmes ? Voilà Stendhal rabatteur. Beyle les *manque* ? Stendhal n'y peut rien. Les listes d'Henry Brulard, qui ressemblent à des séries inventées par

Charles Fourier, ou à un mauvais voyage de Bologne à Rome, mélangent les fiascos avec les réussites, les demi-échecs avec les échecs, les « abordages » douteux avec les « lâchages » impitoyables. Le rôle de Stendhal, dans cette chasse du bonheur déviée du vécu vers l'écrit, est nettement marqué dans les fameuses marges. C'est à propos de Lucien hésitant devant Mme Grandet. Elle est offerte, il se détourne. *Sur quoi l'historien dit : on ne peut pas espérer d'une femme honnête qu'elle se donne absolument ; encore faut-il la prendre. For me. Le meilleur chien de chasse ne peut que faire passer le gibier à portée du fusil du chasseur. Si celui-ci ne tire pas, le chien n'y peut mais. Le romancier est comme le chien de son héros.* Autrement dit, Stendhal romancier présente, à portée de tir, Mme Grandet, Mme d'Hocquincourt, la belle Sylviane, mais Lucien *ne tire pas.* Eh ! c'est qu'il est libre ! Beyle, à l'évidence, est un hussard contrarié. Dans le *Journal* il donne des conseils vigoureux : mettre l'avant-bras sous la gorge pour étouffer un peu l'objet récalcitrant ; de l'autre main, relever jupes et jupons, saisir le... fusil, et l'introduire au bon endroit. Voilà la recette. Elle est à l'image de Raymonde branlée sur les velours de l'Opéra. Voire ! Lucien repousse Mme Grandet, parce qu'il a pris, rue de la Pompe à Nancy, la route de Bologne à Rome, et qu'il a cristallisé sur Mme de Chasteller, — mais nous n'en sommes pas pour autant quittes avec Mme Grandet. Stendhal note dans des papiers épars qui se rapportent à son livre : *Les femmes honnêtes comme Mme Grandet ne sont que des catins qui ne se sont pas encore vendues, faute de* prix battant. *Cependant, même sur une telle femme, comme à vingt-six ans elle n'a pas eu d'amants, le premier fouteur fait un grand effet.* Le disciple d'Helvétius est à son affaire !

Pour tout le XIX° siècle, ce que désigne le « Je » est un éparpillement, un éclatement, une série de contradic-

60

tions. Aussi bien le « Je » de Stendhal que celui de Victor Hugo, de Jules Michelet, voire : celui, protégé de rhétorique (c'est le reproche que fait Stendhal) de Chateaubriand. Ce que raconte l'autobiographie, au XIX° siècle, c'est une dispersion et une impossibilité. Leurs certitudes, à ceux-là, se sont égaillées comme une volée de moineaux. Ils rêvent de se réconcilier avec eux-mêmes : voilà leur quête. Ils hantent leur labyrinthe : c'est leur grandeur. Ils mentent sur le « Moi » (Stendhal l'égotiste un peu moins que les autres) et dévoilent ainsi leur splendide échec. Stendhal hait le gouffre : il est fils des idéologues. Son fiasco devant Destutt de Tracy, c'est — en une certaine façon — sa découverte du roman. Il se vouait au théâtre. Le théâtre est dépassé. *On ne peut plus atteindre au vrai que dans le roman.* Ailleurs : *Je regarde le roman comme la comédie du XIX° siècle.* Mais qu'est-ce que le vrai ? Non pas l'exactitude, qui est servile. La relation, qui est plate. L'examen, qui est faux. Le vrai, c'est le mouvement qui soutient ce qui se voit. Il n'y a pas de vérité du présent qui ne tienne au passé ET à l'avenir. C'est un compte rendu, un savoir accumulé, ET un dessein. Rien ne le prouve mieux que la chronologie du *Rouge et le Noir.* Pierre Barbéris insiste à juste titre sur ce point. Si l'on compte bien les temps successifs de l'aventure de Julien Sorel, on s'aperçoit qu'il ne pouvait, du tout, être jugé *encore* sous la Restauration, mais *déjà* sous la Monarchie de Juillet. Julien devient l'amant de Madame de Rênal en juin-juillet de l'année 1828 (il a été engagé comme précepteur au cours de l'automne précédant). En 1829, le voilà au séminaire de Besançon, étant donné que nous le trouvons (les dates sont dans *Le Rouge et le Noir*) chez les La Mole en 1830 (*au bout d'une année Julien est devenu moins gauche dans ce salon*). Mathilde de La Mole est enceinte à la fin de juillet 1830. Il se passe un mois au moins de tractations entre Julien et le père de Mathilde, ce qui nous mène fin août. Les coups de pistolet de Verrières, la chapelle rouge, tout cela doit nécessairement être de septembre. La guillotine, novembre ou décembre. Julien est jugé par un tribunal du règne de Charles X. Or, les Trois Glorieuses sont advenues, le régime a changé, l'histoire (s'il fallait être chronologiquement juste) est autre. Alors, que s'est-il passé ? Stendhal trop engagé dans son ouvrage a-t-il négligé la révolution de Juillet ? On le comprendrait mal. Du coup, cette erreur de chronologie devient une vérité plus forte : la scène du tribunal le montre bien. Ce que dit Saint-Giraud, dans *Le Rouge et le Noir*, sous la Restauration, Charles X régnant : *Toujours il se trouvera un roi qui voudra augmenter sa prérogative ; toujours l'ambition de devenir député, la gloire et les centaines de mille francs gagnés par Mirabeau empêcheront de dormir les gens riches de la province : ils appelleront cela être libéral et aimer le peuple. Toujours l'envie de devenir pair et gentilhomme de la chambre galopera les ultras. Sur le vaisseau de l'Etat, tout le monde voudra s'occuper de la manœuvre, car elle est bien payée. N'y aura-t-il donc jamais une pauvre petite place pour le simple passager ?* — cela n'est-il plus exact passé Juillet 1830 ? Certes oui ! Les préoccupations des provinciaux et des jeunes gens, ces héros stendhaliens par excellence, demeurent inchangées. Elles sont aggravées simplement par la faillite d'une espérance. L'argent et les privilèges continuent à se mesurer, à lutter. Stendhal est d'un autre parti. Et c'est de ce parti qu'il nous faut maintenant nous occuper.

Le consul Henry Beyle qui s'ennuie à Civita-Vecchia, se tord de douleurs d'entrailles dès qu'il boit du café et souffre énormément de la chaleur, se lance dans des travaux qui tournent court : *Lucien Leuwen* et la *Vie de Henry Brulard*. La peur de la police à la fois le dérange, l'enrage et lui sert d'alibi : *Tant que pour vivre je serai* obligé de servir le Budget, je ne pourrai print it, car ce que le Budget déteste le plus, c'est qu'on fasse semblant d'avoir des idées. M. de La Mole, dans Le Rouge et le Noir, disait quelque chose d'assez semblable : Entre la liberté de la presse et notre existence comme gentilhommes, il y a guerre à mort. Mais M. de La Mole est un ultra, un légitimiste fervent, un ennemi de la Charte. Quoi de commun avec cet instant où Stendhal juge impossible, à cause du Budget, c'est-à-dire : à cause du Château (c'était le terme de l'époque), de publier Lucien Leuwen ? C'est qu'il s'est fait une coupure, ce creux dont j'ai parlé et où la génération s'est engloutie. Tout s'est rompu en 1815. 1815 ? Bien avant. Dans ce passage étonnant de Bonaparte à Napoléon, du général républicain à l'empereur chamarré. Une note du consul de Civita-Vecchia, dans les marges — ou « hors d'œuvres », comme d'habitude — indique non seulement l'échec personnel, mais, aussi bien, sinon mieux, le désert du siècle : Quelle différence, his life in Civita-Vecchia and his life rue d'Angiviller, au café de Rouen ! 1803 et 1835 ! Tout était pour l'esprit en 1803. Tout revient à ceci : Hélas ! vingt ans plus tôt, j'aurais porté l'uniforme ! C'est Julien Sorel qui parle, et ajoute : Alors un homme comme moi était tué, ou général à trente-six ans. Le fond est vite atteint : c'est l'ennui. Plus rien n'est digne. Plus rien n'est libre du sordide des privilèges ou du louche de l'argent. Sous la Révolution, sous l'Empire, songe Mathilde de La Mole, tous ces jeunes gens du grand monde avaient vu ou fait des actions qui réellement avaient de la grandeur. Lucien Leuwen, faiseur d'élections, est couvert de boue à Blois. Les demi-soldes, le mythe napoléonien, rien de cela n'a péri, n'est oublié. C'est au contraire : Pour Julien comme pour la postérité, il n'y avait rien entre Arcole, Sainte-Hélène et la Malmaison. Alors, on pouvait être !

La métamorphose de Bonaparte en Napoléon, ce

passage d'un homme maigre et nerveux à un personnage replet et secret, est le signe d'une « restauration »
oblique. Dans leur dialogue, auquel assiste Julien Sorel,
Falcoz et Saint-Giraud illustrent, par leur divergence,
cette modification capitale. *Jamais*, dit Falcoz, *la France
n'a été si haut dans l'estime des peuples que pendant les
treize ans qu'il a régné. Alors, il y avait de la grandeur
dans tout ce qu'on faisait.* A quoi Saint-Giraud rétorque : *Avec ses chambellans, ses pompes et ses réceptions
aux Tuileries, il a donné une nouvelle édition de toutes
les niaiseries monarchiques. Elle était corrigée, elle eût
pu passer encore un siècle ou deux.* Puis il accuse : *Y au-
rait-il aujourd'hui des gentilhommes insolents, si ton Bonaparte n'eût fait des barons et des comtes ? Non, la
mode en était passée.* Et, au fait, notre Henry Beyle là-
dedans ? Il a été de l'entourage de Daru, il a appris à
monter à cheval, il a vu Moscou en flammes ce qui ne
lui a guère paru un spectacle étonnant, il a manqué
Wagram, il est fait auditeur au Conseil d'Etat. Entre
Angelina Bereyter et Angela Pietragrua, qui sont ses
maîtresses, entre un séjour à Rome et un autre à Milan,
il est de la retraite de Russie. Il se conduit bien. On ne
le récompense pas. Il a trente ans. Il n'est ni tué, ni
général : déçu ! Pas tout à fait cependant : ce qui le
maintient, c'est la mémoire de son enfance. L'idée de
Chérubin Beyle le légitimiste et des abbés qui s'agitaient
autour l'oblige à demeurer fidèle au jacobinisme et à
l'empereur même : *Les souvenirs de la tyrannie Raillane
m'ont fait horreur jusqu'en 1814 ; vers cette époque je
les ai oubliés, les événements de la Restauration absor-
baient mon horreur et mon dégoût.* Mais la Restauration, c'est d'abord et avant tout le retour « de la tyrannie
Raillane » ; c'est le retour du père, de Chérubin déguisé
en roi podagre. On parle des Bourbons, dont chacun
avait perdu le souvenir. Un poussah vêtu à la façon des
vieillards anglais mais avec d'énormes épaulettes graînes

d'épinard, avec à ses côtés l'orpheline du Temple qui a une mine de carême, tout cela dans une calèche dont la majesté évoque un coche de province, et autour, caracolant, mouche du coche justement, mais mouche venimeuse : le comte d'Artois, — c'est le cortège habituel de Louis XVIII. *Le gros Louis XVIII, avec ses yeux de bœuf, traîné lentement par ses six gros chevaux, que je rencontrais sans cesse, me faisait particulièrement horreur.* Ce roi-là n'était point sot. Il avait conservé dans les places d'administration les administrateurs choisis par Napoléon Ier : les émigrés et les ultras n'en décoléraient pas ! Autour de lui, à côté du traître de Raguse, Marmont, on voyait Soult qui ne voyageait qu'avec son chapelain et ne jurait que sur la Vendée. La maréchale Sébastiani, qui est M. de Beausobre, ministre, dans *Lucien Leuwen,* jurera bientôt par d'Orléans. Louis XVIII a accepté la Charte. Il a une politique : celle de n'en pas avoir. Le Budget fait tout ; et les privilèges, le reste : tout est mangé. Charles X au pouvoir, c'est l'essai de rayer, de biffer par le sacre de Reims, qui est une cérémonie bête, trente ans d'histoire, et de revenir en arrière une fois pour toutes. Encore une métamorphose : si le comte d'Artois ne brillait guère, il ne brille plus du tout dès qu'il est couronné : il est dévôt, inoccupé, et triste. Malgré la bataille d'*Hernani* (dans *Le Rouge et le Noir,* l'académicien familier du salon des La Mole remarque qu'au temps des lettres de cachet *il n'eût pas osé !* c'est Victor Hugo jugé chez Blacas) ; malgré les rudes journées de Juillet qui écartent Charles X de Paris puis, par la fausse nouvelle d'une marche des Parisiens contre lui, l'obligent à une fuite à petits pas ; malgré Lafayette embrassant Philippe d'Orléans, au vu du public, dans l'embrasure d'une fenêtre de l'hôtel de ville (voilà, s'écrie Odilon Barrot, le seul roi qui nous garantira la république !) ; malgré l'odeur du sang répandu et que la Seine évacue lentement, — rien n'est changé ! Excepté ceci : l'argent des industriels pourra combattre plus efficacement et à visage découvert les partisans du privilège. D'ailleurs, pourquoi quelque chose changerait-il ? Louis XVIII avait accordé la Charte le 4 juin 1814. Le texte liminaire du document insiste avec pesanteur sur ceci : c'est un texte *octroyé*. Seize ans plus tard, Charles X jouera du « bon plaisir » et de son emprise sur une Chambre qu'il croit à sa botte pour en faire une révision complète : rétablissement de la censure, droit de cens ôté aux patentes et autres impôts du genre, ce qui exclut les négociants et les industrieux du corps électoral. Cette marche en arrière de la Restauration carliste ne réussit pas, on le sait. Mais le lieutenant général du Royaume, lorsqu'il accepte la couronne et prétend partir sur de nouveaux frais, monarque fondateur, en choisissant pour nom Louis-Philippe Ier, ne fait que reprendre la Charte, à peine modifiée, signée en 1814. Ce n'est pas une évolution, c'est un retour. Charles X avait voulu mettre entre parenthèses la Révolution, le Consulat et l'Empire ; Louis-Philippe met Charles X entre parenthèses. Une chose cependant, et d'importance : Orléans a été porté sur le trône par la Banque. Cela ne peut s'oublier, et l'on peut compter sur la tribu des banquiers pour réveiller la mémoire du roi. Il y a deux règnes : l'un se voit au Château ; l'autre, chez Laffite. C'est bien pourquoi Stendhal ne contrevient aucunement à la vraisemblance, et au « réalisme » bien compris, en ne reprenant pas *Le Rouge et le Noir* et en ne remodelant pas sa chronologie sur la chronologie historique, d'après laquelle Julien aurait dû être jugé par des magistrats de la Monarchie de Juillet. Ç'aurait été se donner beaucoup de travail pour en venir au même résultat. Quoi, par exemple, modifier dans le discours que Julien fait aux jurés et qui va le mener à la mort ? *Je ne suis point jugé par mes pairs. Je ne vois point sur les bancs* de jurés *quelque paysan enrichi, mais uniquement des bourgeois enrichis.* Vrai sous Charles X, vrai passé la révolution confisquée de 1830. Le sinistre M. de Frilair a le dernier mot : l'*intérêt de caste est venu masquer à leurs yeux l'horreur de condamner à mort.*

On est frappé, lisant les deux grands romans de Stendhal que sont *Le Rouge et le Noir* et *Lucien Leuwen* d'un grand partage qui se fait entre Paris et la province. Passé 1830, les privilèges occupent la province : les gens titrés ont mis leur aigreur dans leurs terres éloignées. A Paris, l'industrie règne. Le chemin de fer, demain, mettra un trait d'union bien faible entre ces deux mondes. Julien vient de la province à Paris : il s'initie aux complots grâce à M. de La Mole. Lucien va de Paris dans les provinces faire ses classes de politique. Homme du vulgaire, mais riche, Lucien commencera par se frotter, par stratégie et pour les beaux yeux et la jolie taille de Mme de Chasteller, aux ultras de Nancy. Curieuses gens, qui se confinent avec morgue hors des fonctions publiques et des grâces du pouvoir nouveau ! Ils intriguent pour Charles X ou en faveur de Henri V, et se perdent dans l'entrelacs de complots dérisoires et vains. *Ils s'étaient privés quatre ans auparavant, par fidélité à leurs croyances politiques et aux sentiments de toute leur vie, d'une petite part au budget utile, si ce n'est nécessaire, à leur subsistance. Ils avaient perdu bien plus encore : l'unique occupation au monde qui pût les sauver de l'ennui et par laquelle ils ne crussent pas déroger.* Lisez : l'occupation militaire. Songez que la garde personnelle de Louis XVIII n'était composée que d'officiers. On y entrait, on recevait le grade. Alfred de Vigny, dès le retour du gros roi et avant la fuite à Gand, sera officier : il a seize ans. Bonaparte et Napoléon, son double, donnaient les galons au feu. La Restauration les accorde dans les antichambres et compte tenu des arbres généalogiques. Les nobles de Nancy ne comprennent que cette façon : leurs noms parlent, et leurs ancêtres ; leurs actes n'importent pas. *C'est,* remarque Lucien, *la colère du sang contre le mérite.* Qu'il retourne à Paris et soit installé dans les affaires de la Nation, c'est l'autre face de la médaille que lui dépeint son père : *Depuis Juillet, la banque est à la tête de l'Etat. La bourgeoisie a remplacé le faubourg Saint-Germain, et la banque est la noblesse de la classe bourgeoise.* Comme Leuwen père a de l'esprit et peu de confiance dans les hommes, il sait qu'on ne peut raisonner la Chambre, ni freiner le Budget, ni influencer le Château : *La Chambre n'aime pas les raisons, et le roi n'aime que l'argent : il a besoin de beaucoup de soldats pour contenir les ouvriers et les républicains.* Dans la pratique, lorsque Lucien, envoyé à Caen, décide, le candidat gouvernemental partant battu, de favoriser le légitimiste et d'assurer sa victoire plutôt que de voir le républicain l'emporter, il applique à merveille l'esprit du pouvoir : devant le danger d'un changement aussi menaçant qu'un régime plus égalitaire, l'argent et les privilèges se réconcilient. Leuwen père : *Le gouvernement a le plus grand intérêt à ménager la Bourse. Un ministère ne peut pas défaire la Bourse, et la Bourse peut défaire un ministère.* Donc, le péril vient des masses populaires, d'un suffrage électoral étendu, d'une diffusion trop forte de la culture, des doctrines pernicieuses qui commencent à naître un peu partout. Il faut combattre, et donc diviser. Dans *Lucien Leuwen,* Sendhal conte l'affaire Kortis. Elle est vraie de bout en bout. Il s'agissait d'un nommé Corteys, agent de la police secrète, qui, à Lyon, en 1834, fut grièvement et mortellement blessé par un soldat qu'il voulait désarmer. On s'étonnera ? Non, il s'agissait d'entretenir une forte hostilité entre les militaires et les classes laborieuses, les premiers pouvant être amenés à mater les revendications des secondes. Le Ministère suscitait de fausses échauffourées, grâce à ses hommes, et entretenait ainsi la fiction de sentinelles attaquées et molestées par des ouvriers. Henry Beyle n'avait rien vécu de semblable, mais son ami Prosper Mérimée, qui avait été secrétaire du redoutable comte d'Argoult, dit Grandnez, lui avait certainement rapporté comment il avait dû plus ou moins seul rédiger sur ordre les circulaires qui sommaient, après les émeutes de 1831, les médecins et la population de dénoncer sans attendre les insurgés blessés. C'est la scène de Lucien avec les médecins de l'hôpital où agonise Kortis. Stendhal a souhaité faire un roman exact, d'où la crainte de la police et de la censure, et l'abandon enfin de *Lucien Leuwen... J'ai copié les personnages et les faits d'après nature, et j'ai constamment* affaibli !

L'affaiblissement n'y est pour rien : telle est la loi du roman ! *Eh, monsieur, un roman est un miroir qui se promène sur une grande route. Tantôt il reflète à vos yeux l'azur des cieux, tantôt la fange des bourbiers de la route. Et l'homme qui porte le miroir dans sa hotte sera par vous accusé d'être immoral ! Son miroir montre la fange, et vous en accusez le miroir ! Accusez bien plutôt le grand chemin où est le bourbier, et plus encore l'inspecteur des routes qui laisse l'eau croupir et le bourbier se former.* Telle est l'exacte définition du « réalisme » stendhalien. On en a fait ensuite une application mécanique, ce qui était le tronquer. Les jdanoviens ont prétendu même le tourner vers l'exaltation, ce qui était le livrer au mensonge. L'homme à la hotte dresse un constat, certes ! mais, dans le même temps, il éveille une dynamique. « Voilà ce qui est », devient : « voilà ce qu'il faut changer ». Et ce « monsieur » jeté dans le roman depuis le dehors du roman, eh bien, c'est moi, c'est vous, c'est le lecteur. Non plus créature de papier, mais homme vivant, agissant, travaillant dans l'Histoire et la faisant. En un autre endroit, l'auteur s'excuse de trop donner dans le rapport politique, et le lecteur reparaît sous les traits de ce lecteur premier qu'est l'éditeur, disant : *Si vos personnages ne parlent pas de politique, ce ne sont plus des Français de 1830, et votre livre n'est plus un miroir, comme vous en avez la prétention.* Cela vaut pour l'espace romanesque dans son entier, on en conviendra. Mais alors, dira le « lecteur », l'auteur est d'un parti ? Les choses ne sont pas si simples : Stendhal est d'un autre parti que ceux qui sont réellement en présence. Une réflexion que se fait Lucien lorsqu'il erre dans les rues de Nancy, ville de garnison, nous en informe obliquement : *Mon sort est-il donc de passer ma vie entre des légitimistes fous, égoïstes et polis, adorant le passé, et des républicains fous, généreux et ennuyeux, adorant l'avenir ?* Ni les privilèges, ni le règne souverain de la Bourse ? Que reste-t-il ? L'exemple américain ? La démocratie, songe Lucien-Stendhal, me livrera aux opinions de mon tailleur et au jugement du cordonnier dont l'échoppe est au coin de ma rue ? Grand merci. Transformer Stendhal en un ami du peuple, c'est voir trop loin et fort mal. Il partage cette sensation avec les romantiques : oui au peuple, non à la foule ! *La Vie de Henry Brulard* l'exprime fortement : *J'abhorre la canaille (pour avoir des communications avec), en même temps que sous le nom de peuple je désire passionnément son bonheur.* Stendhal-Brulard a des sincérités admirables. Ailleurs : *J'aime le peuple, je déteste ses oppresseurs ; mais ce serait pour moi un supplice de tous les instants que de vivre avec le peuple.* Les privilèges font l'égoïsme. La Bourse fonde l'exploitation. Cela équivaut à préférer *le bonheur de deux cent mille privilégiés à celui de trente-deux millions de Français.* Les principes de la Convention, il n'est nullement question de les abandonner : *I am encore in 1835 the man of 1794.* Je suis encore cet homme-là. J'ai rêvé au théâtre et j'ai vu qu'il était aujourd'hui impossible : le genre a, provisoirement ou pour jamais, péri. J'ai chargé un miroir dans ma hotte, et j'écris des romans : *Un roman est comme un archet, la caisse du violon* qui rend les sons, *c'est l'âme du lecteur*. Je tiens l'archet, faites la musique ! Pour moi, citoyen Beyle, *je ferais tout pour le bonheur du peuple, mais j'aimerais mieux, je crois, passer quinze jours de chaque mois en prison que de vivre avec les habitants des boutiques*. L'Amérique ne me convient pas ; la démocratie n'est pas la solution correcte ! Graves propos dans lesquels Stendhal s'empêtre et se met à ressembler à Coffe, lequel, dans *Lucien Leuwen*, était misanthrope *par trop aimer les hommes*. Nous n'en sommes pas encore à savoir de quel parti est Stendhal, sinon qu'il n'est d'aucun de ceux que montre la politique. Stendhal est d'abord un écrivain, et un écrivain de la nouvelle école. Quelle école ? La romantique lui conviendrait : il a rédigé la satire contre les classiques qui a pour titre *Racine et Shakespeare*. Mais ses opinions (je suis *encore* l'homme de 1794, je n'ai pas varié, je ne compte pas varier) lui interdisent le romantisme. Louis XVIII a lu les *Odes* de Victor Hugo et lui a fait une pension. Victor Hugo a chanté le sacre de Reims. Lamartine, dans les *Méditations,* a donné de la sensibilité au parti-prêtre. Ne parlons pas de Chateaubriand qui, telle une seiche légitimiste, a jeté l'encre de ses écrits pour voiler son ambition. Où sont les romantiques de la première génération ? Chez les ultras. C'est là que devraient être les classiques, qui sont conservateurs de la barbe au cerveau. Qui défend les saintes règles qui dominaient les goûts et les façons de nos arrière grands-pères ? Le libéralisme. Un romantisme qui ne serait pas dévôt aux ultras (dans notre langage : un romantisme de gauche) rameuterait toutes les critiques : depuis les clameurs de *La Quotidienne* jusqu'aux vindictes du *Constitutionnel*. Ce qui veut innover en politique retarde en littérature. Voilà le piège tellement efficace que Stendhal ne peut qu'y tomber. S'échappant, il invente un mot, celui de son parti, de ce parti dans lequel il est seul : le *romanticisme*. C'est, dit-il, *l'art de présenter aux peuples les œuvres littéraires qui, dans l'état actuel de leurs habitudes et de leurs croyances, sont susceptibles de leur donner le plus de plaisir possible.* Il y aurait beaucoup d'injustice, lorsqu'on parle de Stendhal, à méconnaître ce principe de plaisir qui en est l'une des clés les plus efficaces...

Quelques pages, assez souvent méconnues, de Stendhal contiennent les éléments de ce fameux « parti » dont il veut être, et qui n'existe pas. Ce texte est intitulé : *D'un nouveau complot contre les industriels.* Il date de 1825, si l'on en croit l'auteur. Il se présente inauguralement sous la forme d'un dialogue entre un industriel et son voisin. C'est un pamphlet. Il prend à parti les disciples de Saint-Simon l'économiste, ceux-là même qui vont triompher sous la Monarchie de Juillet et sous le second Empire, c'est-à-dire : qui vont assurer le triomphe et les réussites du capitalisme au XIXe siècle. Dans l'époque où Stendhal songe à ses attaques, la pensée dominante est que l'industrie, seule, peut et doit fonder la liberté et ses conditions. Le monde qui se dessine proscrit les oisifs. Tout doit venir à l'utile qui n'a qu'un seul nom : l'industrie, laquelle regroupe, idéalement, dans une même entreprise, les patrons et les travailleurs. C'était le glas des privilèges, mais la naissance de l'exploitation. Les disciples de Saint-Simon, en 1825, incarnent, pour reprendre une fois de plus le vocabulaire moderne, une ambition « de gauche », mais il n'est pas difficile de s'apercevoir qu'ils sont en même temps les soutiens du régime, qu'ils appuient les emprunts d'Etat, qu'ils inaugurent le système du prêt à fort bénéfice, et, aussi, qu'ils sont peu sourcilleux de la morale politique. A l'aristocratie des privilèges, ils substituent l'aristocratie de l'argent, lequel, comme on sait, n'a pas d'odeur. Pour emprunter le titre d'une comédie de Mirbeau : *les*

Affaires sont les affaires, et les Rothschild, dynastie de nouveaux princes, sont les banquiers de Metternich. Voyons, dit Stendhal ! Examinons ! Les industriels, nouveaux maîtres, veulent tout pour eux : les honneurs, le Budget et... l'estime. Refusons-leur au moins cette politesse. *Les banquiers, les marchands d'argent ont besoin d'un certain degré de liberté.* Autrement dit : ils ont besoin d'une liberté pour eux. La liberté de tous compromettrait leurs activités. Stendhal ne songe à rien d'autre qu'à leur ôter leurs masques. En faire, pour ces pages, un précurseur ou un tenant du socialisme serait le trahir absolument. Ce qu'il constate, c'est comment et pourquoi Saint-Simon, qui rêvait à l'unité, est trahi par ceux qui prétendent appliquer ses principes, et ne voient plus, enfin, que leur propre enrichissement. Mais cette dénonciation exige un parti. Nous y voici finalement parvenu : c'est le parti des intellectuels. Lisons : *Moi aussi, je suis un industriel, car la feuille de papier blanc qui m'a coûté deux sous, on la revend cent fois plus après qu'elle a été noircie. Nommer cette pauvre petite industrie, n'est-ce pas dire que je ne suis ni riche ni noble ? Je ne m'en trouve que mieux placé pour apercevoir le ridicule des deux camps opposés, l'industrialisme et le privilège.* Poursuivons un instant encore notre lecture, tant le paragraphe suivant démontre l'embarras de Stendhal et son mépris (plus précisément : ce qu'il revendique pour ce tiers parti, qui est celui du talent) : *Je veux croire que mille industriels qui, sans manquer à la probité, gagnent cent mille écus chacun, augmentent la force de la France ; mais ces messieurs ont fait le bien public à la suite de leur bien particulier. Ce sont de braves et honnêtes gens, que j'honore et verrais avec plaisir nommer maires ou députés ; car la crainte des banqueroutes leur a fait acquérir des habitudes de méfiance, et, de plus, ils savent compter. Mais je cherche en vain l'admirable dans leur conduite. Pourquoi les admirerais-je plus que le médecin, que l'avocat, que l'architecte ?* Chaque mot est à jauger.

Cependant, le parti de Stendhal est insoutenable : voilà ce que prouvent les « marges », les anagrammes, l'abandon, à Civita-Vecchia, du *Henry Brulard,* de *Lucien Leuwen,* l'« affaiblissement » auquel consent l'homme à la hotte, le rejet hors champ de Raymonde branlée. Il reste l'aveu : *Les épinards et Saint-Simon* (cette fois, il s'agit, on le devine, du mémorialiste) *ont été mes seuls goûts durables, après celui toutefois de vivre à Paris avec cent louis de rente, faisant des livres.* Voilà à quoi il va échouer ! Il restera, malgré le goût amer, le principe du plaisir. En même temps qu'un miroir, H.B. avait souhaité mettre, triomphante, la liberté dans sa hotte, et se promener ainsi au long d'une route illimitée par une *vraie* lumière.

LA NEBULEUSE HUGO

Victor Hugo a toujours été le témoin d'une parole vagabonde : jamais, chez lui, un poème ne se clôt. C'est au contraire : il fuse, devient germe, prolifère, inaugure une aventure et — soudainement — feint de la continuer. Il le dit, l'avoue, avec l'ingénuité sublime du retors qu'il est : *Dans mon œuvre, les livres se mêlent comme les arbres dans une forêt.* Vieille image, depuis longtemps répétée, et qui évoque le désordre du jardin des Feuillantines :

> *Boutons d'or que j'ai vus jadis aux Feuillantines,*
> *Renaissez !...*

Tout est contrastes, comme dans les peintures de Friedrich que David d'Angers visitera, à Dresde, dans l'automne de 1834, qui font si bien paraître la tragédie du paysage. L'ombre est inversée : elle n'est plus fermeture de la perspective, mais ouverture à l'infini multipliée vers une lumière dévorante. Le tableau s'inscrit dans le cadre de l'épique :

> *Un mont blême et terrible emplit le fond des cieux ;*
> *Un pignon de l'abîme, un bloc prodigieux*
> *Se dresse, aux lieux profonds mêlant les lieux su-*
> [*blimes,*
> *Sombre apparition de gouffres et de cimes...*

Puis, dans ce noir et ce blanc :

... son faîte est un toit sans brouillard et sans voile
Où ne peut se poser d'autre oiseau que l'étoile...

Eh, quoi ! C'est le Pic du Midi, revu dans la géographie des mots, en 1859, la France quittée depuis huit années, la crise mystique ayant tiré le prophète frappé de foudre vers un centre creux : *Dieu,* qui est l'appel de la poésie ; *la Fin de Satan,* qui fonde une mythologie ininterrompue et interminable ; *les Contemplations,* ou la vie ré-écrite à l'envers des circonstances, — et tout est lointain, donc propice à la vision : vérité d'autant plus profonde et triomphale qu'elle investit tout ce qui n'est pas le lieu de l'exil, et sur quoi l'exilé, par les vertus de l'imaginaire, règne ! Mais au moindre souffle (chaque mot est un souffle, chaque vers), sa royauté se dérange et titube. Tout est verbe, dans cette pourpre-là, à condition que le verbe ne cesse de retentir. Lorsque Victor Hugo se décide à livrer *les Petites Epopées,* qui vont devenir *la Légende des Siècles, première série,* il faut bien voir et comprendre qu'il émerge à peine de sa descente aux enfers des mots. Les tables parlantes l'ont fait dialoguer avec la Mort, avec le Lion d'Androclès, avec les héros légendaires, et les alexandrins sonores se sont pressés en lui, sur lui, le dévorant, le meurtrissant, pareils à l'aigle du casque :

Il se mit à frapper à coups de bec Tiphaine ;
Il lui creva les yeux ; il lui broya les dents ;
Il lui pétrit le crâne en ses ongles ardents...

Il le laissa sans voix, vide, et ressassant ! Mieux : malade. Lui, cet homme de fer : il est levé avant l'aube, se baigne nu dans l'eau glacée, dévore plusieurs poulets, avale des oranges telles quelles, couche dans un lit sommaire proche du sol pour mieux y saisir crayons et papiers et y noter des laisses prises aux dieux et démons des nuits, ensuite de quoi, debout à sa table, l'âme en feu, il rédige cent alexandrins ou bien dix pages : c'est son bûcher ! Il n'a rien terminé de son projet énorme : *Dieu* est un monceau vibrant, sonore, éclaté ; *la Fin de Satan,* une ébauche ; tout s'amoncelle en une série d'échos, se prolongeant, se dilatant, se diluant. Il y a de quoi, dans Hauteville-House, avoir le vertige : l'Océan du haut et l'Océan du bas s'inversent, se mélangent. Cet Hugo, rejeté aux limites du monde, et bruissant de paroles, lui qui sait comment et combien la folie rode, de quelle façon frappe la mort, et quel poids est celui de l'homme, voilà qu'il s'engage dans une entreprise nouvelle. J'entends : nouvelle pour lui, et à peine : il en avait donné, déjà, des exemples, et, avec lui, Lamartine, Vigny, Soumet, Quinet : montrer l'avancée des humains dans l'échelle des âges. Oui ! mais la nature ? Et voilà reparaître le jardin des Feuillantines, cette incarnation exacte de la Mère (comme le Père, le citoyen Brutus des guerres de Vendée et de l'armée du Rhin devenu général d'Empire sera le reflet de l'Histoire), ou, si l'on préfère, l'engloutissement dans le sein immobile et constant :

Qu'est-ce que tout cela fait à l'herbe des plaines,
Aux oiseaux, à la fleur, aux nuages, aux fontaines ?
Qu'est-ce que tout cela fait aux arbres des bois,
Que le peuple ait des jougs et que l'homme ait des
                                                    [rois ?
L'eau coule, le vent passe, et murmure : Qu'importe!...

La réponse viendra, un peu forcée, admirable cependant, *volontaire* assurément : c'est l'homme, le dompteur, le libérateur, le détenteur du progrès, celui qui s'en va — aveuglément — vers le bien. C'est la leçon, fabuleusement ambiguë, du Satyre :

Rois, afin que la vie, et l'être, et la nature,
Restent, et n'aillent pas se perdre à l'aventure
Dans le morne océan du mystère inconnu,
Par quatre chaînes d'or le monde est retenu ;
Ces chaînes sont : Raison, Foi, Vérité, Justice...

Quatre mots, quatre liens : voici qui ancre Victor Hugo dans son « plein ciel ». Une superbe illusion fonde le dessein du proscrit !

D'ailleurs, *le Satyre* — ce poème qui est l'un des plus étonnants et significatifs des trois séries de *la Légende des Siècles* : il date du 17 mars 1859, figure dans la première série, parue chez Hetzel, Michel Lévy, en 1859, — est d'une gradation singulière. Il débute par un dessin que ne pourraient répudier ni le Corrège, ni le Carrache, ni le Primatice :

Béant, il regardait passer, comme un essaim
De molles nudités sans fin continuées,
Toutes ses déités que nous nommons nuées.
C'était l'heure où sortaient les chevaux du soleil...

Mais lorsque le satyre, qui est Pan dans sa gloire ténébreuse et solaire, entonne sa chanson, les perspectives basculent, et la lumière compromise avec la ténèbre s'avoue enfin :

Puis il dit l'Océan, typhon couvert de baves,
Puis la Terre lugubre avec toutes ses caves,
Son dessous effrayant, ses trous, ses entonnoirs,
Où l'ombre se fait onde, où vont les fleuves noirs...

Puis lorsqu'il croît, grandit, constellation où les forêts, les monts, le voyage en Espagne dans l'enfance, le jardin abandonné et sauvage des Feuillantines éclatent, fusent, se mêlent, deviennent, à la semblance de l'insaisissable poème, « nébuleuse » (ce mot-là est de Hugo !), chanson panthéiste et panique, gigantesque envol des rimes et des strophes jusqu'à tout confondre, comme chez Claudel plus tard (mais, ici, déjà, dans *Iblis*) : araignée minuscule et soleils géants, — Hugo, *volontaire*, se reprend, se domine, se dompte, ET affirme l'homme, retrouvant la péroraison d'Elciis, au terme de son discours de quatre journées, et que j'ai citée plus haut, l'attribuant, en pleine conscience, au Satyre... Oui ! Jean Massin a raison, lorsqu'il écrit que le poème d'Elciis, retranché par Hugo de la première série de la *Légende des Siècles* marque une rupture : c'est que ce poème, moins emporté que les autres, souligne le retrait de Victor Hugo devant le gouffre où s'ébattent les

    noirs chevaux de l'air,

où les voix parlent depuis les enfers de la mort, où les choses sont animées d'un souffle fantastique :

    Tout sur terre est en proie, ainsi que nous le sommes,
    Au souffle, à la tempête, au funeste aquilon...

et l'arbre lui-même, le tant aimé, l'orme même si bellement célébré dans *le Rhin*, le voilà spectre et complice de ruines affreuses :

    A l'angle de la cour, ainsi qu'un témoin sombre,
    Un squelette de tour, formidable décombre,
    Sur son faîte vermeil d'où s'enfuit le corbeau,
    Dresse et secoue aux vents, brûlant comme un flam-
    [*beau,*
    Tout le branchage et tout le feuillage d'un orme ;
    Valet géant portant un chandelier énorme...

— mais le château de Final où va périr le marquis Fabrice d'Albenga, où cet arbre dessus ce mur se tord, que fait-il d'autre que témoigner, dans la bousculade des mots, pour cette

affamée immense et sombre, la nature ?

De cela, Victo Hugo, soudain, s'effraie. Mais l'épouvante n'est pas assez forte, ni assez fortes les chaînes nommées par Elciis.

L'immense liberté du tonnerre a besoin
De gouffres, de sommets, d'espace, de nuées
Sans cesse par le vent de l'ombre remuées...

Ah ! le « cosmos » de Victor Hugo, en a-t-on parlé, — et d'abondance ! A bien voir : il s'agit d'un chaos. Ce sont des éléments animés : tout est plein d'âmes, certes ! mais les âmes ne sont pas lumineuses par elles-mêmes : il y faut le Progrès. Et Hugo va se faire l'apôtre du Progrès, mais un apôtre déchiré, labouré, bouleversé, compromis par le doute. Qu'est-ce que l'Histoire ? dès lors que l'Histoire permet le 2 décembre ? Qu'est-ce que l'Histoire, si elle succombe sous Napoléon III ? Qu'est-ce que l'Histoire, si le nabot pose sur elle sa patte, et la courbe à sa volonté ? Les mandants de la justice, de la raison, de la foi, de la vérité, universitaires, magistrats, prélats, intellectuels, nantis, tous ont cédé. Elciis proclame le temps venu de l'irraisonnable. La Troisième République en fera l'apôtre, je le crains, des vaines majuscules...

C'est que la Troisième République, oubliant volontiers les dédains de Victor Hugo, et ce qu'on nomme son second exil, a choisi de choisir dans Hugo ce qui lui convenait. Il s'est fait ensuite un reflux. Il reste un problème : celui d'une opposition qui se voit dans le texte

même de Victor Hugo. Lisez *la Légende des Siècles !*
Voici la clarté, qui paraît voulue :

Le progrès est l'immense aimant...

Ou bien :

Les hommes en travail sont grands des pas qu'ils font;
Leur destination, c'est d'aller, portant l'arche ;
Ce n'est pas de toucher le but, c'est d'être en marche ;
Et cette marche, avec l'infini pour flambeau,
Sera continuée au-delà du tombeau,
C'est le progrès...

Ou bien encore :

L'avenir, c'est l'hymen des hommes sur la terre
Et des étoiles dans les cieux...

Mais l'ombre est là, venant déchirer le tissu du langage, même lorsque, comme dit avec une trop grande
brutalité Jean Massin, Victor Hugo cesse *d'écouter, de
subir audition, de transcrire.* Et Massin ajoute, à propos
des *Quatre Jours d'Elciis* toujours : *A lui* (Hugo) *de parler — et d'imposer sa parole.* Bien sûr ! mais on s'effraie
à voir soudainement, et par éclairs, ce qui vient *sous*
cette parole la compromettre et l'illimiter, ce vieux fantôme du discours involontaire, cette ancienne vocation
de prophète, le résidu de la crise mystique ? qui le dira ?
ou peut-être d'autres démons : Eugène, Adèle, le crapaud des Feuillantines ou le ventre nu de la prostituée ?...

Ainsi dans le sommeil notre âme d'effroi pleine
Parfois s'évade et sent derrière elle l'haleine
De quelque noir cheval de l'ombre et de la nuit ;
On s'aperçoit qu'au fond du rêve on vous poursuit...

Ailleurs est évoqué

L'être mystérieux qui me parle à ses heures...

C'est assez, provisoirement, pour marquer la « nébuleuse » Hugo : le poème volontaire sur l'inspiré se greffe. Il tente de le corriger jusqu'au moment où les digues qu'il veut imposer cèdent à leur tour, et le flot revient, charriant non point des mondes, mais des genèses, non pas de l'infini mais de l'indéfini. La parole de Hugo, c'est un cloaque, où les graines tentent de naître. Dès lors, elle est elle-même un univers, une matrice considérable :

Tous les poètes saints, semblables à des mères,
Ont senti dans leurs flancs des hommes tressaillir...

Mais il faut résister cependant, conjurer

Le vent, onde de l'ombre et flot de l'infini...

échapper à ce magma d'éléments indéterminés, fuir l'indistinct qui est un cercle de l'enfer, discipliner par le bateau géant, la conquête de l'air et la fraternité universelle les cavernes obscures de la naissance, les puisards ténébreux du jardin des Feuillantines, le chaos QUI PARLE,

L'abîme ; on ne sait quoi de terrible qui gronde ;
Le vent ; l'obscurité verte comme le monde ;
Partout les flots ; partout où l'œil peut s'enfoncer,
La rafale qu'on voit aller, venir, passer ;
L'onde, linceul ; le ciel, ouverture de tombe ;
Les ténèbres sans l'arche et l'eau sans la colombe,
Les nuages ayant l'aspect d'une forêt...

Domaines du sombre ! Ailes noires ! Celle qui parlait distinctement lorsqu'elle dictait à Charles ses messages, la Mort, n'est-ce pas elle qu'il importe avant tout de vaincre ? Elle n'est pas dans le tombeau, qui borne. Elle est dans le trépignement, qui limite. Il faut aller au-delà. L'avenir, c'est la Mort dépassée, trépassée, la mise du mal au bien :

Oh ! franchir l'ëther ! songe épouvantable et beau !
Doubler le promontoire énorme du tombeau !...

Le passé porte les traces de cette promesse. L'âme (ce que l'on nomme ainsi, songe Hugo) est là, entière. Elle est conquête de l'homme :

La mort
Va donc devenir inutile !...

Ce n'est pas un songe vain, une rêverie, une spéculation dérisoire :

Au fond de l'immanence et de l'illimité,
Parfois, dans les lointains sans nom de l'Invisible,
Quelque chose tremblait de vaguement terrible,
Et brillait et passait, inexprimable éclair...

L'« inexprimable éclair », c'est à la fois la naissance de l'âme, l'Histoire conquise, et le signe avoué de l'opposition qui est au creux du texte de Victor Hugo, et que le texte de Hugo désigne. Il faut, je crois, s'en tenir au jugement de Jean Gaudon : *L'opposition profonde se situe dans le conflit entre une idéologie progressiste et une sensibilité attirée par le noir, la profondeur, les figures de la mort, un naturalisme qui refuse de faire confiance à l'homme.* Accusation grave, mais qui démontre pourquoi la poésie de Hugo parle plus haut et plus fort que Victor Hugo. Il tente d'imposer silence à ses terreurs : en vain. Les branches enchevêtrées sont des serpents. Les comètes tracent dans le ciel des chemins de lumière qui servent de linceul aux soleils morts. Tout vibre, vit. Jean Gaudon, indique que l'animisme universel, si perceptible dans l'univers poétique d'Hugo *est né des frayeurs secrètes et des convictions que les expériences spirites de Jersey ont nourries.* Il ajoute : *la transformation de la nature inanimée en êtres le plus souvent malfaisants est un des éléments essentiels de la terreur hugolienne...* Viennent, alors, les images :

> *Les monts se dressaient, noirs squelettes,*
> *Et sur ces monts erraient les nuages hideux,*
> *Ces fantômes traînant la lune au milieu d'eux...*

Ailleurs :

> *... jappant comme un chien poursuivi par un loup*
> *Novembre, dans la brume errant de roche en roche,*
> *Répond au hurlement de janvier qui s'approche...*

Ailleurs encore :

> *L'aube est pâle, et l'on voit se tordre les serpents*
> *Des branches sur l'aurore horribles et rampants...*

Un autre exemple :

> *La neige et l'ombre font, dans leurs creux entonnoirs,*
> *Des pans de linceuls blancs et des plis de draps noirs;*
> *L'eau des torrents, éparse et de lueurs frappée,*
> *Ressemble aux longs cheveux d'une tête coupée...*

Cette dernière image entend, dans *Masferrer,* figurer les Pyrénées (*chaos de blocs démesurés*) — qui furent la route cependant jadis parcourue, et qui devait, seuil de rocs, mener à la fois vers le premier « paradis des amours enfantines », mais aussi vers le palais de Masserano, lequel incarne le lieu même où Légende et Histoire intimement se confondent : le père absent n'y délègue que ses fastes. Les oranges y signifient les Hespérides du verbe. Les compagnons seront plus tard, dans la préface du *Rhin*, magnifiés : Virgile et Tacite : *Virgile, c'est-à-dire toute la poésie qui sort de la nature : Tacite, c'est-à-dire toute la pensée qui sort de l'histoire.* Ou bien encore : la Mère, et le jardin perdu des Feuillantines, basculé dans le dedans, âme occupée toute à se faire ; et le Père non encore trouvé, masqué par Lahorie, longtemps encore enseveli sous les attitudes du royalisme. Au-delà : les tours de Notre-Dame de Paris dont l'exacte figuration est la lettre « H » majuscule, initiale de Hugo : le général ? ou bien le « vocateur » ? Déjà, l'Histoire est compromise. C'est dit, c'est prévisible : il s'agira de la *Légende* des Siècles : *C'est de l'histoire écoutée aux portes de la légende.* Non ! c'est mieux, c'est pire que cela...

Ce rêve était l'histoire ouverte à deux battants...

Le livre de l'histoire écrit par celui qui a *mangé* le livre de l'histoire !

Alors les sphinx, avec la voix qui sort des choses, Parlèrent : tels ces bruits qu'on entend en dormant...

Mais ces voix qui demeurent indéniablement, dans leur éclat vrai, ténébreuses, Hugo les revendique. A ce creuset, il se forge, il se *forme*. Cette façon qui lui est propre d'éparpiller un *Je* sans cesse fuyant, ou de rameuter un *Moi* qui est — à la semblance de son œuvre — une « nébuleuse », elle va paraître et s'illustrer pleinement dans un ouvrage, *la Légende des Siècles,* que tout désignait comme devant occuper une place mineure dans le discours entier. D'abord, si le poète accepte, la main forcée, de livrer au public les *Petites Épopées* (le premier titre, ce qui est bien significatif !), c'est faute de mieux : *Dieu*, ce poème qui envahit tout sans cerner rien, piétine, trébuche dans une écriture continue, se heurte à l'ange rationaliste pour rebondir vers des confins inaccessibles ; *la Fin de Satan* devrait être le couronnement d'une coulée future : c'est la conclusion d'un « livre futur ». La crise mystique vient d'harasser — jusqu'à l'abattre — le solitaire. Alors quoi ? Quelques poèmes épars ? Oui ! Un champ dessiné, mesuré, qu'il ne reste plus qu'à parcourir d'un bout à l'autre ? C'est cela ! A Hetzel, en octobre 1859 : *J'ai une foi féroce dans l'avenir et je sais incroyablement qui je suis.* Au même, quatre mois auparavant : « La Légende des Siècles » *est profondément démocratique.* Oui ! c'est que tout s'y mélange : une suite aux *Châtiments,* et... un autre poème « impossible » : celui de la Révolution française !

Parce que ce qu'il y a d'extraordinaire dans la *Légende des Siècles,* c'est qu'y font défaut les deux pôles autour desquels le livre gravite : la Révolution, et Dieu. La signature de l'homme dessus le cours de l'Histoire, — et l'avenir triomphant du tombeau ! En 1858, dans *De la Justice dans la Révolution et dans l'Eglise,* Proudhon, comparant Lamartine à Victor Hugo, écrivait : *Victor Hugo, qui, avec une puissance de style supérieure encore s'en va du Moyen Age catholique à l'Orient mahométan quêtant des sujets pour ses vers, et ne voit pas la Révolution à ses pieds, n'est-ce pas aussi un poète déshérité ?* Eh bien, *la Légende des Siècles* n'apportera aucune correction au jugement de Proudhon. On verra plus tard paraître, composant à lui seul le *Livre épique* des *Quatre Vents de l'Esprit,* le poème de Hugo titré *la Révolution,* composé, à part l'épilogue, à la fin de 1857, retenu longuement en tiroir jusqu'en 1881, — mais quoi ! lisant

ce texte où les statues parlent, il faut se ranger à *l'insa-*
tisfaction qu'avoue, pour sa part, éprouver Jean Massin :
comme si quelques clés, qu'il possède cependant, de-
meuraient mystérieusement interdites à Victor Hugo,
ne pouvaient être *livrées* par lui. On lit — il faut y prendre garde — dans le *Journal* d'Adèle Hugo, la fille,
celle que l'on nomme communément Adèle II pour la
distinguer de sa mère, ce curieux passage, où Adèle II
relate, à la date du 6 décembre 1853, — nous sommes
au cœur des expériences des tables parlantes, — ce propos de son père :

VICTOR HUGO : *J'ai été hier chez Legueval pour*
assister aux tables. Quand je suis entré chez lui, Marat
était là. Alors la table s'est agitée et a dit :
Hugo me fait peur.
Puis elle a parlé. Alors Marat, je dois le dire, m'a don-
né complètement raison. Il m'a dit que dans le passé, si
j'avais été comme lui, de la Révolution de 93, j'aurais
fait tomber la tête de Louis XVI, préférant la France au
Roi, préférant être régicide que parricide...

Texte étrange ! Le crapaud parle à Hugo ! Jean Massin a raison de souligner ce faciès de batracien que les
romantiques, Lamartine, Michelet, Chateaubriand, donnent au tribun populaire. On ignorait tout des *Chaînes*
de l'esclavage, bien entendu. Surtout, on appartenait à
la bourgeoisie ! Car c'est cela, Hugo ! Un modéré par
vocation. Un révolté par énergie. Pas de personnalité,
un emportement...

Quelle succession de métamorphoses ! La mère ?
Vendéenne ? Mais non ! Prudente. Dans la préface aux
Feuilles d'automne, on lit encore : *La mère de l'auteur,*
pauvre fille de quinze ans, en fuite à travers le Bocage,
a été une brigande comme Mme de Bonchamps et Mme
de la Rochejaquelein. Ce fut un légendaire, longtemps
accrédité par le fameux *Victor Hugo raconté par un té-*
moin de sa vie, où Adèle I, auteur désigné, ne fut que

scribe fidèle. Le temps passant, Hugo vint à plus de justesse, écrivant dans *Quatrevingt-treize* une phrase qui laisse Sophie Trébuchet dans son obscurité : *Cette guerre, mon père l'a faite, et j'en puis parler.* Mais le général lui-même ? Le citoyen Brutus du temps de la campagne vendéenne fait place au prébendier du roi Joseph : une si belle fortune, avec de si bonnes fortunes, que le monarque d'Espagne en prend ombrage et se fâche. Et ensuite ? Des *Mémoires* rédigés pour la cause d'alors, qui est la cause de la Restauration. Et Victor ? Il sacre contre le Sacre de Charles X, mais il va dans Reims en liesse. Un courage certain, soit ! mais une réserve non moins certaine. A peine est-il de l'Académie, et non sans pression, qu'il mécontente les académiciens. Il s'acharne à devenir Pair de France. Il l'est. Mais une fâcheuse histoire d'adultère manque de le déconsidérer aussitôt. Il y a, chez les Hugo, une constante : ils sont de biais. Le général a combattu avec vaillance, c'est vrai, mais contre les peuples : la Vendée, soit ! mais, en Espagne, les résistants de Diaz dit l'Empecinado ; en Italie, les maquis de Fra Diavolo. Victor, ce sont les révolutions manquées...

Lorsqu'il se décide à donner à ce livre qui fuit de toutes parts, *la Légende des Siècles,* une architecture forcée, il suffit d'un mot de Meurice : *Cela manque de femmes !* pour le décider à produire cette guirlande d'« arts d'aimer » que sont *les Idylles.* Ce groupe de poèmes, loin de succomber aux mièvreries d'un Gentil-Bernard ou d'un Parny, reflète, avec une fraîcheur exacte, l'érotisme très particulier de Victor Hugo : le pied nu, ce qui convient à son masochisme ; la vision fuyante d'une nudité ; la chair dans son secret contemplée au soleil... Un autre poème, logé dans le même ensemble, et on se demande pourquoi ? va plus loin encore. C'est le texte titré *En Grèce.* Il date du 12 juillet 1873. Cet homme qui a dépassé la septentaine vient de s'éprendre d'une camériste de Juliette Drouet, Blanche (dans ses carnets, il la nomme *Alba*). Or, Blanche vient d'être éloignée. Il médite une fuite : la Grèce, qui est à elle seule la mythologie soleilleuse. Et le poème, dès lors, fait louange des blasons du corps féminin, ce qui est peut-être réponse à la fuite des siècles dans le sablier de l'Histoire, et retour aux Hespérides des Feuillantines :

> *O femme, ô fier œil noir qui m'emplis de délires,*
> *Viens montrer à ce ciel de Grèce ton éclair,*
> *Viens montrer à Paros le marbre de ta chair ;*
> *Toi, la Vénus nouvelle, à la Vénus ancienne*
> *Viens te comparer ! toi, cette Parisienne*
> *Céleste, qui s'habille avec un goût profond,*
> *Qui livre et cache, donne et reprend, sait à fond*
> *L'art de la transparence enivrante, et câline*
> *Mes yeux ardents avec la blanche mousseline,*
> *Belle, viens compléter Athènes avec Paris...*

On songe aux poèmes « légers » qui sont dans *les Contemplations,* et que Victor Hugo, créant et son Siècle et sa Légende, a antidatés, donnant au jeune homme et à l'adolescent ce qui revient à l'adulte et à l'homme mûr. Il y a toujours, chez lui, en « action », cette nébuleuse qui ordonne et désordonne, qui fait et défait, qui construit et brise. Il était perdu dans un seul vaste poème, dont les divers recueils qu'il composa ne sont que des fragments désespérément épars. A l'écoute, oui ! jusqu'au vertige...

L'éditeur Hetzel, dans le temps où Hugo promettait *les Petites Epopées,* lui adressait un mot d'une grande justesse. On peut y lire : *Vous êtes un paresseux d'un genre à part dans le sublime. Vous ajournez votre œuvre pour la grossir, vous mettez vos fiancées dans des coins pour leur faire des enfants en tapinois, vos livres engen-*

drent des volumes, vos phrases incidentes deviennent des
bibliothèques...

Voilà Hugo : un labyrinthe qui grandit. Des chemins
de traverses (ainsi dirait Jules Janin !) qui sont des
moyens détournés d'atteindre les « obliques » (un mot
mille fois répété dans l'œuvre) aveux, — mais, aussi
bien, de les éviter. Peut-être, et ce qui compte AUSSI,
de les *dessiner* :

> *Ce livre, c'est le reste effrayant de Babel ;*
> *C'est la lugubre Tour des Choses...*

Victor Hugo, ou le don des langues !

LE « CHANGE » DE VICTOR HUGO

On a souvent considéré *Littérature et Philosophie mê-lées* comme un ouvrage marginal, que Victor Hugo aurait composé avec une certaine légèreté, rameutant au hasard des textes anciens, se contentant d'un fourre-tout et refusant une élaboration plus poussée. A y regarder de près, il n'en est rien...

C'est en 1832 que Victor Hugo promet à Renduel un ou deux volumes de « mélanges ». Désireux de ne pas s'aliéner absolument Gosselin, son précédent éditeur, il prévient que rien dans ce livre à paraître ne sera réso-lument inédit. On comprend qu'il va rechercher dans la grande masse des textes qu'il a publiés et qui se sont accumulés depuis 1819, des passages et des fragments dignes d'être mis sous les yeux du lecteur moderne. Mais aussitôt, un problème se pose, qui est celui du « chan-ge », — autrement dit : de cette métamorphose *en cours* qui, déjà, oppose l'homme de trente ans à l'adolescent de seize ; le démocrate qui naît, à l'ultra qui a vécu. Rien, dès lors, n'est simple. Les événements historiques ont provoqué et provoquent une réflexion qui ressemble à une conversion. Mais les événements intimes pèsent, dans ce creuset, lourdement. Mieux encore : l'écriture de Victor Hugo s'est modifiée, approfondie, libérée. Le jeune jacobite du *Conservateur littéraire* avait le ton

Voltaire, et la pensée de Maistre ou Bonald. Le « révolutionnaire » de 1830 comprend Voltaire mais parle romantique. Or, c'est de tout cela dont témoigne *Littérature et Philosophie mêlées*, un ouvrage disparate d'apparence, qui fait paraître au vif les querelles contemporaines (sur la destination de l'art, ou, autre exemple, sur la définition du romantisme) ; qui accompagne la biographie et sa pesanteur ; qui témoigne pour le cheminement de l'Histoire. Il y a tout cela, et plus encore : la volonté fort affirmée de Hugo d'être *un*. En 1832 déjà, il soupçonne que ses œuvres devront un jour se fondre en une insécable totalité. Dans la préface à *Littérature et Philosophie mêlées*, figure une phrase qui sera reprise, de décennie en décennie, jusqu'à la fin : « *la petite chose éclaire parfois la grande* ». Aucune ligne du texte qui s'écrit au fil des années n'est négligeable : chacune d'elle concourt à peindre l'ensemble. Méconnaître cela, c'est refuser la seule lecture *possible* de ce vaste texte labyrinthique nommé Victor Hugo !

Victor Hugo mettra deux ans à satisfaire Renduel: *Littérature et Philosophie mêlées* sortira des presses en 1834, en deux volumes. Immédiatement, le souci de l'organisation et de la cohérence requiert le lecteur. Ce que, manifestement, Hugo présente, ce n'est pas une justification, mais un miroir. Il ne s'agit pas de nier les pensers du jacobite de 1819, mais de les révéler, d'en saisir et avouer le pourquoi. Dès lors, Victor Hugo va pratiquer ce travail sur les datations, dont on sait qu'il poussera fort loin l'application. Ici, il date de décembre 1820 des feuillets manifestement écrits plus tard : *L'acclamation qui a salué Louis XVIII en 1814, ç'a été un cri de joie des mères !* Il faut évoquer Sophie Hugo, la prétendue vendéenne, la brigande d'invention. Il faut reprendre ce processus sinistre qui en fait une monarchiste farouche moins par haine de la révolution et de l'empire que par emportement contre son mari le général Hugo, l'ex-citoyen Brutus des chaudes journées de Nantes. Elle portera, à partir de 1815, des chaussures de couleur verte pour marcher sans cesse sur la couleur impériale et fouler du pied l'usurpateur. Or, si Hugo date de décembre 1820 le texte que j'ai cité, c'est parce que Sophie meurt le 27 juin 1821 : il faut montrer absolument que l'idée est en marche, que le « change » ne cesse de s'opérer et de rebondir. Du même texte :

Pour nos pères, la révolution c'est la plus grande chose qu'ait pu faire le génie d'une assemblée, l'empire c'est la plus grande chose qu'ait pu faire le génie d'un homme. Pour nos mères, la révolution c'est une guillotine, l'empire c'est un sabre.

On pense généralement que la mort de Sophie a permis à Victor Hugo de se rapprocher de son père. Cela est vrai. Mais on ajoute que c'est le rapprochement avec le père qui suscite chez Victor Hugo l'attention nouvelle portée à la révolution et à l'empire. Si, incontestablement, les images du père et de l'empereur sont, chez Hugo, mélangées, s'accompagnent l'une l'autre, il faut mieux voir qu'à Blois le général s'était, avec un certain plaisir, rallié à la Restauration. D'ailleurs, il avait toujours cru, ou feint de croire, que les échecs de sa carrière militaire provenaient de l'intervention directe de Bonaparte premier consul puis de Napoléon empereur (ses *Mémoires* et sa correspondance sont éloquents sur ce point). Peut-être serait-il plus juste de penser que c'est la mort de Léopold, en janvier 1828, qui convertit Hugo au bonapartisme de la légende et de la mythologie. C'est une opération analogue à celle qui se produit en 1821 à la mort de Sophie : la confusion s'établit dès lors entre l'absence de la mère et la présence de la nature ; Sophie deviendra le jardin des Feuillantines, — elle qui détestait les forêts et les arbres ! L'absence de Léopold, c'est, dès 1828, dans la cinquième édition des *Odes et Ballades,* l'*Ode à la Colonne* :

Débris du Grand Empire et de la Grande Armée,
Colonne, d'où si haut parle la renommée !
Je t'aime...

A ce propos, on remarquera que les différentes éditions des *Odes et Ballades* (en 1822, en 1823, 1824, 1826, 1828, chacune de ses éditions s'augmentant de poèmes d'un *sens* nouveau) opèrent un « change » assez comparable à celui qui se lit clairement dans *Littérature et Philosophie mêlées* : soit, une métamorphose — non terminée — de l'écriture du texte et de la position politique : *Quand on creuse l'art, au premier coup de pioche on entame les questions littéraires, au second, les questions sociales.*

Le premier volume de *Littérature et Philosophie mêlées* se partage entre un *Journal des idées, des opinions et des lectures d'un jeune jacobite de 1819* et un *Journal des idées et des opinions d'un révolutionnaire de 1830*, le texte le plus surprenant et décisif étant le texte inaugural, daté lui de 1834. Ces dates ont de l'importance. 1830, c'est Victor Hugo qui abandonne la rédaction de *Notre-Dame de Paris*, à peine commencée, « pour cause de révolution », — et découvre une idée neuve : le peuple. A Charles Nodier, le 4 août de cette année-là : *La population de Paris se conduit admirablement, mais il faut se hâter d'organiser quelque chose.* Phrase capitale, qu'il faut prendre, malgré la couleur politique du destinataire, dans sa signification réelle, — tant elle annonce ce qui est pratiquement la conclusion, elle aussi politique, de l'*essai sur Mirabeau* (essai rédigé en 1834, et tèrminant le second volume de *Littérature et Philosophie mêlées*), et dont voici les grandes lignes : *à l'heure qu'il est, les hommes de révolution ont accompli leur tâche. Ils ont eu tout récemment encore leurs trois jours de semailles en juillet. Qu'ils laissent maintenant les hommes de progrès. Après le sillon, l'épi.* C'est l'entrée en scène de Victor Hugo le constructeur, — et qui ne construira rien que l'Océan de l'œuvre où les théories et les dogmes viennent s'abîmer à mesure qu'ils surgissent. Mais c'est là une autre histoire...

La révolution de Juillet aboutie, c'est-à-dire confisquée par les orléanistes et leurs banquiers, Victor Hugo — enfin ! — écrit *Notre-Dame de Paris*. Il voulait faire du Walter Scott, il fit autre chose. Il souhaitait écrire l'histoire, il créa un roman. Et un roman qui justement commençait à combler — dans une certaine mesure — les vœux du jeune ultra de 1823, lui-même, qui notait : *Après le roman pittoresque, mais prosaïque, de Walter Scott, il restera un autre roman à écrire, plus beau et plus complet encore selon nous. C'est le roman, à la fois drame et épopée, pittoresque, mais poétique, réel, mais idéal, vrai, mais grand, qui enchâssera Walter Scott dans Homère.* Les conceptions de Walter Scott tournent à la louange de la monarchie. L'audace de Victor Hugo, dans *Notre-Dame de Paris*, c'est d'inverser le propos, et — aussi — d'accepter la grandeur du grotesque. Les traits principaux de ceci se retrouvent dans *Littérature et Philosophie mêlées*, qui, du coup, a partie liée avec *Notre-Dame de Paris*, mais aussi, dans le futur, avec l'essai sur *William Shakespeare*.

Le « révolutionnaire » de 1830 remet les choses au point : *J'admire encore Larochejaquelin, Lescure, Cathelineau, Charette même ; je ne les aime plus. J'admire toujours Mirabeau et Napoléon ; je ne les hais plus.* Voilà pour Sophie et Léopold ! Est-ce passage de l'un entièrement à l'autre ? Reniement de ceci au profit exclusif de cela ? Non. Le propos se nuance : *Le sentiment de respect que m'inspire la Vendée n'est plus chez moi qu'une affaire d'imagination et de vertu. Je ne suis plus vendéen de cœur, mais d'âme seulement.* Il est vrai qu'il n'en démordra plus ! Mais si l'on voulait comprendre vraiment la découverte de Victor Hugo en ce moment fugace de « l'éclair de Juillet », il faudrait souligner telle phrase de novembre 1830 : *Les pyramides d'Egypte sont anonymes ; les journées de juillet aussi.* Cela, c'est Hugo découvrant cet « océan » aux forces puissantes, qui est le peuple. Non plus gouffre, mais remuement gigantesque : pas des visages, des muffles ; pas des discours, des rugissements ! Dès cette date les pages sur Mirabeau se dessinent, — et se dessinent d'autant plus visiblement que *Cromwell* et *Hernani* ont été écrits et publiés, que la bataille des gilets rouges date d'hier (25 février 1830). Oui, mais *le Roi s'amuse* est interdit, dès le lendemain de la première représentation, le 23 novembre 1832. Regardez ces dates ! Le vrai peuple en colère, la véritable insurrection, ce n'est pas dans les trois journées célèbres de 1830 que Victor Hugo les verra, mais dans les jours fiévreux de juin 1832, au moment de cette révolte qui prit pour occasion les funérailles du général Lamarque. Hugo était là, cette fois. Plus tard, il transposera l'événement, tel quel, dans *Les Misérables*, au chapitre titré *L'Epopée rue Saint-Denis*.

Victor Hugo s'est, en secret, fiancé avec Adèle Foucher le 26 avril 1819. Ils se sont mariés le 12 octobre 1822, la mort de Sophie Hugo levant l'interdit. Il n'y a guère, pour éclairer un ménage morne, qu'une petite fille : Didine, cette Léopoldine qui sera la noyée de Villequier. Adèle déteste le désordre de la passion et des sens. Elle réprouve ces excès qui sont dommageables au quotidien. Heureusement, il y a, début 1833, *Lucrèce Borgia* ! Je veux dire : la rencontre de Juliette Drouet. *Le 26 février 1802, je suis né à la vie, le 17 février 1833, je suis né au bonheur dans tes bras :* c'est ce qu'il écrira en 1833 à Juliette. Il n'est pas sans intérêt de souligner que *Littérature et Philosophie mêlées* est le premier ouvrage (outre les productions théâtrales) que Victor Hugo publie depuis sa liaison avec Juliette. Et il est — à ce moment — important, pour le moins, de remarquer que le manuscrit du texte sur Imbert Galloix, qui est un texte-clé, porte cette dédicace : *à ma bien aimée Juliette.*

Outre une vive protestation en faveur de la jeunesse (*Quant à celui qui écrit ces lignes, tout poète qui commence lui est sacré. Si peu de place qu'il tienne personnellement en littérature, il se rangera toujours pour laisser passer le début d'un jeune homme*) — on trouve dans ces pages consacrées au malheureux Genevois le passage qui est sans doute le plus singulier de tous les paragraphes singuliers que contient *Littérature et Philosophie mêlées.* C'est à partir de ces lignes, et de ce mois de décembre 1833 que le « change » réellement s'opère. Victor Hugo écrit : *Toute grande ère a deux faces ; tout siècle est un binôme,* a + b, *l'homme d'action plus l'homme de pensée, qui se multiplient l'un par l'autre et expriment la valeur de leur temps. L'homme d'action, plus l'homme de pensée ; l'homme de civilisation, plus l'homme de l'art ; Luther, plus Shakespeare ; Richelieu, plus Corneille ; Cromwell, plus Milton ; Napoléon, plus l'inconnu. Laissez donc se dégager l'Inconnu !...*

C'est à ce moment précis que Victor Hugo incarne le XIXe siècle. Il prend à charge cette idée nouvelle : le progrès — jusques et y compris dans ses illusions. Et jusqu'à sa démesure. Il a créé Quasimodo dans le monde de Louis XI. Maintenant, en 1834, il tente de dégager un Quasimodo doué de la parole, inaugural en quelque façon, assurément fondateur : c'est Mirabeau ! *Sa tête avait une laideur grandiose et fulgurante, dont l'effet par moments était électrique.* Et cet Hugo de 1834 sait combien a été abusé le jeune jacobite des années vingt du siècle ! *Littérature et Philosophie mêlées* tient ainsi aux *Châtiments.* Le Hugo de l'exil écrira que le livre ancien de lui que les jeunes gens recherchent le plus est celui-là justement, *Littérature et Philosophie mêlées,* dans lequel il a souhaité et voulu donner l'image de ce que Charles Baudelaire nommait une *harmonie politique du caractère*. Cette harmonie, on le sait, était nécessaire à cet « écrivain » qui, *dans cette France du dix-neuvième siècle, à qui Mirabeau a fait sa liberté et Napoléon sa puissance*, opère *aussi*, on ne doit pas l'oublier, un « change » de l'écriture ! Si ce livre-ci, aux dires mêmes de l'auteur, côtoie et reflète les ouvrages publiés entre 1820 et 1833, il dévoile également quel rebond, quelle reprise en main, quelle saisie de soi furent nécessaires aux innombrables textes qui, à partir de cet « échangeur » littéral, s'édifièrent Tant il est vrai que c'est parfois dans les marges que se réfugie le sens.

SYMBOLES ET FANTASMES

Lorsque les nécessités matérielles de l'édition, ou les caprices de l'éditeur, font cohabiter dans un même volume deux ouvrages que rien, dans l'œuvre de l'auteur, ne destine à ainsi voisiner, on peut à bon droit parler d'arbitraire. Reste à savoir ce que l'arbitraire, en l'occurrence, va mettre en lumière ou, au contraire, occulter. C'est le premier problème que pose l'édition conjointe, par les soins de Jacques Seebacher et d'Yves Gohin, de deux romans de Victor Hugo : *Notre-Dame de Paris 1482* et *les Travailleurs de la mer* (I), réunis dans un même livre. Il s'agit, bien entendu, de lire l'un puis l'autre, et enfin (surtout) de hausser cette lecture jusqu'au niveau de la confrontation que l'arbitraire a suscitée. Exercice enrichissant pour le lecteur, dangereux pour l'auteur, singulier pour les commentateurs : l'œuvre entier peut s'en trouver ou bien conforté ou bien détruit. Ce rapprochement brusque et peu commun devrait, s'il y en avait, éclairer et dénoncer les artifices : il n'en est rien ! La pieuvre Hugo résiste à cette épreuve, et en sort agrandie. Les deux romans projetés l'un sur l'autre, l'un dans l'autre, dévoilent le gouffre. C'est vrai qu'ils encadrent une béance peuplée qu'ils ne cessent de désigner : la masse des œuvres lyriques, et *Les Misérables*. Mais il y a autre chose là, de plus trouble et de plus troublant : un creusement de la biographie qui fait sauter les verrous et transforme l'histoire en symboles, et l'espoir en fantasmes.

Dès lors, un modèle de lecture s'impose : il faut laisser le texte parler de Hugo. Mieux : parler Hugo. Il existe peu d'auteurs qui, autant que celui-ci, demandent que les manuscrits et la chronologie de la rédaction soient exactement restitués. Le travail de l'histoire, le travail sur l'histoire, et le travail de soi sur soi vont ici ensemble et délimitent ensemble l'espace de production du texte, — de ce texte interminable qui s'exprima aux frontières du poétique et du métaphysique. Rien de désordonné dans cet éclatement de l'ordre ! On n'en finit jamais du texte nébuleuse ! Ce que dit la bouche d'ombre, c'est, finalement, la pensée du jour : un éclair noir. Ce créateur d'une religion gigantesque accouche d'une religion ruinée, — mais ces ruines sont là, présentes, puissantes, encombrantes : ce sont celles d'un monde. L'histoire et le progrès sont des édifices à la construction desquels Victor Hugo œuvre puissamment, tout en ruinant leurs fondations. Travailleur du texte, Hugo mine les barrages qu'il feint de dresser. Qu'il feint ? Non, qu'il établit. C'est un manœuvre de génie, — dont la fantaisie est redoutable. Il y a, partout réparti dans les feuillets de Victor Hugo, un rire double : noir et blanc : une énormité de farce, qui est une énormité de foi.

La genèse de *Notre-Dame de Paris* est enseignante absolument. Victor Hugo, on le sait, s'était engagé auprès de l'éditeur Gosselin à fournir pour le 15 avril 1829 un roman historique à la manière de Walter Scott, et ceci par un contrat signé le 15 novembre 1828. L'auteur, alors, de *Han d'Islande*, de *Bug-Jargal*, du *Dernier Jour d'un condamné*, connaît admirablement Walter Scott dont il a traité à diverses reprises lorsqu'il rédigeait à lui seul une notable partie du *Conservateur littéraire,* et s'il laisse entendre à Amédée Pichot dès octobre 1828 que ce fameux roman historique est en voie d'achèvement, c'est qu'il pense sérieusement ne pas rencontrer d'obstacle dans la rédaction d'un ouvrage dont les mécanismes lui sont, par avance, connus. Or, le Victor Hugo commentateur de Walter Scott n'est plus ce Victor Hugo de la fin de l'anné 1828 : Adèle se détache, Léopoldine l'enchante, le général Hugo vient de mourir. L'« enfant sublime » avait fait fière figure dans le cercle des ultras entre sa seizième et sa dix-neuvième année, mais la mort de Sophie Hugo, en juin 1821, le révèle à une liberté inconnue : il écrira seulement alors son premier vrai poème consacré à la nature, — et il retrouvera, avec son père le général en demi-solde, la République et l'Empire : ce ne sont encore que des demi-teintes, mais qui prendront un éclat plus vif à partir justement de la mort du père, c'est-à-dire en cette année 1828 où Victor Hugo, chef incontesté du parti romantique grâce à la préface de *Cromwell,* et patron du cénacle nouveau, signe avec Gosselin. Si l'on regarde avec un peu d'attention ce mois de juin 1821, on est frappé par ce trait que Hugo notera laconiquement : lorsqu'il rentre du cimetière où il vient de conduire la dépouille de Sophie, il surprend, au travers d'une vitre, Adèle dansant dans un bal. Cet œil qui épie, et qui noue le désir et la jalousie, l'œil de Victor Hugo, deviendra l'œil de Claude Frollo lorsqu'il contemple Esmeralda séduite par Phoebus chez la Falourdel : *Son œil plongeait avec une jalousie lascive sous toutes ces épingles défaites. Sa prunelle éclatait comme une chandelle à travers les fentes de la porte.* Mais l'œil de Frollo, à l'évidence, masque l'œil de Hugo, et, dans le même temps, donne à *voir* ce qu'il y a de désir dans la jalousie du poète. Désir déçu, en cette année 1828 déjà : Adèle a clairement marqué qu'elle trouvait inutile à l'amour la passion... Phoebus blessé, c'est le malheureux duel de Victor avec le garde Vallerot.

Entre 1821 et 1828, une autre année doit être sauvée de l'oubli, tant les événements qui vont s'y dérouler marqueront *Notre-Dame de Paris* : c'est le sacre de Charles X à Reims, et les réflexions qui vont, au fil des mois, « changer » les idées et les idéaux du poète officiel (ce qu'il devient par l'*Ode sur le Sacre*). Reims avait, dans l'esprit des ultras, une signification décisive, et irréversible : le sacre, renouant avec les traditions de la monarchie absolue, abolissait pour tout de bon trente ans d'histoire. Autrement dit : le sacre avait pour sens de corriger l'histoire, de faire l'histoire autre. Mais quoi ! Hugo trouve de l'ampoulé dans les cérémonies, du bour-soufflé dans les rituels, du dérisoire dans le discours entier. Charles X, mais c'est *aussi* la Bande noire qui fait argent de la destruction des monuments du passé ! Victor Hugo projettera d'écrire un *Voyage poétique et pitto-resque au mont Blanc*, qui devait être une réponse indi-recte aux pratiques de la fausse Restauration, et une riposte « poétique » aux entreprises des démolisseurs et des profiteurs. Charles X, c'est *aussi* un gouvernement de la médiocrité dont les ambitions du parti romantique s'irriteront. D'ailleurs, qu'est *le Dernier Jour d'un con-damné*, sinon un renoncement aux thèses des ultras, et une dénonciation de leurs principes ? La Bible occulte de la faction avait pour titre *les Soirées de Saint-Péters-bourg ;* pour auteur : Joseph de Maistre ; pour officiant : le bourreau. On dira qu'un Charles Nodier, qui passe pour être tout entier et sans réserve de la cocarde blan-che, exprime au moins cette réserve : la mort ! Il y a une différence : Nodier est très précisément à l'inverse de Hugo : il condamne hors du principe ; Hugo con-damne le principe et, dès lors, met le branle dans l'édi-fice entier. On le verra, autrement, demain, — lorsqu'il établira entre lui et l'encyclopédie du savoir, entre lui et les échafaudages de la documentation, des rapports sournoisement ludiques : ainsi, *les Travailleurs de la mer* suppose un Voltaire qui aurait accepté Rabelais, le plaisir pris au vocabulaire marin et maritime y désignant, à l'évidence, une très réelle « manducation » de la parole. L'image rapportée par les contemporains d'un Hugo mangeant une orange entière, sans la peler ni la mettre en quartiers, est homologue à cette gourmandise « fabuleuse » (mais non fabulatrice) des vocables. Il n'y a pas dans le catalogue spécialisé des termes de marine des *Travailleurs de la mer,* pas plus que dans le catalogue spécialisé des métiers, confréries et situations marginales qu'on découvre dans *Notre-Dame de Paris,* du pittoresque (comme on a dit), non plus que la convocation d'un « savoir » : ces accumulations disent du texte qu'il est un « texte ».

Cependant, l'éditeur Gosselin ne voit venir aucun manuscrit, aucun chapitre de l'ouvrage promis. Il s'impatiente. Les rapports entre les deux hommes tournent à l'aigre. On piétine. Là-dessus, sous le ciel du Paris de 1830, éclatent les Trois Glorieuses. Hugo se tient à l'écart des événements, c'est indéniable. Mais c'est en lui que se livre une bataille décisive, dont non pas l'enjeu mais le signe (le tracé) sera *Notre-Dame de Paris* justement. L'effondrement de Charles X, cela veut dire que le sacre de Reims n'avait aucun sens, que l'histoire ne peut pas être autre, que les signes sont impuissants devant les hommes. La révolution de 1830, née sans chefs, conduite sans chefs, exprime ce qui n'a pas encore parlé, et qui n'a pas encore été dit : quelque chose comme « le Peuple ». Alors, Hugo s'affaire : les chapitres s'accumulent. Ils s'accumulent mais ne s'additionnent pas. L'établissement du texte ne cesse de dériver et de se reprendre : les onzes livres qui composent *Notre-Dame de Paris* n'ont pas été rédigés les uns à la suite des autres, mais dans une succession de sauts et de retours qui donnent au roman le sens qui est le sien et qu'on a longtemps refusé de voir. On a cru qu'au moment où Hugo propose à Gosselin d'augmenter d'un volume *Notre-Dame de Paris* il entreprend de truffer de digressions son manuscrit, de le gonfler à des fins mercantiles : or, ce n'est pas cela. Le genèse si complexe de *Notre-Dame de Paris* fait entrer dans « le jeu » divers éléments essentiels qui mettent, tous et chacun, Victor Hugo « en jeu ». Il y a d'abord cette écriture que Jacques Seebacher dit être *de réinsertions,* et au sujet de laquelle il note : *Il y a en tout cela un véritable génie stratégique, qui consiste à mettre derrière soi ce que l'on trouve devant, à incorporer comme préparations et réserves de ce roman de la nécessité ce que sa progression même découvre aux frontières de l'expérience d'écrire et ce qu'elle révèle de soi au moi qui écrit.* C'est la tactique de Gilliatt face aux deux gouffres : l'océan, l'ouragan ! Il n'empêche que ce qui fonde, dans un sens nouveau, et contre le modèle Walter Scott, *Notre-Dame de Paris,* ce sont les chapitres généralement jugés comme étrangers à l'action, sortes de « hors d'œuvre » a-t-on dit, et qui sont en réalité révélateurs du « dedans » de l'œuvre : Victor Hugo y crée une symbolique qui prend la place de l'histoire, et, ainsi, ensemble l'établit et la condamne...

Le roman historique à la Walter Scott trouve sa fin et son retournement dans le Victor Hugo de 1830. Sur sa lancée, l'écrivain avait annoncé d'autres ouvrages, ainsi *la Quiquangrogne* ou bien *le Fils de la bossue.* Il ne les écrira jamais, parce que *Notre-Dame de Paris* les a rendus vains. Par contre *les Travailleurs de la mer,* ainsi que *Quatrevingt-treize,* ainsi que *l'Homme qui rit* imposent, dans leur arrière-texte, la présence de *Notre-Dame de Paris* : Claude Frollo et Quasimodo, Jacques Cappenole et Louis XI poursuivent un dialogue impossible, rompu, contradictoire dans le sein même de Gilliatt, de la Tourgue et de Gwynplaine. Mais aussi, les fantasmes nés de la biographie, au temps de

Notre-Dame de Paris, et dans *Notre-Dame,* vont re-
surgir, identiques et métamorphosés, vécus alors et re-
vécus ensuite, dans les romans postérieurs. Adèle I et
Léopoldine vivante, Léopoldine et Vacquerie, Adèle II
et le soldat Pinson, Léopoldine morte et Victor Hugo
exilé, le sacre de 1825 et le coup d'Etat de 1851, tout
cela, biographie et histoire devenues vases communicants, miroirs et visions réciproques, lorsque la pente
de la rêverie s'engouffre dans le vertige de l'écriture :
ce sont les éléments constitutifs du tissu romanesque :
le « change » effectué, dans le discours du XIXe siècle, par Victor Hugo. En 1828, Victor Hugo avait
d'abord intitulé son roman « à la Walter Scott » : *Notre-
Dame de Paris 1483,* situant son récit l'année de la
mort de Louis XI et valorisant ainsi la présence et le
rôle du monarque. L'effacement de Charles X en 1830
lui fait modifier ce sous-titre de 1483 en 1482. C'est un
déplacement significatif : Quasimodo et la Cour des
Miracles y gagnent le sens que le principe monarchique
perd. *Le grouillement des bas-fonds de la société et du
cœur de l'homme,* écrit Jacques Seebacher, *ne sont pas
à lire dans* Notre-Dame *comme de grands morceaux
de pittoresque, mais comme les réalisations absolument
nécessaires d'une philosophie morale de l'Histoire, qui
dicte son devoir à l'artiste.* Mais l'artiste au travail, c'est
Gilliatt face à l'écueil des Douvres et à l'épave de la
Durande...

   Ce qui, à première vue, s'inverse de *Notre-Dame de
Paris* aux *Travailleurs de la mer,* c'est le processus de
la jalousie devenant abandon, consentement, retrait.
Claude Frollo conduit Esmeralda à la mort : puisqu'elle
refuse de lui appartenir, qu'elle périsse ! Gilliatt mè-
nera Déruchette dans les bras d'Ebenezer. Phoebus est
un militaire ; Ebenezer, un homme d'église. Pinson est
un soldat auquel Hugo refuse d'abord Adèle II, puis
qui refusera Adèle II. Mais Victor Hugo, sur son ro-

cher, se souvient à quel point il avait accordé avec réticence la main de Léopoldine à Charles Vacquerie. Le suicide de Gilliatt, cet homme sans visage, qui choisit l'océan pour tombeau ; cette dramaturgie des flots ; cette exploration hallucinée et hallucinante de l'intérieur des eaux, on conçoit vite que ces songes et ces événements prolongent le drame de Villequier. Yves Gohin remarque avec beaucoup de justesse que *dans les Travailleurs Hugo rêve qu'il a choisi de mourir à Villequier, à la place de Charles Vacquerie, pour lui céder sans réserve Léopoldine vivante.* Mais si Gilliatt n'a pas de visage, — plus exactement : si Hugo, dans *les Travailleurs de la mer,* ne le dévoile pas, — Déruchette n'a pas de présence physique : la vraie femme repose, nue, dans les fantasmes de la grotte sous-marine. Posée sur le sol, dans les rues de Guernesey, Déruchette n'a pas de corps : cette image inconsistante proscrit le très réel démon de l'inceste dont seuls, semble-t-il, les hasards et les masques de l'intrigue sauvent Claude Frollo. Esmeralda, c'est l'enfant Léopoldine dans les pages situées à Reims, c'est aussi Adèle aux Feuillantines, mais c'est surtout la Pepita adolescente du voyage (quasiment initiatique) en Espagne : *Elle était brune, mais on devinait que le jour sa peau devait avoir ce beau reflet doré des Andalouses et des Romaines.* Le pied, la jambe nue, ces éléments d'un fétichisme certain de Victor Hugo, s'avouent dans *Notre-Dame de Paris :* ils sont bannis des *Travailleurs de la mer.*

Si la Déruchette des *Travailleurs* n'a pas de corps, cela n'empêche nullement que le roman entier ne soit un roman du corps. *Notre-Dame de Paris,* considéré sous un angle analogue, est un roman du regard. Il s'ouvre sur la « représentation » d'une pièce de Pierre Gringoire. Les bourgeois des Flandres et les magistrats du royaume y paraissent juchés sur des tréteaux et des estrades. Quasimodo y est d'abord vu dans le concours de grimaces proposé par Cappenole : c'est un masque sans masque, c'est le Peuple. La cellule de la sachette — cette Gudule de Reims dont le prénom évoque la sainte patronne de Bruxelles — est décrite comme une scène : elle est « *plus large que profonde* ». Les mots eux-même « clignent de l'œil », ont « des regards en coulisses » : la *sachette* (ainsi nommé parce qu'il existait une confrérie de moines « sachets ») saura que le secret de la Esmeralda, donc de sa propre maternité, gît dans un *sachet* que la jeune fille porte noué autour du cou. Dans le salon de dame veuve de Gondelaurier, Phoebus est très exament « en montre ». Et c'est l'exposition au pilori de Quasimodo qui nouera le drame, trouvant son épilogue dans Esmeralda évanouie portée par le bourreau Henriet Cousin sur le théâtre du gibet... La cathédrale semble reposer à même le sol. Il n'y a, nulle part, des entrailles, des abîmes, des profondeurs explorées : Paris y est *à vol d'oiseau.* Dans le roman de 1866, *Les Travailleurs de la mer,* tout s'inverse : le corps y est entier. Le corps ? Mieux : l'opacité du corps, l'obscurité de l'intérieur du corps. Ce roman qui s'avoue comme célébration du travail, justification du travail humain devient très vite exploration du « dedans ». Si *Notre-Dame de Paris,* laconiquement, c'est : voir, — *les Travailleurs,* c'est, brièvement : manger ! Manger désigne les entrailles, indique le gouffre, affronte le labyrinthe : *Il y a là, à une profondeur où les plongeurs atteignent difficilement, des antres, des caves, des repaires, des entre-croisements de rues ténébreuses. Les espèces monstrueuses y pullulent. On s'entre-dévore. Les crabes mangent les poissons, et sont eux-mêmes mangés. Des formes épouvantables, faites pour n'être pas vues par l'œil humain, errent dans cette obscurité, vivantes. De vagues linéaments de gueules, d'antennes, de tentacules, de nageoires, d'ailerons, de mâchoires ouvertes, d'écailles, de griffes, de pinces, y flottent, y tremblent,*

107

y grossissent, s'y décomposent et s'y effacent dans la transparence sinistre. Comme si Claude Frollo, dans sa cache de chez la vilotière du pont Saint-Michel, tournait subitement son regard non plus vers Esmeralda dans les bras de Phoebus mais en lui : vers cette souffrance personnelle à Victor Hugo qui est à l'œuvre dans la genèse de *Notre-Dame de Paris* ! Au roman de la Cité répond trente-cinq années plus tard le roman des éléments : *Le vent mord, le flot dévore ; la vague est une mâchoire.* L'opération du regard, lui-même, soudain dévoile les images du « manger » : Gilliatt accostant aux Douvres contemple d'en bas l'épave de la Durande : *La Durande avait la plaie qu'aurait un homme coupé en deux ; c'était un tronc ouvert laissant échapper un fouillis de débris semblables à des entrailles,* et d'où s'écoule *ce je ne sais quoi d'inconsistant et de liquide qui caractérise tous les pêle-mêle depuis les mêlées d'hommes qu'on nomme batailles jusqu'aux mêlées d'éléments qu'on nomme chaos.* Puis Gilliatt escalade les rochers, se hisse sur l'épave suspendue et contemple l'écueil d'en haut : c'est sous lui, *le boyau des rochers.* Il voit *de monstrueux galets ronds, les uns écarlates, les autres noirs ou violets,* qui ont *des ressemblances de viscères. On croyait voir des poumons frais, ou des foies pourrissants. On eût dit que des ventres de géants avaient été vidés là.* Plus radicalement encore : *Toute la nature que nous avons sous les yeux est mangeante et mangée. Les proies s'entremordent.* Le sens de ces images du « manger » dessine par avance la pieuvre de la cathédrale qui est sous l'eau, qui est sous les mots du texte — « pire qu'hideuse, sale ! » —, signe — et signal — de l'obscur : *Nous sommes sépulcres !*

Or, c'est l'eau « féerique » contemplée par Gilliatt lorsqu'il découvre l'édifice du « dedans » de l'océan que la *guenille* hideuse de la pieuvre vient éteindre et ternir. Cette eau semblable à « de la pierrerie dissoute » portait la rêverie ancienne : *une Vénus sortant de la mer, une Eve sortant du chaos ; tel était le songe qu'il était impossible de ne pas faire.* Dans ce lieu clos, ignoré de tous, échappé hors des regards, ce que le texte évoque c'est ce que le texte de Victor Hugo tente depuis les origines d'interdire (de s'interdire) : les vertiges de la nudité du corps féminin. *Une femme toute nue, ayant en elle un astre, était probablement sur cet autel tout à l'heure.* Les prunelles brûlantes de Claude Frollo, retournées sur elle-même, inventent la nudité d'Esmeralda !

Donc, Gosselin, ayant obtenu satisfaction, publie *Notre-Dame de Paris* en 1831. Cette édition est amputée de ce qui confère au roman son sens : *la constitution,* comme l'écrit Jacques Seebacher, *d'une méthode poétique de l'Histoire,* les soubresauts intimes y remplissant une fonction non négligeable, — c'est-à-dire : les chapitres « hors d'œuvre ». Bien. Le biographe peut, ici, se contenter d'éléments indéniables : Hugo a proposé à Gosselin de porter à trois volumes, en place de deux, la répartition de l'ouvrage. Gosselin a refusé. Pourquoi ? Parce que Victor Hugo entendait être payé en sus pour ce troisième volume. Mais la biographie est une recherche délicate : elle récuse les preuves. Principalement lorsque les preuves ont, autant que celles-ci, un caractère d'évidence. D'une évidence suspecte. En 1832, Hugo donnera à Renduel la version complète de *Notre-Dame de Paris.* Ce sera la fameuse « huitième édition », qui n'est en fait, et en réalité, que la deuxième. Alors ? Eh bien, il est surprenant que Victor Hugo, sous l'effet des Trois Glorieuses, ait trouvé des raisons aussi douteuses que celles généralement avancées (les transactions avec Gosselin), alors qu'il se démasque un peu plus d'un an ensuite, mais alors que l'espérance née de « l'éclair de Juillet » cher à Jules Michelet déjà s'efface et disparaît. Et si Hugo avait eu peur ? Non pas peur de publier le véritable roman

109

Notre-Dame de Paris dans le temps même de la révolution de 1830, mais peur de lui. Peur de ce quelque chose qui tient de l'apparence et de la chimère, cet intersigne qu'entrevoit Gilliatt dans la crypte, et avec quoi il devra se mesurer. Peur aussi de l'implication *politique* que *Notre-Dame de Paris* suscite en lui. Peur du travail fait, qui a modifié le sens. Le déplacement de 1831 à 1832 (du roman tronqué au roman complet) est homologue et inverse au déplacement du sous-titre : de 1483 à 1482... Ensuite : il y a Quasimodo...

La théorie du grotesque ne trouvera forme définitive et décisive qu'avec le *William Shakespeare* qui est de 1864, et qui, à peine achevé, fait place à la rédaction des *Travailleurs de la mer*. Là encore, changement de signes. Quasimodo, le Peuple. La pieuvre, l'insoutenable. Le dehors devient dedans. A ce qui prend forme sur le parvis de Notre-Dame succède (ou s'oppose ?) ce qui, dans la cathédrale engloutie sous la surface de l'océan, demeurera informe : *Chose épouvantable, c'est mou !* Qu'est-ce que la pieuvre ? *C'est la ventouse.* Non pas ce qui mange à pleine dents, mais ce qui suce. *C'est de la maladie arrangée en monstruosité.* C'est une force, et une force de la ténèbre. L'araignée que protégeait Claude Frollo, symbole du Pouvoir, voici qu'elle a basculé dans le « dedans » : c'est un *soleil spectre. Une viscosité qui a une volonté, quoi de plus effroyable ! De la glu pétrie de haine !* La pieuvre ne va pas seule. Elle couronne le peuple des monstres, qui sont *les amphibies de la mort. Ils sont l'extrémité visible des cercles noirs.* Il y a une chaîne du mal : *Il est certain que la pieuvre à une extrémité prouve Satan à l'autre.* Alors, Gilliat écrivain ? C'est le poème interminable, les « petites épopées » (n'oublions pas la première série, pratiquement contemporaine, de *la Légende des Siècles*) ; le grand projet : *Dieu ; Océan*, le discours ininterrompu. Une phrase suffit à dévoiler ce qui, devant le « parleur », le hurleur, peuple l'horizon : *Ils* (les monstres) *semblent appartenir à ce commencement d'êtres terribles que le songeur entrevoit confusément par le soupirail de la nuit.* Ce qui implique une autre lecture encore, les monstres ont noms Quasimodo, Gwynplaine, Gilliatt, j'en passe... Oui ! mais l'analogie ne fonctionne pas. Le roman historique, chez Hugo, devient roman symbolique ET fantasmatique. Quasimodo, c'est le peuple enfermé dans la monstruosité (le mot est de Jacques Seebacher). La pieuvre, c'est le dessous du texte. Peut-être ; le corps du désir, dans le *hic et nunc* hugolien. C'est Gilliatt-Hugo, ce Job-Prométhée, qui rêve d'une Déruchette qui ne serait plus Déruchette, qui serait sauvée de la condition *historiquement* faite aux femmes, qui serait ainsi libre de l'insignifiance obligée, qui découvrirait enfin que la passion est nécessaire à l'amour, comme... Comme ?... Eh bien, comme Adèle II, justement ! Voilà Victor Hugo, la pieuvre, et nous, livrés aux dictatures de l'Histoire ! L'Océan !

La mer lugubre emplit l'ombre tumultueuse,
Et, levant dans l'horreur sa tête monstreuse,
Rugit au fond de l'antre énorme des hivers,
Méduse hérissant ses tresses de flots verts.
Et le poulpe et le squale et l'orphe et le silure
Sont les nœuds de serpent de cette chevelure ....

Prenant à pleines mains cette chevelure, il y a, sur son rocher transformé en mythe, modifié en générateur de mythologies, le « songeur » Hugo, Gilliatt le solitaire, homme ombre : *Quand à Gilliatt, soit par hasard, soit exprès, il était dans l'ombre, et on ne le voyait que très confusément,* cela vaut pour le personnage d'un bout à l'autre du roman : *il eut un peu l'allure de se cacher !* Si bien que le chapitre de *Notre-Dame de Paris* qui a pour titre *Ceci tuera cela*, et dont la leçon affleurante se résume par l'aphorisme trompeur : *Le livre va tuer l'édifice*, ce qui, prolongé dans les textes postérieurs, s'avoue, c'est un processus de renversement : Notre-Dame de l'Océan deviendra le dedans, reflet terrible de Notre-Dame de Paris qui est le dehors. Immanence devient alors un concept obsédant ; c'est ouvrir vers le dedans. Il y a, sans cesse présent chez Hugo, un débat avec le monstre : c'est la chevelure d'Adèle qui conduit Eugène dans les prisons de la folie...

Sur son rocher d'exil, justement, Victor Hugo affronte les deux océans : celui du haut où ragent les vents, celui du bas où grondent les flots. *Une vague, c'est le gouffre d'en bas ; un souffle, c'est le gouffre d'en haut.* Ceci ne vaincra pas cela ! Pris entre ces mâchoires, il y a l'homme. Sous l'œil inaugural de *La Légende des Siècles*, celui de Dieu, Caïn est découvert jusque dans le sépulcre que *Je* suis ! Alors, dit Hugo, il faut choisir. Et il choisit : *Le ciel est le souffle, l'océan n'est que l'écume. De là l'autorité du vent. L'ouragan est génie.* Ce faisant, il prouve le contraire : le travail du texte surprend qui écrit le texte. C'est bien là la théorie du travail que l'écrivain Hugo édifie : contrairement à son projet, elle ruine son propos. Gilliatt assis sur sa chaise de roc s'abandonne aux flots montants jusqu'à être entièrement englouti par le visible. Dès lors, il est exact que des rapprochements enseignants peuvent être effectués entre Gilliatt et Quasimodo. Il suffit de convoquer *les Misérables* pour approfondir ces liens : Esmeralda devient, par Cosette interposée, Déruchette ; Phoebus et Ebenezer se retrouvent par l'entremise de Marius ; il y a du Jean Valjean dans Lethierry (si peu, cependant !) ; on trouve un reflet de Thénardier dans Clubin ; on sent une analogie entre la Cour des Miracles et la Jacressarde. On déchiffre surtout un retournement entre Notre-Dame de Paris et les Dou-

vres : du dessus on passe au dessous. A cette réserve près
que ce qui est maintenu de l'église à l'écueil, c'est une
figuration, qui n'est autre que la lettre H majuscule.
Cette lettre que Hugo a ajoutée au nom Ernani, hérité
du périple espagnol, ne représente pas pour lui l'initiale
de son nom, mais l'identité qui s'est faite, par le texte,
entre cette initiale et le dessin des deux tours et du corps,
stylisés, de la cathédrale. Or, la cathédrale des rois est
à Reims. Notre-Dame de Paris est la cathédrale du
peuple. « H », c'est la détermination politique. Dans
les Travailleurs de la mer, lorsque Gilliatt arrive en vue
de l'épave de la Durande, on lit : L'espèce d'immense H
majuscule formée par les deux Douvres ayant la Durande pour trait d'union, apparaissait à l'horizon dans on ne
sait quelle majesté crépusculaire. Le « H » de Notre-
Dame, c'est Hugo en haut, le pair de France, l'académicien français, le si longtemps « presque » ministre. Le
« H » des Douvres, c'est le Hugo du corps, l'amant de
Léonie Biard (je tiens que c'est avec elle qu'il connut
les triomphes de la chair), celui qui sent au fond de lui
s'agiter des « êtres terribles » : Ce que le flot cachait
devait être énorme ! Ce que dissimule dans des profondeurs béantes cet Hugo du visible et de l'officialité ?
On peut le demander aux années de solitude et d'exil,
lorsqu'il est, devant ses manuscrits, Gilliatt au travail :
ce sont les rêves du désir. Autrement dit : la mort.
    Les rapprochements qu'à la suite de divers lecteurs
j'indique entre les personnages des stances romanesques
de l'opus hugolien demandent, exigent d'être maniés
avec beaucoup de prudence : ils jouent dans le sein
d'une symbolique mystérieuse, rongée par la biographie,
confondue avec les pièces maîtresses d'une fantasmatique puissante. Et, cependant, ainsi qu'on le voit par ce
volume dont l'arbitraire permet de confronter brusquement Notre-Dame de Paris aux Travailleurs de la mer,
ces mêmes rapprochements demandent l'audace, et une

certaine brutalité. Victor Hugo avait pris soin de donner une leçon souveraine en disant qu'il ne fallait rien distraire ni écarter de la totalité de ce qu'il avait écrit. Grandes pages ou notules : « *l'ensemble peint* », ajoutait-il. Il s'était insurgé par avance contre le piège qui était tendu : celui des *Morceaux choisis*. Chez Hugo, le sens n'acquiert de sens qu'en se faisant, et parce qu'il se fait, — et non parce qu'il surgit. Il n'y a pas d'évidences chez Victor Hugo, il n'y a qu'un dédale. Donc, on ne peut le réduire au seul XIX° siècle. On songe aux écueils où « travaillera » Gilliatt : *Les Douvres, élevant au-dessus des flots la Durande morte, avaient un air de triomphe. On eût dit deux bras monstrueux sortant du gouffre et montrant aux tempêtes ce cadavre.* L'énorme présence du nommé H.

NOTE

1. *Notre-Dame de Paris 1482* — *les Travailleurs de la mer* — textes établis, présentés et annotés par Jacques Seebacher et Yves Gohin — Bibliothèque de la Pléiade — 1975.

LE « DIEU » DE VICTOR HUGO

Qu'il y ait chez Victor Hugo une mystique, voilà qui est certain. Mais c'est une mystique éclatée. Au-dessus brille, malignement, un œil inaccessible : Dieu. Il faudrait remonter loin dans la biographie pour découvrir les origines de cette scène où le poème se joue. Aller à rebours jusqu'à l'irréligion première, celle de Sophie Trébuchet, cette mère voltairienne ; puis découvrir l'influence de Chateaubriand (avec l'exclamation plus ou moins légendaire : « l'enfant sublime » !) ; l'approche des gnostiques ; les séductions exercées par Jean Reynaud ; enfin les sources de la théodicée hugolienne, moins dans Ballanche et la palingénésie de Nodier que dans l'*Esquisse d'une philosophie* de Lamennais. Pour Jean Reynaud, qui avait mélangé d'une façon curieuse la théologie et l'astronomie, l'éternité se fondait avec l'infini. Autrement dit : le temps est un espace. Ou bien encore : Dieu n'est pas un lieu mais un chemin. Les astres sont les relais du voyage des âmes. Victor Hugo sera familier de cette pensée : Dieu, pour lui, n'est jamais qu'un trajet vers Dieu. Plus je m'approche, plus il s'éloigne. Plus je m'éveille, plus il s'éveille, — mais c'est pour fuir. La Religion existe derrière les religions, qui sont menteuses et perverses. Un poème de *l'Art d'être grand-père* le dit clairement :

> *L'âme a le penchement d'un navire qui sombre ;*
> *Et les religions, à tâtons, ont dans l'ombre*
>   *Pris le démon pour Dieu !*

De ce point de vue, Victor Hugo est effectivement un fondateur de religion, un bâtisseur de Dieu. Mais cette religion qu'il fonde, on perçoit qu'il la ruine à mesure. Le grand poème, le plus ambitieux sans doute, inachevé, inachevable : *Dieu* — dans cette partie surtout, la deuxième, *Solitudines coeli*, contemporaine de l'achèvement des *Contemplations* mais aussi des expériences spirites, — démontre, par la spirale du texte, par l'échelle des images successives, que Dieu se dérobe. Pourquoi pas : qu'il faut autrement et plus profondément rêver Dieu. Plus profondément et autrement inventer Dieu. Pousser plus loin que les précurseurs :

> *Chercheur, trouveras-tu ce qu'ils n'ont pas trouvé ?*
> *Songeur, rêveras-tu plus loin qu'ils n'ont rêvé ?*

C'est ici qu'interviennent les tables parlantes.

C'est le 1er août 1852 que Victor Hugo quitte la Belgique pour Jersey. Il a terminé *Napoléon-le-Petit* le 12 juillet de cette année-là. Il songe à peine à écrire *les Châtiments*. Mais il annonce, dès le 15 août, à Hetzel la remise prochaine d'un recueil (il sera « *prêt dans deux mois* ») titré : *les Contemplations*. Or, tout ce plan de travail va être bouleversé. D'abord, *les Châtiments* vont prendre le pas. Ensuite, *les Contemplations* va devenir le gigantesque amas de textes que l'on sait. Il faut ici s'interroger. Remarquer d'abord que ce que Hugo annonce à Hetzel, sous le titre des *Contemplations,* en août 52, ce n'est pas un recueil qu'il va écrire, mais très exactement un recueil qui existe, qui est dans la fameuse malle aux manuscrits, et qui ne demande qu'à être mis en ordre et, peut-être, complété. Il y a là, prêts pour l'imprimeur, sous réserve d'un classement et d'une relecture, cinquante-six poèmes. Oui ! mais ils relèvent de la « poésie pure ». Alors, et le cloaque ? et le 2-décembre ? et le félon de l'Elysée ? Publier de la « poésie pure », ne serait-ce pas abandonner le combat « politique » ? Se laisser piéger par la littérature ? Le contrepoids d'abord : voilà l'origine des *Châtiments*, ouvrage qui paraît en novembre 1853. Nouveau problème : pourquoi *Châtiments* et *Contemplations* ne sont-ils pas, comme originellement prévu, réunis dans une même publication ? Parce que, incontestablement, le recueil annoncé à Hetzel en août 52 prend, à Jersey, dans ce lieu désormais hanté qu'est Marine-Terrace, des proportions imprévues et démesurées...

Les poèmes de 1853 et de 1854 sont probants. Les vers isolés, rien qu'à feuilleter *les Contemplations*, alertent le lecteur. Les morts paraissent :

... je songe souvent à ce que font les morts,

c'est ce qu'il écrivait dans *Saturne*, fin avril 1839, dans une parfaite conformité de pensée avec Jean Reynaud, puisqu'il dit, dans ce même poème, que l'âme

Envolée à jamais sous la céleste voûte,
A franchir l'infini passait l'éternité !

En avril 1854, la présence est autrement, étrangement ressentie :

Nous entendons quelqu'un flotter, un souffle errer...
Nous sentons frissonner leurs cheveux dans notre
                                          [ombre...

La saisie ambiguë s'accomplit en maintenant les contraires. Voici s'éveiller

La mort, spectre vierge...

tandis que, dans un élan à la Charles Fourier, le prophète, dans l'échevèlement de sa prophétie aveugle, s'écrie :

Les astres sont vivants...

Mais il est à l'écoute. Il est plongé dessus la margelle du gouffre, pris, comme il le dira dans un poème dédié à Louise Colet et faussement daté d'avril 1855 (il est de décembre 1854) entre

Le pâtre promontoire au chapeau de nuées

et

La laine des moutons sinistres de la mer.

La mode — ou, comme on dit alors : la « monomanie » — des tables bougeantes et parlantes parut dans la France du second Empire dès juin 1853. A Paris, Mme Paul Meurice, qui correspondait avec Mme Victor Hugo (fixée à Jersey avec les siens), y fut initiée. En fin d'année, Mme Emile de Girardin, cette Delphine qui avait été la Muse du romantisme, rend visite aux Hugo. Adepte du spiritisme, elle leur propose un essai. Il sera sans résultat. D'autres échouent également. Et cela jusqu'à la veille de son départ, le dimanche 11 septembre : alors la table parle. La table ? Non, Léopoldine.

Dès lors, la mécanique est en place. Chaque soir, à Marine-Terrace, la table, trépied sublime, parle ce qui est dans les marges de ce qu'écrit Victor Hugo. C'est-à-dire : *les Contemplations*, mais aussi *la Fin de Satan*, et les liasses en ce temps accumulées de *Dieu*. Mais le prêtre, le parleur de cette parole de l'ombre, eh bien, c'est

Charles Hugo ! Voilà bien le mystère ! Victor Hugo, lui, n'a nul besoin de paraître : il est à une autre table, occupé, d'une plume somnanbule, à traquer Dieu. Charles est là, scribe apparemment désintéressé, traduisant l'invisible. Les comptes rendus des séances s'accumulent, se mêlant aux poèmes de Hugo, les traversant, s'en nourrissant, les nourrissant. Et alors que Victor Hugo est toujours acharné à produire une doctrine conforme à la Religion du futur, la table élabore une doctrine, qui, elle, s'inscrira dans deux poèmes au moins des *Contemplations : Ibo* pour une part, *Ce que dit la bouche d'ombre* pour l'autre :

> *Tout parle. Et maintenant, homme, saits-tu pourquoi*
> *Tout parle ? Ecoute bien. C'est que vents, ondes,*
> *[flammes,*
> *Arbres, roseaux, rochers, tout vit !*
> > *Tout est plein d'âmes.*

Dans la seconde moitié de l'année 1855, l'expérience des tables parlantes prit fin à Jersey. En juillet, les proscrits apprirent la mort de Mme de Girardin emportée par un cancer qui la minait depuis longtemps. Ils poursuivirent cependant leur commerce avec les « esprits », avec des résultats de plus en plus décevants. En octobre, au cours d'une nouvelle séance, Jules, le frère d'Emile Allix, est pris d'une crise de folie furieuse. Auguste Vacquerie, qui rentre de Paris, annonce que le fouriériste Victor Hennequin, que Victor Hugo connaissait depuis vingt ans, a l'esprit dérangé par la fréquentation des tables. On devra, effectivement, l'interner dans un asile. Hugo, plus tard, parlera d'une « panique » qui s'empara d'eux tous (et de lui). Est-ce vrai ? Le 31 octobre 1855, Victor Hugo s'embarquait, par une mer grosse et mauvaise, sur le bateau qui relie Jersey et Guernesey, où il arriva à dix heures du matin.

Peut-être faudrait-il dire que la fin des expériences spirites a lieu parce que la dictée des tables parlantes a joué son rôle. Le manuscrit des *Contemplations* est achevé. Le recueil paraîtra le 23 octobre 1856. Dans la malle aux manuscrits *Solitudines coeli* a rejoint *la Fin de Satan* (un gros travail de 1854), poème qui sera repris après septembre 1859 jusque dans les premiers mois de 1860. Pour l'heure, à Jersey, avant de songer à *la Légende des siècles*, « petites épopées », Hugo travaille aux « grandes épopées », rédigeant *les Voix du Seuil*, qui deviendra la première partie de *Dieu*. Les deux parties (dont les titres mêmes sont incertains) demeureront à l'état de vastes ébauches. Elles sont un seuil timide de l'infini, une bribe d'éternité. Une tentative. Un échec.

O toi qui passes là, que veux-tu donc ?
Et moi :
— Je veux le nom du vrai, criai-je plein d'effroi,
Pour que je le redise à la terre inquiète...

Victor Hugo n'en a pas fini avec Dieu. Le fondateur d'une impossible religion, donnant au caillou une voix et une souffrance, érigeant la statue nuageuse de l'Humanité-Progrès, s'enfonce encore (plonger, c'est s'élever !) vers ce Dieu insaisissable, complice narquois et paix errante. Il faut garder en mémoire ce qu'écrivait excellemment Pierre Albouy : (*Dieu*) *est le cher confrère de Hugo, d'un Hugo à l'aise, débraillé, faisant ses farces, illustre Gaudissart de l'infini ; il est l'Etre dont l'approche interdite est décrite par Hugo d'une manière qui en fait le plus grand poète de l'Epouvante.* La fuite du « Dieu » hugolien peuple le monde d'une vie partout présente : c'est Torquemada à l'œuvre dans la plante, le rocher, le flot, les nuées. C'est la raison saisissant tout, du petit au grand, et rejetant l'infini du mal dans l'infini du bien. C'est parce que l'absence de Dieu est si vaste et universelle que *tout est plein d'âmes...*

O vent, que feras-tu de ces tourbillons d'êtres ?

Tout est âmes : c'est la condition de la métaphore :

Les vagues font la musique
Des vers que les arbres font.

De la métaphore à la métamorphose, il n'y a qu'un pas. Ceux qui ont ce pouvoir sont les *Mages*, c'est-à-dire les poètes :

Car le mot, qu'on le sache, est un être vivant.

Si bien que Victor Hugo, se prenant pour le fondateur d'une religion, a créé une mythologie. Pierre Albouy en a suivi les strophes et les étapes. La poursuite de Dieu mène ainsi à la découverte de la nature. Mieux : à la découverte du texte de la nature :

Je lisais. Que lisais-je ? Oh ! le vieux livre austère,
Le poème éternel ! — La Bible ? — Non, la terre.

Et le satyre ivre de mots vivants, mâchant des âmes, riant dans les flammes de son propre livre, joue avec les univers qu'*un double précipice à la fois* (...) *réclame.*

« Immensité ! » dit l'être. « Eternité ! » dit l'âme.
A jamais ! le sans fin roule dans le sans fond.

Voilà Dieu !

REGARDS SUR VICTOR HUGO

Un Océan ! c'est-à-dire une dispersion. L'ouvrage est une œuvre-nébuleuse, un travail-archipel, un texte écartelé. Voire ! On lit dans la préface des *Voix intérieures,* ceci, qui éclaire mais aussitôt déconcerte : *La poésie est comme Dieu : une et inépuisable.* Dès lors importe-t-il, sans doute, d'*écheniller* la poésie comme *Les Misérables* nous invitaient à *écheniller Dieu ? Religions et Religion,* — autant dire : Poésie et poésies. Bref, l'unité d'un rameutement ludique qui fait que les mots sont vivants : que sont les comètes ? des abeilles. L'infini ? Il est construit à la semblance des prisons du Piranèse: avec des étages, des escaliers, des poternes, des puits. Dieu ? Il est là-bas, dans un carré de choux, occupé à jardiner.

> *Mouches de l'infini, les abeilles comètes*
> *Volent de tous les points du ciel...*

Est-ce que dire serait faire ? Non ! c'est tirer la nuit au jour. C'est admettre dans le « dit », le « non-dit ». Du coup, c'est convier le peuple dans l'histoire. *La muse, c'est l'histoire.* Soit ! Mais l'histoire est éclairée doublement : par la légende, qui est, comme chacun sait, ce qui écoute l'histoire (dans la préface de *la Légende des siècles*, le mot fameux : *l'histoire écoutée aux portes de la légende*) ; mais aussi par l'amas, l'amoncellement, le désordre rongeur des détails. Dans *Les Misérables*, on lit : *C'est de la physionomie des années que se compose la figure des siècles*. Dans les *Travailleurs de la mer*, on remarque l'insistance mise à collectionner ces *traits fugitifs et caractéristiques des temps, que l'histoire, dite régulière, néglige, et que le vrai peintre d'un siècle doit souligner*. Mais qu'est donc ce mémorialiste, cet historien, — *vrai peintre* ? Celui, assurément, qui fonde l'histoire sur les particularités (les détails sont aux faits incontestés ce que les marginaux sont aux sociétés prétendument incontestables), ou, si l'on préfère : sur le non-dit ; sur ce que l'histoire, dans sa synthèse, *ne parle pas* ; et sur cela, également, qui dans l'histoire se faisant, ne parle pas : double mutisme. Les visages qui le dessinent (l'œuvre graphique devient, ici, le nécessaire complément de l'œuvre écrite) sont, parmi d'autres : Quasimodo le muet ; Gavroche, le parvulus qui chante ; Gwynplaine, dont la grimace sculptée en plein visage compromet le discours, l'interdit.

Il faut ajouter que tirer la nuit au jour, c'est consentir à la nuit. La « pente de la rêverie » par où le poème déboule, et au long de laquelle il faut le hisser, — c'est le chemin de la métamorphose. Et la métamorphose est liquide : c'est l'eau, miroir oblique (ainsi que les voiles des vaisseaux qu'elle porte), ensemble nocturne et diurne, évanouissement :

> *Je vis trembler leurs traits confus, et par degrés*
> *Pâlir en s'effaçant leurs fronts décolorés,*
> *Et tous, comme un ruisseau qui dans un lac s'écoule,*
> *Se perdre autour de moi dans une immense foule...*

Le dessus et le dedans : voilà la clé des antithèses hugoliennes. De ceci à cela, conjoints : l'exercice de l'analogie. Si le dedans des eaux que contemple Gilliatt est peuplé d'êtres incertains (accouplements, dévorations), il doit en être semblablement de ce qui est dessus : le monde des airs, qui est, effectivement, hanté de « transparences ». Gilliatt médite ainsi : *Puisque la mer est remplie, pourquoi l'atmosphère serait-elle vide ? Des créatures couleur d'air s'effaceraient dans la lumière et échapperaient à notre regard ; qui nous prouve qu'il n'y en a pas ?* Déplacez le propos ! vous avez André Breton...

Le microcosme et le macrocosme, c'est l'analogie appliquée. *Chose inouïe*, proclame un manuscrit de 1862-1863, *c'est au-dedans de soi qu'il faut regarder le dehors. Le profond miroir sombre est au fond de l'homme.* Miroir ? Mieux : reflet exact. Or, qu'y a-t-il dans le dedans ? Le non-dit. Le non-dit, ce sont ces hantises que ce qui est dit, et ce qui dit, refusent de dire. Et dans le dedans de l'histoire ? Ce que l'histoire ne dit pas, et qui ne dit rien : le peuple. La pente de la rêverie n'est pas innocente. Une phrase, par exemple, dans *l'Homme qui rit*, dévoile le monde fantasmatique qui est sous le miroir : c'est à propos de la duchesse Josiane ceci : *Vertu superbe achevée en vices dans la profondeur des rêves.* Car le fil ne se rompt pas. Dans l'atelier cosmique, l'artisan Hugo, avec Dieu pour compagnon, brasse les infinis (celui du haut et celui du bas), renverse les perspectives (monter, c'est descendre) : *Tout est l'atome et tout est l'astre*, ce vers du poème des *Mages* dans *les Contemplations* est une clé. Appliquons-la au Progrès, et c'est l'axiome au détour d'une page des *Misérables*, théorie minée par l'amour de Gilliatt, dans *les Travailleurs de la mer*, pour Déruchette : *Tout travaille à tout.* Tous les mots travaillent à tout dire. Dans sa *Réponse à un acte d'accusation*, Victor Hugo, dès lors, a raison : il fait les mots démocrates. Il a tort : le peuple est plus loin, au-delà du bonnet rouge qu'il met au dictionnaire. Le non-dit demeure, sombre, menaçant et immobile, brusquement agité de convulsions terribles, le sexe et la politique se retrouvent : Hugo, qui fut, comme il dit, socialiste avant d'être républicain, a peur de l'émeute.

Reste l'opération du regard. Le regard, c'est l'œil. Et l'œil, la psychanalyse (et Georges Bataille, bien sûr !) nous a dit de quoi il était le symbole, ce qu'il désignait, le temps d'un cillement, du non-dit inavouable dans le propos avoué. Cela se trouve aussi, déjà, indéniablement, dans le texte de Victor Hugo. Dans *les Misérables,* on lit : *La curiosité est une gourmandise. Voir, c'est dévorer.* Et qui voit le dehors ? Le dedans, miroir sombre ! Ailleurs, dans *les Contemplations,* quelques mots qui loin de contredire l'aveu au contraire en accentuent l'importance, sont significatifs :

> *... contempler les choses,*
> *C'est finir par ne plus les voir.*

Une fois encore : l'évanouissement. Autre chose : ne plus voir les choses, c'est disparaître. *Ego Hugo* ou *Homo duplex ?* Aucune différence. Il s'agit de forer le dedans, de s'y engloutir. Faire pénétrer le dire dans le non-dit. Subordonner au creux par quoi la biographie travaille l'œuvre et la ruine, un aveu qui l'épuiserait et la sauverait. Jean Valjean, sous les traits de Madeleine, s'acharne semblablement : *tout ce qu'il avait fait jusqu'à ce jour n'était autre chose qu'un trou qu'il creusait pour y enfouir son nom...* La « H » majuscule qui opère partout (de Ernani faisant Hernani, de Notre-Dame de Paris l'initiale du nom, de l'écueil des Douvres la lettre de l'alphabet) tranche dans le vif du tissu culturel, indique — par une lettre muette — le non-dit, et, comme le souligne Jacques Seebacher, répond, ainsi qu'Ulysse : *Personne !*

Et cependant, les mots parlent. De biais. L'œil : nous

le savons. D'autres feintes, déchiffrables dans les bas-côtés du texte, donnent à soupçonner l'existence d'un « chiffre » plus général, situé aux limites de la fuite, au bord (littéralement) de l'évanouissement. Le plus intime aide, ici, à dévoiler l'explicite (le dedans de l'explicite). Le petit mot et le grand mot sont, chez Hugo, dans le même rapport que les détails et la synthèse, que les petites choses et les grandes : *l'ensemble peint,* disait-il. Traduisons : le détail dénonce le discours.

Voyons quelques détails.

Dans les carnets intimes, on relève, parmi le langage chiffré par lequel Victor Hugo révèle et songe à dissimuler les manifestations de sa sexualité (*suisse* pour seins, *poëlle* pour poils, *toda* pour toute, *prairie* pour toison, etc.) avec une naïveté réellement suspecte, — tel mot : *Aristote,* dont le sens est pour le moins ambigu. Henri Guillemin l'analyse ainsi : *Dans le langage convenu des carnets, « Aristote » désigne les incommodités mensuelles de la femme.* Et le savant commentateur ajoute : *Hugo avait-il choisi ce nom en raison de la « sagesse » temporaire qu'imposent à l'amant ces inconvénients féminins ?* Cela se tient peu. Par contre, on découvre dans l'œuvre une image singulière d'Aristote. Il s'agit du détournement manifeste du *Lai d'Aristote* d'Henri d'Andeli, qui date du XIIIᵉ siècle, et que l'on voit ainsi s'inscrire dans l'un des poèmes des *Chansons des rues et des bois :*

Campaspe est nue en son grenier
Sur Aristote à quatre pattes...

Ce poème a pour titre : *Post-Scriptum des rêves,* et le manuscrit est daté du 25 juillet 1859. Mais dans des fragments non repris du *Théâtre en liberté,* et qui furent rédigés entre 1845 et 1847, on trouve :

126

Le docteur Aristote allait à quatre pattes
Portant une Margot quelconque sur son dos...

Et, de nouveau, Campaspe chevauchant Aristote paraît
dans *les Nouveaux Châtiments*. Dans des bribes destinées à l'interminable poème idéalement titré *Dieu*, notes
datées de 1855-1856, on découvre :

... Ah ! Campaspe
Sur le dos d'Aristote à quatre pattes...

Masochisme ? Oui. Mais aussi, chevauchement du
haut par le bas, du dit par le non-dit, du pouvoir par
le non-pouvoir :

L'esprit a l'amour pour ânier.

L'amour ? Désir, plus exactement. Ce qui ne se dit
pas, c'est le sexe. Aristote chevauché ne venge pas
Adèle, l'épouse, des neuf célébrations de la nuit des
noces, mais trouve son triomphe dans les bacchanales
qui se firent sous tous les ombrages parisiens, comme on
sait, le soir et la nuit de l'enterrement de Victor Hugo,
le satyre.

Dans les carnets intimes, un autre terme revient avec
insistance : *cloche*. Il s'agit, bien entendu, d'un masque
linguistique, qui semble, d'évidence, avouer et dissimuler la pratique sexuelle de la masturbation. L'œuvre
ici consultée renvoie un double écho. D'abord, il y a
Notre-Dame de Paris qui montre la sorte de fureur or-
gasmique de Quasimodo chevauchant les cloches de
la tour. Ensuite, s'inscrit le poème à Louis Boulanger
de 1834-1835 qui figure dans *Les Chants du crépuscule* : la cloche y devient, certes, l'image de l'« écho sonore », du poème qui retentit,

La cloche ! écho du ciel placé près de la terre !

— ce qui n'empêche nullement le poème de s'inscrire dans *la tour*, d'évoquer *la cage*, de voisiner *les graffiti* qui *souillent* les murs. Le poète, celui qui parle, s'identifie, — dans ces strophes à Louis Boulanger, — à Quasimodo, témoin borgne et bancal du non-dit,

Vaste et puissante cloche au battant monstrueux !

Le *bronze monument* qui est dans ce poème (et l'un des exemples inauguraux de la *métaphore maxima* chère au poète) est irréductible : le non-dit ne se divise pas ! De la même façon, Victor Hugo ne se divise pas. L'éparpillement de l'ouvrage — malgré les protestations constamment répétées — devient la condition de son élaboration, de son inscription et de son invention. C'est vrai que l'œuvre est inscrite, — mais dans un mouvement *qui lève la jupe de* (son) âme, « graffiti » sur les murailles, souillure : *Nul de nous n'a l'honneur d'avoir une vie qui soit à lui.* C'est vrai qu'elle est élaboration — construction acharnée doublée par une destruction qui marche du même pas. Mais élaboration due à quel « horrible travailleur » ? *Il y a dans l'homme un autre que l'homme, et cet autre est situé dans les profondeurs.* Du coup, ce que demande, ce qu'exige pour être, ce que revendique cette œuvre dévorante et dévorée, c'est d'être *inventée.* Dans cette mesure elle appartient à l'urgence. Elle a la démesure du bas : *Le dedans de l'homme est dehors.* Hugo aujourd'hui, c'est ce qui prolonge Hugo. Il disait de Léopoldine morte qu'elle était à demi vivante ; et de lui, qui gravait sur son ombre son poème, qu'il était à demi mort. La moitié — et plus encore — de notre mort, c'est le non-dit. Le pair de France, l'académicien, l'instituteur de la République, le père du siècle, Hugo, dans le silence de son tumulte même, désigne

nos mœurs de lit, par quoi nous sommes inavouables, et
« peuple ». S'il est vrai qu'il ruine à mesure ce qu'il
établit (une théorie de l'histoire, une théorie du travail,
une religion nouvelle), il est vrai surtout qu'il détruit,
par avance, toute notion immobile du Pouvoir.

CELLE QUI FUT LA PLUS AIMEE : LEOPOLDINE

C'est un conte d'amour et de mort. C'est plus encore :
le nœud d'une œuvre complexe, où ce qui est écrit et ce
qui est vécu communiquent et sans fin échangent des
signaux. Le scripteur, Victor Hugo, est à chaque instant
en état d'*alerte*. Les signes deviennent les éléments d'une
mythologie qui bouleverse les données de la chronologie. Car, s'il est manifeste que ce qui est écrit s'axe sur
la biographie, il est non moins certain que la biographie
est à tout moment modifiée par le « texte » : on assiste
à une série d'étranges répétitions qui font le jardin en-
chanté des Feuillantines se réincarner dans le parc du
domaine des Roches ; qui montrent le drame de Léopoldine rebondissant dans les malheurs d'Adèle II, la cadette ; qui font se confondre les traits de l'épouse et de
la mère. Mais surtout : qui bousculent la suite des
livres, les laissent béants, ouverts au non-dit, bruissants
d'aveux tus et dangereux, inquiétants et tremblés. Là-
dedans, ainsi que le rend manifeste le centre de ce recueil médian qui a pour titre *les Contemplations*, il y a
Léopoldine Hugo, l'aimée. Il est vrai que *les Contemplations*, où elle est partout présente, dont elle est — littéralement — le « moteur », taisent son nom d'un bout
à l'autre. La première partie du livre : *Autrefois*, c'est
Léopoldine vivante, insouciante, la Didine des prome-

nades solitaires, des découpages amusants, des paroles juvéniles. Puis vient la seconde partie : *Aujourd'hui,* qui s'ouvre par les *Pauca Meae.* On a dit, répété hâtivement que ce qui séparait les deux chapitres de ces « mémoires d'une âme », c'était la noyade tragique de Villequier qui verra la mort de Léopoldine et de son mari Charles Vacquerie. Si l'on regarde les *Pauca Meae* d'un peu plus près, on remarque que cette suite débute par un poème où la mort ne paraît pas, et auquel succède le huitain que Victor Hugo envoya à sa fille au lendemain de ses noces :

> *Emporte le bonheur et laisse-nous l'ennui !*

Et c'est alors, et alors seulement que l'axe de l'ouvrage est dévoilé : sous le titre : *4 septembre 1843* (qui est la date de la mort des époux) ne figure qu'une ligne de points. Le poème qui suit immédiatement est titré : *Trois ans après* et contient une image qui nous renvoie — automatiquement ou presque — aux *Misérables :*

> *Et n'être qu'un homme qui passe*
> *Tenant son enfant par la main...*

C'est la rencontre de Jean Valjean et de la petite Cosette dans le bois de Montfermeil, puis leur voyage pédestre vers Gagny lorsqu'ils quittent les Thénardier !

L'essentiel, cependant, est dans le fait que ce qui sépare *Autrefois* d'*Aujourd'hui,* n'est pas la mort de Léopoldine, mais son mariage. Victor Hugo connaissait le jeune Auguste Vacquerie, qu'il appréciait, semble-t-il. Auguste prend plus ou moins rang parmi les prétendants à la main de Léopoldine. Il n'est pas le seul. Parmi les plus connus, on remarque Victor-Antoine Hennequin, fils d'un avocat célèbre sous la monarchie de Juillet, et avec lequel Victor Hugo entretenait les meilleurs rapports possibles. Le 10 mai 1842, Hennequin fils se déclare. En vain. La partie Vacquerie est engagée et pratiquement jouée. Plus tard, Hennequin entrera à la *Démocratie pacifique,* et passera du fouriérisme à l'occultisme pour succomber à la démence par accès de pratiques spirites. Il publie, en 1853, un livre : *Religion,* qui n'a pas laissé Hugo indifférent, et dont quelques traces peuvent se retrouver dans *Dieu.*

Bref, à cette époque Victor Hugo a pris l'habitude de passer ses vacances avec Juliette Drouet, alors qu'Adèle Hugo songe encore à Sainte-Beuve et, à défaut de mieux, rêve d'unions mystiques. En cette année 1839, les Vacquerie ont prié les Hugo, c'est-à-dire Adèle et les enfants, de séjourner autant qu'il leur plairait dans leur maison de Villequier. C'est alors un village de pilotes, en aval de Caudebec, réputé par la beauté de la Seine. La maison est bien située, et le jardin descend jusqu'aux berges. Alphonse Karr écrit : *A Villequier, à quatorze ou quinze lieues du Havre, au pied d'une montagne chargée d'arbres, est une maison de briques couverte de pampres verts. Devant est un jardin qui descend à la rivière par un escalier couvert de mousse.* C'est la maison des Vacquerie.

Les deux frères, Charles et Auguste, sont d'une complexion bien différente. Charles est timide, effacé, voire : timoré et faible. Sa femme, Léopoldine, le décrit d'un mot (à sa mère) : *Il est impossible d'être plus tendre, plus agenouillé pour ainsi dire que mon mari...* Auguste est à l'inverse : il se veut poète. Il donne dans la bohême, arborant dans cette province un énorme bouquet au revers de son habit de baptiste gris entrouvert sur un gilet rouge ponceau qui laisse battre au vent les bouts de sa cravate. Timide ? Non, certes ! A l'annonce de l'arrivée de la famille Hugo, il mande à son ami Paul Meurice : *que Madame Hugo va venir avec ses enfants passer les vacances ici, et que c'est décidé, et que j'en suis au troisième ciel.* Ce « troisième ciel », qui ne demande qu'à devenir le « septième », à laquelle est-il dû ? A Léopoldine ? Assurément. Auguste est épris d'elle. Sérieusement ? Comment le savoir ? Il cédera vite le pas à son frère Charles, et se fera le complice de leur correspondance et de leurs rencontres, autant qu'Adèle Hugo, de son côté, y aidera. Alors, Mme Hugo ? Pourquoi non ? Adèle est une très belle femme en ces années qui voient finir la liaison avec Sainte-Beuve. Il y a, dans les lettres écrites par Léopoldine, une curieuse — sinon enseignante — rature. Elle écrit à Julie Foucher, vers le 12 septembre 1839, contant une visite qu'ils ont fait de conserve aux ruines de l'abbaye de Jumièges : *Nous nous promenions dans ces ruines ; maman donnait le bras à M. Vacquerie, moi à son frère.* « M. Vacquerie », c'est Auguste. « Son frère », c'est Charles. Mais, dans le manuscrit, le mot : « le bras » vient en surcharge d'un autre, d'abord spontanément écrit puis rayé : *la main...*

Léopoldine est le second enfant d'Adèle et de Victor. Le premier, Léopold, n'a vécu que quelques mois avant de mourir, en 1823, à Blois, chez son grand-père, le général en demi-solde. L'année suivante, Adèle est enceinte de nouveau. C'est une grossesse difficile. Catherine Thomas, la seconde épouse du général, sollicitée pour être marraine de l'enfant à naître, met pour condition que, s'il s'agit d'une fille, elle sera nommée Léopoldine. Victor à son père, le 9 janvier 1824 : *Tout porte à croire que notre Léopold est revenu. — Chut !* Le premier-né va revivre dans le second, qui est notre Léopoldine : elle voit le jour le 21 août 1824. Les autres seront Charles (2 novembre 1826), puis François-Victor (le 21 octobre 1828), enfin Adèle — dite Adèle II — la cadette qui vient au monde le 28 juillet 1830. Ensuite, comme on sait, le ménage va se défaire. Léopoldine, dans ces années 1834, 1835 et les suivantes, va jouer un rôle cu-

rieux : on sent parfois la dictée d'Adèle. Elle sert à ses
parents de truchement. Elle remplit une misson involontaire d'intercesseur. Adèle n'a pas rompu encore avec
Sainte-Beuve. Victor vit de plus en plus avec Juliette.
Par les lettres adressées à Léopoldine ou inspirées à
Léopoldine, la fiction d'une entente « malgré tout »
sera vaille-que-vaille maintenue : Victor parlera des
« vertus » de son épouse ; Adèle se plaindra de l'éloignement de son mari. Théâtre de société !

Dès sa naissance, Léopoldine occupe une place considérable dans l'esprit et le sentiment de Victor Hugo.
Il s'enchante de son innocence, de ses premiers mots :
elle les prononcera à Montfort-l'Amaury, alors que les
Hugo passent quelques jours chez Saint-Valry : *Je n'ou-
blierai jamais*, écrit Hugo, *que c'est à Montfort que sa
langue s'est déliée*. En 1825, premier portrait de Mlle
Léopoldine. Il est l'œuvre de Julie Duvidal de Montfer-
rier, qui fut professeur de dessin d'Adèle et qui, en
1827, épousera Abel, le frère aîné. Très tôt, Léopoldine
se montre caressante, non pas uniquement en paroles,
mais en gestes. Il y a en elle — ainsi que le montre clairement sa correspondance — beaucoup d'épanchement
physique, une sentimentalité animale, une présence du
corps. A Victor Hugo, en août 1839 : *Je regrette souvent de ne pouvoir te donner de ces bons baisers qui dé-
faisaient ta raie, qui me faisaient tant de bien*. Au même,
en juillet 1836 : *Je t'assure que je t'embrasserai à t'étouffer*. A sa mère, en mars 1843 : *J'embrasse tes yeux et tes
cheveux*. Les lettres qu'elle écrit montrent exactement
combien elle est, dans la mythologie du poète, le poids
du réel. Elle ne prise guère les études abstraites. A
Louise Bertin, en mai 1835, elle mande que Charles
« apprend l'Allemand et le Latin », puis ajoute : *je crois
qu'en apprenant tout cela il ne saura rien du tout*. A partir de là le divorce va se faire entre le vécu et l'écrit :
Victor Hugo, édifiant *les Contemplations*, va combler

par le « texte » les creux et les manques de la biographie. Les séjours qu'il évoque, qu'il chante, qu'il convoque, qu'il immortalise, eh bien, ils sont, pour la plupart, rêvés. Léopoldine vivante est déjà la proie du fantastique brassage qu'est l'écriture hugolienne. On le voit nettement en reprenant une suite de poèmes trop négligée généralement : *les Feuilles d'Automne*.

Hugo écrit les principaux poèmes de cet ouvrage dès 1828, année où il devint, comme il dit ensuite : *libéral socialiste*. L'ouvrage paraît en 1831. Il est alors, note-t-il, *libéral socialiste démocrate*. (Il remarque, dans ce même feuillet, que c'est à partir de 1849 qu'il devint *libéral socialiste démocrate républicain*). Or, *les Feuilles d'automne*, c'est, par avance, le triomphe des « choses vues » : c'est ici que le réalisme familier, intimiste (mais avec des éclairs illimitants) de Victor Hugo s'affirme et triomphe. Et pourtant, dans ces poèmes d'un ton si surprenant, des rendez-vous sont fixés au Hugo de l'exil et de la maturité (au « grand » Hugo) : une entrevision rapide de ce qui sera la « contemplation » s'y lit clairement, c'est *la Pente de la rêverie :*

> *Et, l'océan connu, l'âme reste à sonder !*

N'est-ce point en voulant tirer les regards de Léopoldine vers la mystérieuse « écriture » des étoiles, vers la géographie énigmatique de la nature, vers l'harmonie insondable, que le Hugo des *Feuilles d'automne*, tout entier captif de cet œil rapace qui est le sien, avoue, l'espace d'un poème, cette tentation qui viendra au jour de Jersey : le déchiffrement au-dedans de soi de ce qui est au-dehors? De la même façon, le poème qui a, dans ce même recueil, pour titre : *La Prière pour tous*, n'offre-t-il pas une double clé ? C'est la prière de quelqu'un

> *dont l'âme est vaine,*
> *Pleine d'erreurs, vide de foi.*

Car c'est cela, Hugo : une avancée vers une religion qui n'est pas la religion *déjà* révélée ! Hugo le passant, Hugo le rodeur, c'est aussi Hugo le douteur ! Mais la prière, ici convoquée, traverse Léopoldine, s'appuie sur Léopoldine, la « féminise » en la magnifiant. Certains se sont, à l'époque, et depuis, étonnés que dans ce volume où les premiers pas de François-Victor, longtemps « Victor Hugo fils », puis traducteur de Shakespeare, étaient célébrés :

Lorsque l'enfant paraît, le cercle de famille
Applaudit à grands cris...

— l'auteur demande à la petite fille Léopoldine, comme il l'aurait demandé à l'« innocence » même, de prier

Pour les femmes échevelées
Qui vendent le doux nom d'amour...

C'est que, déjà, en ce moment de l'élaboration des *Feuilles d'Automne*, un rapport littéralement fantasmatique s'est établi entre le père et l'enfant. Lui se juge dépourvu de foi. Que devient Léopoldine ? Un gage !

Aimer, c'est la moitié de croire...

Mieux, sa prière, à elle, témoigne pour ce monde deviné, souhaité, espéré, ce monde promis à tous, objet et sujet d'un nouvel Evangile (il y a, chez Hugo, comme chez Michelet, l'ardeur « fabuleuse » d'un Evangile du peuple), mais qui est aussi un monde hanté par l'invisible, par les symboles métaphysiques, par les anges réconciliés :

Quand elle prie, un ange est debout auprès d'elle...

Dans les lettres qu'il écrira jusqu'en 1843 à sa fille, Victor Hugo insistera beaucoup sur l'acte-prière : on songe nécessairement au chapitre des *Misérables* qui, à propos du Petit-Picpus, traite des deux infinis, celui du dedans (l'âme), celui du dehors (Dieu), et de ce pont, de ce langage qui les rapprochent et les unissent : la prière, justement...

Or ce qui est important dans la correspondance de Léopoldine, c'est, ensemble, le divorce qui se fait entre la Léopoldine de la vie et la Léopoldine du « texte », mais aussi la complicité étrange — incomparable — qui se tisse entre Léopoldine et le poète. Il est manifeste que Léopoldine communie avec l'œuvre. En octobre 1839, alors qu'elle entretient avec Charles Vacquerie une liaison que Victor Hugo ignore et qu'il n'hésiterait pas, étant averti, à interdire, elle lui écrit sa hâte d'être à Paris : *pour te voir, t'embrasser, copier encore ces belles choses que je connais la première et que, quoique bien jeune, je comprends et je sens bien vivement.* Elle copiait, il est vrai, certaines pages, mais cela encolérait Juliette Drouet qui voulait être, elle, absolument, la « première » ! Elle dit, dans la même lettre : *Je suis fière de toi, cher papa, ton nom que je porte me fait l'effet d'une couronne.* A ce propos, Jules Janin rapporte un mot de Victor Hugo qui démontre bien comment l'étrange « échange » dont j'ai parlé se produisait. Léopoldine récite devant son père les strophes de la ballade des *Deux Archers* (la pièce huitième des *Ballades*), et Hugo s'écrie : *Ah ! comme tu me fais là de beaux vers !*...

L'autre aspect — le passage du vécu au mythologique — est plus enseignant encore. On lit, dans *les Contemplations* :

Elle disait souvent : Je n'ose.
Elle ne disait jamais : Je veux.

Eh bien, Mlle Léopoldine n'était pas du tout de cette sorte. Adèle II, dans son *Journal*, se souvient d'un épisode de 1835 : *Ma sœur aînée fit un jour une scène à Mlle Briant parce que celle-ci lui défendait d'aller au spectacle ; ma sœur, justement furieuse, sortit, en m'emmenant par la main.* Une lettre à Léopoldine de Louise Bertin, de cette même année 1835, dit : *Tes humeurs et tes impatiences envers Thérèse sont de grands péchés.* Thérèse était la bonne des Hugo. Mlle Briant était l'institutrice qui était chargée de Léopoldine alors qu'elle fréquentait, rue du Faubourg-Saint-Honoré, l'Externat des Jeunes Demoiselles. Hugo lui-même avait dit un jour qu'elle était l'*émeute* dans la maison. Elle jouait admirablement, dans ses lettres à son père, de ce double registre : celui de l'amour et de ses emportements, et celui de l'impétuosité des caprices.

Elle avait un correspondant privilégié : son père, qui la haussait au-dessus d'elle. Enfant, elle écrivait principalement à Louise Bertin, de la dynastie du *Journal des Débats*, maîtresse de ce domaine des Roches qui fut aux enfants de Victor Hugo ce que les Feuillantines furent à sa propre enfance. Louise Bertin, un peu infirme, composait des musiques. Elle tira de *Notre-Dame de Paris* un opéra, *Esméralda*, qui eut peu de succès. En 1831, Antoine Fontaney note dans son *Journal* ceci : *Il* (Victor Hugo) *me parle de son opéra* de Notre-Dame de Paris, *dont Mlle Bertin lui commande les vers à l'avance.* Hugo lui-même donnera dans l'exécution musicale. De Fontaney toujours, mais en 1832 : *Didine* (Léopoldine Hugo) *a joué son petit morceau, puis Liszt a joué encore cette belle marche funèbre de Beethoven.* Hugo y avait été de sa ritournelle. Musique, oui. Un autre soin que Victor Hugo prit de l'éducation de ses enfants est à remarquer, compte tenu de l'époque : dès 1835, il mit tout le monde (Adèle II exceptée) à la gymnastique !

Enfin se firent les fiançailles avec Charles Vacquerie. Ce ne fut pas sans mal. Adèle, la mère, et Auguste, le frère, intriguèrent beaucoup. On dissimula d'abord, puis on prépara le terrain. Charles arrache le consentement de Victor Hugo entre le 21 et le 24 août 1842. Victor Hugo est malade. Curieusement malade. Autant son ophtalmie chronique lui a fait interrompre sa pièce *les Jumeaux,* qui devient ainsi un gouffre ouvert au milieu de son œuvre théâtrale, et vers quoi tout converge, — autant *sa main* répugne à l'engagement qu'il doit prendre. Auguste Vacquerie à son père : *Depuis un mois il* (V. H.) *a des rhumatismes aux mains et il lui serait impossible de tenir une plume.* On songe aussitôt à Jean Valjean, dans *les Misérables,* qui, parce qu'il a la main serrée dans un bandage ne peut signer le contrat qui doit unir Cosette à Marius. Puis on voit Jean Valjean emporter avec lui la valise qui contient les vêtements de Cosette, exactement comme Victor Hugo, Léopoldine morte, conservera ses habits dans une valise qui ne le quittera plus. Léopoldine est Cosette : c'est incontestable. Encore faudrait-il réfléchir à cette présence larvaire, indirecte, marquée simplement, soulignée de biais par les noms : Léopold*ine* répercutée dans Fant*ine* et dans Epon*ine*. De semblable façon, Victor Hugo se partage entre Jean Valjean qui perd Cosette, et Marius qui conquiert Cosette.

Lorsque le mariage sera fait, Victor Hugo s'enfuit dans la rédaction fiévreuse des *Burgraves*. Et il écrit à Léopoldine mariée, le 16 mars 1843 : *Quand tu recevras les Burgraves, tu liras, pages 96 et 97, des vers que je ne pouvais plus entendre aux répétitions dans les jours qui ont suivi ton départ.* Ouvrons le livre. C'est Job qui parle :

... laissez-moi mon courage,
Vous êtes heureux, vous ! Quand on s'aime à votre
                                                    [âge,
Qu'importe un vieux qui pleure ?...

Ce qui donne à deviner le passage de Job à Jean Valjean, et de Jean Valjean à Gilliatt : de l'acceptation au sacrifice.

Avant d'épouser Charles Vacquerie, Léopoldine avait trouvé une correspondante attentive en la personne de sa jeune tante, Julie Foucher, à peine de quelques années plus âgée qu'elle. Or, il existe en cet endroit une « ténébreuse affaire ». Julie Foucher fut des festivités de la première communion de Léopoldine à Fourqueux en 1836. Plus tard, elle épousa un graveur assez médiocre, Chenay, qui prit Victor Hugo en grippe, contrairement à Julie qui lui fut dévouée jusqu'au terme, devenant, au temps de l'exil, sa copiste inlassable et dressant, pour lui, et accessoirement pour nous, l'inventaire des livres qui étaient à Hauteville-House. Où sont les ténèbres ? Ou même l'affaire ? Simplement dans une note, une de ces notes à contenu érotique qui sont, nul ne l'ignore, fréquentes dans les carnets du poète : elle date du 26 juin 1862, et dit : *Julie. Pas depuis Fourqueux 1836.* Tout y est : la date, le lieu. Julie avait alors quinze ans. Ne songeons pas aux dernières violences (comme on dit) : une nudité surprise, peut-être, en poussant une porte ? une caresse un peu intime ? Dans un carnet de 1871 celui-là, on trouve : *Nuit du 10 au 11 février. Rêve. Julie Chenay. Spont. Arrêté à temps.* Léopoldine à Julie, en mars 1839 : *Sois persuadée de mon amitié de sœur pour toi car nous le sommes par le cœur.* Julie, image exacerbée de Léopoldine ? Peut-être...

Après le mariage, la mort. Charles Vacquerie, qui pouvait se sauver, a choisi de périr en allant au secours de sa jeune femme. Victor Hugo l'exalte. Adèle II, en 1861, qui commence à vivre le même drame, déclare durement : *Tu as dédaigné ce pauvre jeune homme et puis un jour tu as avoué au monde entier que tu en étais fier, car cet obscur jeune homme était le dévouement.* Elle ajoute : *Défie-toi de ta défiance : ces gendres mal* venus, incomplets, indignes, inférieurs, cachent sous leur obscurité quelque lumière éclatante. Pinson n'est pas loin ! Mais Victor Hugo est dans les Contemplations. La morte était là hier, dans la table parlante. Elle est là, dans le texte, sauvant Satan et créant l'Humanité.

Si l'on examine la jalousie, beaucoup plus inconsciente qu'avouée, de Jean Valjean devant le bonheur qu'éprouvent, à s'unir, Marius et Cosette, on découvre Victor Hugo au vif. Dans une lettre à Léopoldine du 16 mars 1843, il évoque tes douces joies à chaque instant du jour et de la nuit. Et de la nuit ! Sur quoi vient se greffer le vers du poème terminal des Contemplations:

Oh ! ta cendre est le lit de mon reste de flamme...

A la fois aveu pantelant, frénétique, pitoyable, et énigme. Enigme semblable à un soleil qui se lève sur l'œuvre dans son entier, — et l'obscurcit !

VICTOR HUGO ET LES MYTHES DU XIXᵉ SIECLE

On n'en finit jamais avec le XIXᵉ siècle ! On pourrait justifier cette non-clôture par le fait que nous procédons de ce siècle-là, ce qui serait trop facile, et introduirait dans le déroulement de l'Histoire une simplicité par trop gratuite. En fait, les raisons de la non-clôture tiennent au non-épuisement des mythes proposés par le XIXᵉ siècle, et à leurs oppositions mêmes. Rien n'est plus aisé que de faire de Baudelaire les anti-Hugo par excellence, — mais à la condition expresse d'omettre des pans entiers et de Baudelaire et de Hugo, des complicités d'arrière-textes qui sont évidentes, une façon de dialogue inavoué mais lisible : *Cérigo* que Victor Hugo écrit en juin 1855 peut être tenu pour une réponse au *Voyage à Cythère* que Baudelaire venait de faire paraître dans *la Revue des Deux Mondes*. De la même façon, Baudelaire — ou, plus exactement, le manuscrit de son poème — est très explicite : *Le point de départ de cette pièce est quelques lignes de Gérard* (Artiste) *qu'il serait bon de retrouver*. Gérard de Nerval, en effet, avait confié, en 1844, à *l'Artiste,* des fragments de son *Voyage en Orient* qui sera publié dans sa version définitive en 1851 (année de rédaction probable du *Voyage à Cythère*). Mais si l'on compare avec un peu d'attention les trois textes (de Nerval, de Baudelaire et de Hugo), si l'on remarque que les « discours » de Hugo et de Baudelaire s'entrelacent, on constate que l'« écriture » de Hugo et de Nerval offre plus de similitudes que celle qui unit Nerval — l'initiateur — à Baudelaire, lequel se recommande directement de lui. Où Baudelaire, dans Cythère, évoque des « ramiers », Hugo et Nerval parlent de « colombes ». Chez Nerval : *une longue tunique*. Chez Hugo : *la blanche tunique*. *L'étoile du matin* se trouve chez le premier et dans le poème du second. Les deux apostrophent *la conque de Cypris*. Tout se passe comme si le poème de Baudelaire, lu dans *la Revue des Deux Mondes* par Hugo, avait renvoyé Hugo à Nerval, — c'est-à-dire : par-delà l'intercesseur qu'est Baudelaire, au générateur du mythe de Cythère-Cérigo : l'auteur du *Voyage en Orient*. Puis, par cela qui « joue » entre Hugo et Baudelaire, se produit une façon de retournement du mythe dans les deux poèmes : à la saisie baudelairienne du mythe répond une appréhension hugolienne. Baudelaire détourne le mythe nervalien vers sa propre intimité, vers son malheur profond, vers une poétique axée sur la tragédie individuelle :

Dans ton île, ô Vénus ! je n'ai trouvé debout
Qu'un gibet symbolique où pendait mon image...
— Ah ! Seigneur ! donnez-moi la force et le courage
De contempler mon cœur et mon corps sans dégoût !

C'est le pendu du Tarot ! C'est Baudelaire, qui, brisant, plus radicalement que Vigny, plus nettement que Leconte de Lisle, avec le « Je » éclaté du second romantisme, revendique un « Je » replié sur lui, confronté avec son insoutenable identité ! Le pendu, c'est, si l'on veut, le sens du péché qui est vif chez Baudelaire. Hugo, lui, dans son poème, maintient la généralité du « Je ». Sous Cythère avilie par la domination anglaise et devenue Cérigo, île esclave :

Cythère est là, lugubre, épuisée, idiote,
Tête de mort du rêve amour, et crâne nu
Du plaisir...

— le mythe persiste, qui est celui de l'amour, autrement
dit, dans la mythologie hugolienne, celui du couple,
Philémon et Baucis, Polyphile et Polia, au travers de la
vie qui passe :

Hymens mystérieux, cœurs vieillissant ensemble,
Malheurs de l'un par l'autre avec joie adoptés...

C'est que, contrairement à Baudelaire, Victor Hugo,
s'il a une très cohérente conception du « Mal », n'a
aucunement le sens du « Péché » (il ne se situe pas dans
un quelconque rapport avec l'interdit, sinon pour assumer et prôner la victoire de la Lumière sur l'Ombre,
et rien n'est plus éloigné de lui que la notion de transgression, — sinon dans son vécu). Le « Je » qui est à
l'ouvrage dans *Cérigo* exprime un projet qui est Progrès. Les strophes de Baudelaire sont rameutées dans la
brièveté insupportable ; celles de Victor Hugo sont
installées et inscrites dans la durée illimitée et illimitante.
Cependant, le texte originel, celui de Nerval dans
l'Artiste, porte les éléments nécessaires *à la fois* aux
élaborations — contraires et complices — de Baudelaire
et de Hugo. On lit dans Nerval : *Le ciel et la mer sont*
toujours là ; le ciel d'Orient, la mer d'Ionie se donnent
chaque matin le saint baiser d'amour ; mais la terre est
morte, morte sous la main de l'homme, et les dieux se
sont envolés. C'est le départ de *Cérigo.* On lit ensuite,
dans la publication fragmentaire de *l'Artiste,* ceci :
C'était un gibet, un gibet à trois branches, dont une
seule était garnie. Le premier gibet réel que j'aie vu en-
core, c'est sur le sol de Cythère, possession anglaise,
qu'il m'a été donné de l'apercevoir ! C'est l'image pénul-

tième d'*Un voyage à Cythère*. Mais ces trois re-lectures
convoquées et conjointes permettent un creusement nouveau du sens et un éclairage en facettes enrichissant.

Certains — par exemple — affirmaient, sans trop de
certitude, que *Cérigo* répondait au *Voyage à Cythère*
parce que Victor Hugo souhaitait donner à Baudelaire
une leçon, lui apporter un démenti, et cela parce que
Baudelaire l'avait à deux reprises pris à partie (dans les
Salons de 1845 et de 1846). En fait, l'un et l'autre obéis-
sent à leur mythologie propre. Victor Hugo, dans un
fragment des années 40 (avec Hugo, il faut sans cesse
évoquer les « fragments », comme si l'œuvre menée à
terme et publiée s'accompagnait d'une œuvre semblable
et parallèle, non pas avortée mais avouée seulement par
éclats), note que l'amour *est l'union mystérieuse de
l'âme et il le sait. La vieillesse le resserre, la mort le
consacre, l'éternité le continue*. Ailleurs, dans une ébauche, on trouve :

> *Vous êtes beaux pour l'âme,*
> *Cheveux blancs de Baucis, plus que ses cheveux noirs.*

Baudelaire est à l'inverse : son « moi » est en question, est une question. Il éprouve de la honte à exister.
C'est le pendu de Cythère, certes ! mais c'est également
le poète qui a écrit *Un voyage à Cythère* : un être double sur qui la dualité s'est refermée comme la porte
d'une prison ; un être contradictoire originellement dé-
chu. Le Satan de Baudelaire diffère du Satan de Hugo ;
mais l'homme baudelairien rejoint l'homme hugolien
dans la mesure où l'un et l'autre vivent la chute dans
le gouffre où ils sont entraînés. Chez Hugo, il y a retournement (plonger devient s'élever). Chez Baudelaire, enlisement. Hugo, dans sa religiosité, ignore l'opération de
la Grâce. Baudelaire, dans son jansénisme, s'y confie
tout entier. L'enfer de Victor Hugo est un mythe. Celui
de Baudelaire, une expérience :

Chaque jour vers l'Enfer nous descendons d'un pas
Sans horreur, à travers des ténèbres qui puent.

René Jasinski insiste sur une variante qui éclaire effectivement le mythe baudelairien. On lit, dans la version définitive d'un poème des *Fleurs du Mal* :

Je veux dormir ! dormir plutôt que vivre !
Dans un sommeil aussi doux que la mort...

Dans la première version, on trouvait :

Dans un sommeil douteux comme la mort...

A l'anéantissement, qui est presque un espoir, s'était initialement substitué l'inquiétude d'une mort autre, qui, cette fois, ne terminerait rien !

Le second romantisme — celui qui couvre approximativement les années 1840 à 1860 — est l'effort le plus grand qui se soit fait dans notre littérature pour édifier et élaborer des mythes. Recours, d'une part, aux mythologies antiques, retrouvées, reconstruites, actualisées. D'autre part, tentatives originales d'établir des mythologies nouvelles, non plus « actualisées », mais « actuelles ». Il est difficile, au premier abord, de faire le partage entre ceci et cela. L'antique sert souvent, avec le biblique (ne l'oublions pas), de tremplin à l'enracinement et au dépassement. On se souvient du poème des *Contemplations* qui a pour titre *Aux Feuillantines*, et dans lequel Victor Hugo conte comment lui et ses frères découvrirent une Bible :

Ce vieux livre sentait une odeur d'encensoir.
Nous allâmes ravis dans un coin nous asseoir.
Des estampes partout ! quel bonheur ! quel délire !

Cette Bible était *illustrée*. Le second livre, quasiment clandestin, offert par Lahorie au temps où il se cachait aux Feuillantines, est une édition des *Mille et Une Nuits*. Au cours du voyage initiatique en Espagne, nous savons, par le truchement du *Victor Hugo raconté par un témoin de sa vie,* que les deux frères (Eugène et Victor) tantôt lisaient ce livre, tantôt en coloriaient les *illustrations*. Dans *Quatrevingt-treize,* les trois enfants : Georgette, René-Jean, Gros-Alain, dans le domaine assiégé, s'emparent de l'édition *illustrée* de l'Evangile (apocryphe) de saint Barthélemy, et, avides d'*images,* mettent le volume en pièces. Cette persistance du thème à travers l'œuvre de Victor Hugo indique très clairement que l'image est première (et lui-même, jusqu'à la fin, ne procédera pas autrement : le sens ne vient qu'à la suite de l'accumulation des « images poétiques » ou métaphores premières soumises, par l'alchimie des mots vivants, à la métamorphose, qui est le triomphe de la mythologie), mais aussi que le Livre doit être désacralisé : fait et défait, *mouvant*.

Nul n'ignore la succession des « images » du père chez Victor Hugo : Lahorie d'abord, Chateaubriand ensuite, Napoléon enfin, lequel lui permet de retrouver le père véritable : Léopold, le général en demi-solde. Se borner à Hugo serait oublier comment et combien Napoléon est, en réalité, le père « mythique » du XIXe siècle : incarnation foudroyante de 1789, héros épique, fondateur de l'Etat mderne. On songe à Don Carlos, dans *Hernani,* s'adressant, dans les souterrains d'Aix-la-Chapelle, à l'ombre funéraire de Charlemagne :

géant d'un monde créateur...

Gérard de Nerval, sur ce point précis, renseigne absolument. Dans une version d'un des sonnets des *Chimères, Horus,* dédiée à *Louise d'Or., reine,* on lit non pas :

L'aigle a déjà passé, l'esprit nouveau m'appelle,

mais ce vers :

L'aigle a déjà passé : Napoléon m'appelle,

ce qui fait de l'Empereur tout ensemble l'enfant mystique des divinités exclues, et la promesse d'un Avenir : il est fils d'Isis, mais, dans le même temps, *esprit nouveau !*

Dans le poème d'Alexandre Soumet, *La Divine Epopée,* une image semblable, mais infiniment plus laborieuse, moins inspirée, plate, se perçoit : Napoléon y est une sorte de Prométhée, un initiateur dont le message doit se répercuter dans le futur :

Je voulais des Etats fonder la Renaissance
Moi soldat social ; et je crus follement
Etre pour l'avenir plus qu'un événement...

Le « follement » est de trop, dans la mesure même où d'autres auteurs sont alors occupés à dégager le grand mythe du XIXe siècle : Le Progrès. C'est le travail de Victor de Laprade dans *Psyché.* C'est l'ambition d'Edgar Quinet dans son *Prométhée.* C'est, dans le sien, le dessein de Louis Ménard qui signe encore son apologie de la Science du pseudonyme Louis de Senneville. Voilà des gens déterminés ! Chez Hugo, les choses se passent d'une façon bien autrement complexe. Les premières évocations du Buonaparte, dans les *Odes,* font appel à une notion bloyenne, ou, pour rester dans l'époque, peu éloignée des thèses de Joseph de Maistre : Bonaparte est un fléau dans la main de Dieu :

Un homme alors, choisi par la main qui foudroie,
Des aveugles fléaux ressaisissant la proie,
Paraît, comme un fléau vivant !

148

C'est un poème de mars 1822. A la légende napoléonienne de la familiarité, le « petit caporal », répandue par Béranger, va s'ajouter une autre image — nettement prométhéenne — de l'Empereur : un mythe complet qui mène Bonaparte, issu de la Révolution, à la
création d'un monde puis au martyr et à l'exil. Le proscrit était *déjà*, avant sa conversion au mythe napoléonien, une des figures essentielles de Hugo : voyez *Bug-
Jargal,* qui est de 1820 ! voyez les héros du théâtre :
Hernani, le Donato des *Burgraves,* le Rodolpho qui est
dans *Angelo,* le Gilbert de *Marie Tudor :*

Oh ! n'exilons personne ! oh ! l'exil est impie ! —

Un vers des *Chants du Crépuscule* (1835). De la
même manière que la prison, le bannissement amoindrit
l'être !

La geste napoléonienne est ressentie — littéralement
vécue — par Hugo comme donnée essentielle, personnelle, intime. Dans *Les Misérables,* évoquant Waterloo,
il dit que *cette sombre bataille* est l'une de ses *émotions
permanentes.* La distance imposée, la réserve du début
(au début de la conversion même) marquée :

Car nous t'avons pour dieu sans t'avoir eu pour maître,

voilà qu'elles s'amoindrissent de plus en plus, et s'effacent. Charles Baudoin avait raison de souligner *l'étroit
parallélisme entre l'évolution de l'attitude à l'égard de
Napoléon et celle de l'attitude à l'égard du père,* chez
Victor Hugo. Mais un autre élément va venir bousculer
— et renforcer — le mythe : le Deux Décembre. Le
nouveau Napoléon, *Napolén-le-Petit,* va hériter de tout
ce qui demeurait de négatif, chez Hugo, dans le mythe
napoléonien, et ce transfert, paradoxalement, va permettre la singulière cohérence de cet autre mythe, celui du

Progrès, qui va s'organiser, dans l'œuvre, par priorité, passé l'an 1851. Dès le départ existent chez Hugo, sur le territoire même du sensible, la Lumière et l'Ombre. La préface des *Rayons et les Ombres* (un titre, à lui seul, explicite) le dit : *Entre Eden et les Ténèbres il y a le monde ; entre le commencement et la fin, il y a la vie.* L'opposition manichéenne entre la clarté et l'obscurité est ainsi nuancée : l'une à l'autre se mélangent. Ce mélange, c'est la pénombre. Autrement dit : l'homme. L'Homme (la majuscule, cet — ou cette — « H », s'imposant) que la préface à la première série de *la Légende des Siècles* définit comme étant une figure *lugubre et rayonnante*. La pénombre c'est aussi le lieu — l'espace — du poème : la pierre où s'inscrit l'aile. Le vrai de l'univers peuplé est *un seul et immense mouvement d'ascension vers la lumière.* La cosmogonie part d'une lumière intacte, qui est l'innocence (la lumière « angélique », c'est aussi Léopoldine enfant). Puis il s'y fait une déchirure : c'est le Mal. Le dynamisme du Mal se nomme Fatalité. Peut-elle être vaincue ? Oui ! car elle est d'origine historique. Elle marche, elle se meut, elle est armée du glaive, elle est le Pouvoir. Dans *Marion de Lorme,* c'est Richelieu :

> *Regardez tous ! voilà l'homme rouge qui passe...*

Avant la mort du général Léopold Hugo, l'idée, chez Victor, s'est faite qu'il y a, dans les actions humaines et la marche des choses, un sens. Dissimulé ? Peut-être. On lit dans un poème de 1832 recueilli dans *Les Chants du crépuscule* :

> *O révolutions ! j'ignore,*
> *Moi, le moindre des matelots,*
> *Ce que Dieu dans l'ombre élabore*
> *Sous le tumulte de vos flots...*

Le mauvais coup (coup d'Etat) de Badinguet va dévoiler le mouvement réel : la ténèbre a des raisons
politiques. Le Progrès, c'est la montée. Se dégager de
l'obscur, c'est le vaincre. Dans *Plein Ciel,* ce sera le
triomphe de l'aéroscaphe, avion puis vaisseau cosmique :

> *C'est la matière heureuse, altière, ayant en elle*
> *De l'ouragan humain, et planant à travers*
> *L'immense étonnement des cieux enfin ouverts.*

Le progrès ? Hugo l'avait indiqué nettement :

> *C'est la loi de monter vers le jour !*

Ce qui est vaincu au terme de l'Histoire, c'est

> *l'Océan, le vieil infini mort...*

Mais c'est aussi, en Hugo, le ver rongeur, une sorte
de Baudelaire qui s'active à tronquer et trahir le trop
bel édificie. Ainsi sont les mythes du XIXe siècle : ils
évoquent un chaos où nous sommes encore.

EDITER VICTOR HUGO

Sans doute est-ce un paradoxe que de prétendre et proposer, aujourd'hui de « découvrir » Victor Hugo ! Comme s'il ne s'agissait pas d'un monument national plus de mille fois visité depuis les premières lectures de l'école primaire jusqu'aux innombrables éditions des œuvres majeures ! Comme si cet écrivain étroitement confondu avec l'histoire de son temps, mis à nu jusque dans son intimité sexuelle, préfacé par les académiciens, annoté par les professeurs ne souffrait pas, au terme, d'être trop connu, et sans surprise dorénavant ! Eh bien, non ! Il faut se risquer à cette entreprise surprenante : découvrir Victor Hugo...

C'est avec un peu d'amertume que j'ai vu, croyant le connaître plus ou moins, que je n'en savais (de ce qui s'appelle « savoir ») absolument rien, et que tout devait être repris sur de nouveaux frais. Dès lors, l'amertume céda le haut pas à je ne sais quelle exaltation, quelle fascination nouvelle, quel entraînement de la gourmandise et du plaisir. L'expérience vaut d'être tentée. Elle est possible. Il suffit d'ouvrir les tomes parus de la considérable besogne entreprise par Jean Massin : l'édition chronologique des *Œuvres complètes* de Victor Hugo (I). Nous avons eu, jusqu'ici, le sens faussé par l'amas des lectures, leur diversité, mais aussi leur fragmentation. Il ne faut jeter la pierre à personne, ni surtout à ceux qui nous ouvrirent les allées royales de l'opus hugolien. Mais (comment dire précisément ?), nous lisions Hugo en dehors du rythme qui est dans l'ensemble, nous méconnaissions les césures, nous perdions de vue l'organisation du tout. Certes ! chacun connaissait les ruptures fondamentales dites par le poète : avant l'exil, pendant l'exil, après l'exil, — puis ces autres : avant la mort de Léopoldine, après la mort de Léopoldine, — mais il était difficile de recomposer sur de telles données, et valablement, chaque ouvrage isolé, pris en dehors du mouvement, ôté du flux vivant.

Il faut avoir sans cesse présents à l'esprit les mots par lesquels Henri Guillemin entamait une remarquable étude : *Victor Hugo ? Lequel ? Les quatre syllabes de ce nom propre suscitent une collection d'être disparates...* Ce qui donnerait l'idée que l'entreprise de Jean Massin n'a d'autre but que d'abolir cette disparité, et de récupérer au bénéfice d'un seul visage les multiples visages qui, jusqu'ici, dans l'évocation d'Hugo, se bousculaient. Ce serait mal comprendre : la fantastique simplification qu'introduit cette très complexe édition chronologique n'aboutit pas aux réductions dont Sainte-Beuve fut le spécialiste éminent, mais — et ce n'est qu'en apparence un paradoxe — au contraire très précisément. La diversité des visages, *maintenant*, se conçoit, comme se comprend le miroir brouillé : Victor Hugo, si heureusement ramené à la surface (à cette surface chronologique), nous l'appréhendons dans sa profondeur, dans sa vérité confuse, dans son humanité radicale. Ce n'est plus le géant, c'est l'homme. J'ajoute aussitôt que les *commentaires* d'accompagnement mettent en lumière ce qu'il faut bien nommer la *genèse d'une œuvre littéraire,* ce processus par quoi viennent au jour les grouillements de l'intérieur, et par lequel l'auteur sans fin parle d'un autre *Je* que celui qui se voit dans sa biographie.

Bien sûr, tenter une édition chronologique de cette œuvre dont l'amplitude confond, et qui, à chaque instant, indique un mélange de rédactions, l'auteur allant du même pas sur diverses routes, celle de la poésie, celle du romanesque, celle de la dramaturgie, à quoi il faut encore ajouter les pages laissées pour d'autres destinées, et ces feuillets pleins d'une avidité à se raconter, — cette tentative, ce projet, n'allaient pas sans de grands risques. Et d'abord celui de l'éclatement. En effet, à force de remettre tout dans un ordre autre que celui des ouvrages publiés, n'allait-on pas aboutir à brouiller la mosaïque, à faire illisible l'ensemble, à briser le marbre ? Ce parti désespéré de tout rompre et de tout réaccorder autrement, qui ne voit qu'il était impossible, et fou ? Il fallait éviter une aussi extrême dispersion. Pour ce faire, et répondre cependant au projet, une méthode était nécessaire, qui se confondait avec une organisation des divers volumes. Jean Massin, maître d'œuvre, a procédé à des options fondamentales, en quoi il a bien fait. D'abord, il a maintenu la division recommandée par Hugo : AVANT l'exil, c'est-à-dire : de 1812 à 1851, ce qui fait, de cette édition, sept volumes ; PENDANT l'exil, soit : de 1851 à 1870, encore sept volumes ; APRÈS l'exil, 1870-1885, deux volumes. On verra, faisant le compte des tomes qu'il en manque deux, lesquels sont consacrés à l'œuvre graphique — j'y viendrai plus avant. En reprenant ce schéma des seize volumes de texte, on remarquera ceci : l'indication de Hugo touchant à ce qu'il nomme, par rapport à la mort de Léopoldine, l'AUTREFOIS et l'AUJOURD'HUI, est respectée, l'AUTREFOIS couvrant les six premiers tomes, et l'AUJOURD'HUI le reste (soit : dix). Ces césures qui se chevauchent devaient être clairement marquées, qui rythment — mieux encore : déterminent — les grandes lignes de toute lecture possible.

Ce n'est pas tout : il fallait encore que chacun des

tomes soit du même type d'organisation, malgré l'exigence d'être les uns aux autres sensiblement égaux sur le plan de la fabrique (nombre de pages, typographie, présentation, etc.). Pour aboutir à son but, Jean Massin a, dans la mesure du possible, approché la « périodisation » la plus satisfaisante. Chaque tome, plus ou moins, correspond à un double chapitre : biographique pour une part, et intérieur pour une autre. Si j'insiste tant sur la méthode d'édition, c'est qu'elle me semble être un modèle du genre, et je n'apprendrai à personne que nous souffrons un peu de publications sans rigueur... D'où l'importance de l'économie de chacun des tomes de l'édition Massin : chaque ensemble de textes est éclairé par ces commentaires remarquables que j'ai dit, et, à la fin du volume, se trouvent un ensemble de textes posthumes liés aux textes publiés (c'est le *Portefeuille*), puis un groupe d'écrits paralittéraires tels que la *Corresponce*, le *Victor Hugo raconté*, etc. (c'est le *Dossier*). Enfin, Jean Bruhat fixe, par tome, la *Situation historique* telle qu'elle puisse éclairer cette partie de l'œuvre du poète. J'ajoute qu'une iconographie abondante et la constante d'un *Tableau synchronique* complètent le tout, et si bien que l'édition Massin dépasse, à proprement dire, son but. L'appareil critique de cet ensemble, à mes yeux, devient indispensable pour approcher ces problèmes délicats, que chacun connaît, et qui tiennent à la *Chronologie du romantisme...*

D'aucuns, à ce que je viens d'écrire, vont sursauter : comment ? on touche à Victor Hugo ? on bouleverse ses recueils ?... Qu'ils se rassurent tout de suite. Il n'en est rien. Jean Massin — lorsqu'il présente un recueil « éclaté » — n'a fait que se tenir au plus près de la vérité. Je veux donner de ceci deux exemples — et qui me paraissent devoir faire l'unanimité. Ils servent, d'autre part, à illustrer le fondement de ces *Œuvres complètes* et à en justifier le propos.

Prenons d'abord les *Odes et Ballades*. Comme on le sait, il y eut cinq éditions successives, à chaque fois augmentées, modifiées donc par ces ajouts, de ce recueil fameux. La première édition date de 1822, il y en aura en 1823, 1824, 1826, 1828. Cette dernière (de 1828) étant donnée — et c'est vrai — comme définitive, mais il n'en reste pas moins que lorsque Charles Nodier, par exemple, loue les *Odes* — c'est dans son article du 8 mars 1824, et dans un mois il ira s'installer à l'Arsenal —, il parle non pas de l'édition « définitive », mais de celle qui, en cette année 1824, venait de paraître. Quel parti devait prendre l'éditeur moderne ? Maintenir en·1828 (dans l'édition chronologique) l'édition définitive, ou procéder autrement ? Heureusement, Jean Massin, sans « atomiser » le recueil à proprement dire, l'a réparti en divers endroits, le plaçant en 1822, et donnant, à leur date, les poèmes, pour chaque parution nouvelle, ajoutés. Et d'être ainsi repris par le lecteur, le recueil retrouve son mouvement : ce mouvement qui est, après tout, Hugo lui-même.

L'autre exemple, d'une problématique plus complexe, est celui des *Contemplations*. Comment répartir *les Contemplations* ? Mieux encore : comment en organiser la lecture ? Eh bien, il ne s'agissait aucunement de briser ce recueil, de le répandre en divers endroits, et ceci pour la raison formelle qu'il n'a pas fait l'objet, de la part de l'écrivain, de révisions successives et d'ajouts. Bien ! mais alors, dira-t-on, il n'y a pas de problème : il suffit au lecteur de suivre les poèmes dans le fil de l'ouvrage, d'un bout à l'autre, et de prendre au mot le poète. Voire ! *Les Contemplations,* c'est vraiment le livre-charnière. En lui s'effectue le partage entre l'AUTREFOIS et l'AUJOURD'HUI, mais aussi entre AVANT et PENDANT l'exil. Egalement, c'est sur lui que devaient se greffer *les Châtiments,* et dans sa durée que sont apparues les tables tournantes. L'éditeur n'avait d'autre ressource que de préciser par des tableaux chronologiques la composition « réelle » et la composition « supposée » du livre, car Hugo, dans la volonté qui l'animait alors de faire des *Contemplations* ces *Mémoires d'une âme* comme il disait, a modifié les dates qui figurent sous les diverses pièces. Nous aboutissons ainsi à une lecture habituelle, de tout-venant, qui consiste à emboîter le pas au chantre et à le suivre. Puis, à cette docilité, nous pouvons *ajouter* une lecture nouvelle, celle de la chronologie vraie : poèmes d'avant la mort de Léopoldine, d'après cette mort jusqu'au 2 décembre, poèmes allant du 2 décembre aux tables parlantes, et ceux enfin qui sont de ce temps hanté, — ce qui modifie et reconstitue *les Contemplations*. Enfin, en confrontant ces lectures, c'est la volonté de Victor Hugo architecte qui nous apparaît...

Passé cette découverte de Victor Hugo écrivain, mais je n'ai pu qu'indiquer le sens et la valeur de l'opération, — il y a, dans les *Œuvres complètes,* pour la première fois aussi totalement, la présence bouleversante de la recherche et des trouvailles graphiques : voici le poète tout entier dans l'écoute de sa nuit ! Cela coupe le souffle, cette main de pythie qui dessine les traits indécis de celui qui est l'« Autre » ! Il ne faudrait pas croire que l'activité d'Hugo dessinateur se glisse dans les failles, dans les repos, dans les « trous » d'Hugo écrivain : il en va du contraire. Cet homme est abondant en tout, si bien que l'on peut calquer sur un même vertige les textes et les dessins. Et lorsque après l'exil — contrairement à l'image conventionnelle et à l'opinion courante — le torrent verbal d'Hugo s'amenuise, il en va fort exactement de même pour l'expression graphique. C'est un tourbillon de la ténèbre, ces dessins qui trouent le papier, et viennent projeter sur l'œuvre écrite une clarté noire — qui est fabuleuse...

Il faut bien se convaincre qu'avec Victor Hugo personne n'en a jamais fini : par-dessus, et dans les textes à plusieurs dimensions que nous lisons, il y a les dessins légendaires, les conversations spirites, la fantaisie « humoreuse », mais il y a plus encore : les inédits. Inédits ? Si l'on veut... Il s'agit toujours de la même chose, cette manière d'accumulation, de pression, d'abondance (pourquoi pas ?), du père Hugo, une sorte de Père La Victoire du verbe. Ce personnage nous nargue, en vérité. Il est à lui seul un Panthéon, alors qu'il est faible à ne pas croire. On le croit souverain, c'est une victime. Il parle, mais c'est parce qu'il est faible : nous, nous donnons du prix à ce qui le contraint. Il parle avec des remords, des balbutiements, des imbroglios. Il pense la pensée. Il ne sait rien : il invente tout. Lorsqu'il meurt, dans les manuscrits l'Océan se déchaîne. C'est une débandade, oui ! puis « on » s'arrange en famille à la bonne franquette, avec la sauce qu'il faut, les épices qui conviennent. Cet imbécile de Baju se convainc que les posthumes de Victor Hugo sont fabriqués à mesure. C'est le contraire qui est vrai : on veut endiguer le débordement, réduire le flux, mater l'Océan...

Il faut voir Hugo comme une parole (dont le contraire absolu est le silence cela va de soi), ce qui donne raison à Stéphane Mallarmé, le causeur de la rue de Rome : *il fut le vers personnellement*. Au tome IX de l'édition Massin, à la suite des *Contemplations,* le lecteur découvrira *Solitudines Coeli,* une façon de poème « ouvert » qui changera cinq fois de titre, et ne sera jamais terminé. Il s'agit, en réalité, de l'approche par Victor Hugo de cette fresque mouvante qu'au terme il nommera *Dieu.* Ce premier ensemble achevé, le poète, à Jersey, avait décidé de lui donner ce titre de *Solitudines Coeli,* dont il changea plusieurs fois pour en venir à celui de : *l'Océan d'en haut* (en 1869). Vint ensuite *le Seuil du gouffre.* De quoi s'agit-il ? Tout simplement de l'entreprise rhétorique absolue : Victor Hugo s'était confondu avec l'incessant du discours, ce qui le menait vertigineusement dans l'envers du diurne, l'obligeant à mêler, pour reprendre une expression de Georges Piroué, le dessus et le dessous de l'inconnu. Hugo ne s'arrête plus, il parle parmi les ombres. Dieu, c'est l'Océan. Hugo, c'est le flot qui bat et bat sans cesse. Ce langage qui creuse avec une obstination terrible et minutieuse, c'est la poésie. Le Livre (ce qu'en penserait Mallarmé !) est fait des bribes d'une tunique sans couture. Voilà ce qu'il fallait voir, et que nous ne percevons qu'aujourd'hui.

Il faut lire ce fatras du génie : ce n'est plus l'homme, c'est de nouveau le géant. Je veux bien, mais c'est, de nouveau, proposée à notre inquiétude et à la faiblesse de nos jugements, ce que l'on nomme : la genèse de l'œuvre littéraire. Dès *les Contemplations,* je crois que chaque lecteur perçoit la volonté du poète d'abolir, par un livre unique, tous les livres, y compris les siens propres, qui précédèrent. Un instant qui vaut l'éternité, la barrière qui sépare du fini l'indéfinissable multiple (qui est unique) s'est abaissée, et par cela même, cette fascination provoquée par une mystique sans objet, par l'hallucination du microcosme, cette découverte du gouffre intérieur qui — à la semblance du ciel — n'a pas de fond, la « contemplation » s'évase et se dilue, s'affirme et s'évanouit, emplit et abolit l'être, et ce livre — *les Contemplations* — qui depuis des années s'édifie, comment le clore, sinon arbitrairement ? Hugo, soudainement, y consent. Mais il y jette les germes d'une entreprise inlassable : *Dieu.* Il y avait des fleuves : *les Contemplations,* qui confondent et unissent l'AUTREFOIS et l'AUJOURD'HUI ; *les Châtiments,* qui s'en détachent arbitrairement, signifient PENDANT l'exil, mais viennent curieusement s'épauler sur cet AVANT l'exil qui est le terreau de *la Légende des Siècles ;* et le tout, dans cette course d'étoiles, fonde et autorise l'APRES l'exil, ce discours républicain qui a fait de Victor Hugo l'instituteur du peuple français. Mais tout cela, rameuté, rendu à la course des eaux, exige l'OCEAN, soit : cette impossible totalité faite de morceaux et d'éclats, débris prométhéens où le langage se brûle comme à une lampe allumée un papillon de nuit. Il y a peut-être des imbéciles pour n'y pas croire, leur sort est d'un piètre intérêt. On conçoit le *Hugo, hélas !* d'André Gide, qui était un bon esprit et tenait à la Littérature (avec majuscule) par toutes les fibres de la rue Madame, mais c'est justement parce que Victor Hugo est incontestable, et surtout lorsqu'il fait, par son comble, s'évaporer la littérature (qui est une coutume d'écrire). C'est un flot, mais qui nous concerne tous, et chacun...

Ce que j'ai négligé de dire, et qui compte, c'est que Journet et Robert ont repris toutes les liasses classées à la va-vite par maître Gastine, notaire de l'auteur, et qui répertoria, à sa mort, ses papiers. On fit, dans cet inventaire, des classements de désordre, des approximations à la diable, des coupes de dérision. Reprendre tout sur de nouveaux examens, examiner, scruter, classer, rapprocher ceci de cela, ôter de cela ceci, c'est à ce prix que nous devons cette machine de guerre où gît l'ambition de la poésie : *Dieu,* cet océan sur le verbe duquel Jéhovah ne semble pas régner.

Par là même nous touchons à cette *grandiose monotonie* à laquelle Jean Gaudon a consacré une thèse qui est une rêverie fertile : *Le Temps de la contemplation.* D'entrée de jeu, l'auteur — qui a consacré quinze années à son travail, à son plaisir de fréquenter un auteur ensemble obscur avec naturel et obscurci par d'autres — donne la dimension de sa recherche, et montre que si, dès sa maturité (et c'est vrai), Victor Hugo veut que son « œuvre » soit « mémoire », ce miroir qu'à la mémoire il tend singulièrement se trouble. Pour Jean Gaudon, de l'image tremblée, il affirme qu'*elle ne* prend tout son sens que si j'enferme Hugo entre les trois feuilles du miroir dont parle Aragon dans La Mise à mort, et que j'y confronte ses trois reflets : celui qu'il veut me donner, et qui est symbolique ; le reflet de ses expériences vécues, et que la biographie me livre ; l'image, enfin, que me donnent les autres, ceux qui l'ont vu vivre, ceux qui le haïssaient. Par quoi, il me semble, nous ne quittons pas les déterminations de Jean Massin... Ce naturaliste qui est baroque, Hugo, ce visionnaire aveugle qui se partage entre Eve la voluptueuse et Isis l'ascétique, il a poursuivi ce seul rêve qui vaille, et que Jean Gaudon, d'un mot, définit : *ce rêve qu'il a osé faire d'un grand poème béant*.

Et puis je songe à ce que disait Hugo dans *les Contemplations* : *Tous les mots à présent planent dans la clarté !* La nuit océane, elle est là, avec son flux et son reflux...

NOTE

1. Victor Hugo, *Œuvres complètes,* édition chronologique publiée sous la direction de Jean Massin — en dix-huit volumes (dont deux réservés à l'œuvre graphique) — Club Français du Livre.

GEORGE SAND EN REFLETS

On ne saisit George Sand que par une succession de reflets qui s'entrecroisent, parfois se contredisent, et souvent dissimulent ce qu'ils devraient éclairer. *L'histoire de la vie de George Sand,* écrit Claude Roy, *c'est d'abord l'histoire de ses histoires.* De diverses façons. Son rapport à nous est en zigzag. Elle écrit dans un double mouvement, qui sans cesse ni fin se contrarie lui-même : pour se masquer, et pour s'avouer. Elle a des tendresses surprenantes et vraies, mais ses confessions ne sont jamais qu'obliques : elle peuple à elle seule le vaste opéra que jouent ses personnages. Dans sa notice pour *la Comédie humaine,* dont Mme Hanska ne voulut pas, Sand écrit de l'œuvre romanesque de Balzac que c'est *un miroir où la fantaisie a saisi la réalité.* Mais l'œuvre de George Sand n'est pas de la même farine : elle fuse, s'époumone, se reprend, s'acharne, se disperse, se reconstitue. Elle est amas de feuillets, et non ensemble décisif. Il y avait chez elle une notion de *l'art* et une conception du *chemin* (c'est dit dans *Consuelo ;* Pierre Leroux leur accordait une importance majeure, avec raison), et qu'il faut se garder de confondre. Autrement dit : il importe de la prendre de bout en bout, de dévider ce lyrisme un peu hagard et noyé d'impatiences. Dans une lettre ouverte à Gustave Flaubert écrite en septembre 1871 et publiée le mois suivant dans *le Temps,* elle livre la recette : *Lisez-moi en entier et ne me jugez pas sur des fragments détachés.* C'est l'ambition romantique, laquelle réclame la totalité et récuse les mensonges de l'anthologie. Voyez Victor Hugo !

Mais la lire « en entier » ? C'est un travail considérable, et qui n'admet pas d'abandon, de laissez-pour-compte, de friches. Il y a la gigantesque pyramide des romans (et remarquez comme elle feint de se moquer de nous, et d'elle-même, puisqu'elle affirme au même Flaubert ne plus se souvenir de *Consuelo,* qui est son ouvrage le plus vaste !), à quoi s'ajoutent les pièces de théâtre, puis les essais, puis les articles, puis la *Correspondance,* qui est fabuleuse. Mais tout cela, pris ensemble, mis ensemble, rameuté, rassemblé en un seul effort de la lecture ne fait — littéralement — que désigner une biographie qui se dérobe, et s'évade. Les *Œuvres autobiographiques* ressemblent à un van d'où la pesanteur du vrai s'échappe. C'est qu'il faut mieux comprendre l'étrange mécanique qui est, ici, au travail.

Ce qui est en jeu, dans le texte de George Sand, c'est uniquement la biographie. On peut s'en rendre parfaitement compte, *a contrario,* en lisant *Histoire de ma vie* — dont un contemporain moqueur prétendait qu'il s'agissait là de la vie de l'auteur « avant sa naissance » : ce qui est vrai pour un bon tiers de l'ensemble. On s'aperçoit aussitôt que ces pages, comparées par des enthousiastes aux *Confessions* de Rousseau, n'entrent en rien dans l'espace d'écriture défini par Philippe Lejeune comme étant le pacte autobiographique. Elle promet non pas sa vie, mais l'« histoire » de sa vie. Elle tient parole. Procédant ainsi, c'est, en effet, dans les « histoires » qu'inlassablement elle a écrites et publiées qu'elle nous introduit : les romans paraissent dès lors s'éclairer. La bâtardise, l'éducation, le cadavre du père embrassé dans le tombeau, l'extase dans la chapelle des Dames anglaises, les courses dans la campagne... autant de clés. La nuit de noces qui est un supplice, l'amour platonique pour Aurélien de Sèze, les leçons et les confusions de Mme de Francueil... autant de sources. Il ne reste plus ensuite qu'à faire confiance à George Sand ; et à rebondir de ce qu'elle affirme hors du roman à ce qu'elle dépeint dans le roman ; voire inverser le procédé : déduire de l'invention qui est dans le roman la touffeur plus ou moins exacte des jours vécus. C'est oublier un peu vite la nature de l'opération romanesque, qui est une application constante — et textuellement sincère — du « mentir-vrai ». Ses diverses biographies ont suivi ces méandres.

Faire une telle confiance au texte, c'est finalement méconnaître le texte même. Ce n'est pas George Sand qui donne un sens à son œuvre, c'est l'œuvre — aussi débridée soit-elle — qui donne un sens à George Sand. Et lorsqu'elle dit qu'il faut *tout* lire de ce qu'elle a publié et écrit — et elle a le tort de ne pas ajouter qu'il faut lire ce *tout* dans sa continuité, dans son déroulement chronologique, — elle voit que précisément elle n'existe pas *en dehors* de cette masse d'imprimés. Elle est là entière, c'est-à-dire : dans sa diversité. Elle partage avec les autres romantiques le « Je » éclaté, qui à la fois autorise toutes les audaces et s'acharne à les interdire. Elle prend son départ dans le Berri, mais il faudra un long périple pour arriver à l'aveu du Berri dans son texte, à la création d'une géographie close, d'un langage régional, d'un ensemble de rites et de légendes propres à cette seule contrée : *La Mare au diable,* et pour reprendre l'expression de Marcel Proust : *cet extraordinaire « François le Champi »*. André Fermigier rapproche très justement les romans champêtres de George Sand des tableaux qu'exposait Millet — tant les uns et les autres, à l'époque effraient. Paul de Saint-Victor dit des *Glaneuses* de Millet qu'elles sont *les trois Parques du paupérisme ;* et Baudelaire rangeait dans une

égale détestation la romancière et le peintre. C'est dire
que George Sand a toujours fait scandale, et que c'est à
la lumière de ce scandale qu'elle rédige la commande de
librairie qu'est *Histoire de ma vie*. On dira qu'elle a livré
aux protes un volume qui se voulait sans déguisement
et qui est déguisé : *Elle et Lui* ! Certes ! mais il y a le
coup de pouce des *Confessions d'un enfant du siècle* ;
la provocation du *Lui et Elle* de Paul de Musset ; les
bourdonnements de Louise Colet. Une liaison d'écrivains ! qu'elle se défasse et cela donne de la copie aux
imprimeurs... Il ne faut pas jeter la pierre à la turbu-
lente maîtresse du domaine de Nohant, ce serait injuste.
L'important est de remarquer comment, dans la totalité
de lecture qu'elle revendique, la succession des récits
introduit une succession parallèle de « retouches ». C'est
comme un maquillage incertain : des poudres sont mises,
puis ôtées, et les couches de fards tantôt s'alourdissent,
tantôt s'harmonisent. Le territoire de George Sand
(l'écriture) appartient au mensonge. Ainsi le bâton plongé dans une eau claire apparaît, par une illusion d'opti-
que, brisé, — ainsi toute littérature est-elle lourde d'une
biographie qu'elle dissimule et qui la ronge.

Dès lors, il est impossible d'aborder le texte romantique (qu'il s'agisse dans le cas présent de George Sand,
ou qu'il s'agisse de Victor Hugo, de Lamartine, de Nerval, de Balzac, même et surtout de Michelet) sans se
préoccuper de ce creux hâtivement camouflé, de cette
ombre portée, de cette démesure dans la réticence ET
dans le spectacle qui est l'endroit où la biographie
opère. Si les romans, dans leur continuité rompue, ap-
portent des retouches les uns aux autres, c'est parce que
ces retouches sont exigées par la biographie. Mais d'autre part, lorsqu'il est question pour l'écrivain romantique de quitter le biais du romanesque, d'écrire (par
exemple) *Histoire de ma vie*, c'est la biographie qui est
alors *retouchée* par sa propre métamorphose : le roman,

le poème, bref ! le texte. C'est pourquoi la correspondance échangée par les romantiques appartient si nettement à la littérature ; pourquoi elle renvoie, cette correspondance, à l'œuvre plus qu'à la personne, au texte qui (quoi qu'on prétende) est le vrai et non à l'individu dont le texte est l'effacement. La *Correspondance* de George Sand n'échappe pas à cette règle. Bien entendu, ce monceau de lettres passionnantes reflètent l'époque, la « disent ». Mais le roman (ou le poème, si l'on évoque Victor Hugo) « dit » semblablement le siècle. On se méfie du roman, pas de la lettre : on se trompe ! Le roman est un discours qui a des témoins. La lettre est un plaidoyer qui n'a qu'un confident. D'ailleurs, dans les romans du temps, la lettre surgit pour abuser un personnage plus naïf ou candide que le scripteur. Il est vrai, cependant, que la correspondance permet un emportement et un relâchement que l'ouvrage public interdit, — mais cet emportement et ce relâchement témoignent pour un instant passager, une exaltation fugace, un sentiment périssable. George Sand est l'auteur, à mes yeux, de deux romans qui comptent parmi les plus grands et les plus ambitieux : sa *Correspondance,* et *Consuelo.*

Qu'attend-elle du roman ? *La formule d'un roman consiste à placer un sujet ou un sentiment idéalisé dans des conditions et dans un cadre de réalité destiné à le faire ressortir.* Voilà une théorie fort lointaine. Et qui masque, par son allure abstraite, la véritable démarche de George Sand, qui ne concevait le texte qu'en fonction de son effet, et le définissait par sa destination. De quoi s'agit-il ? Du peuple, *être collectif et abstrait.* On juge mal de l'éloignement qui s'était fait au XIXe siècle de ces gens qui forment le peuple, et permettent la naissance et l'envahissement, dans le vocabulaire, du mot « Peuple ». Or, cette nomination est un exorcisme. Le mot gomme la chose. On aime le Peuple, pas la populace qui le compose. C'est de ce tour de passe-passe qu'est née la démocratie. George Sand, et certains évoqueront en réponse sa fréquentation du milieu rural creusois, n'échappe pas à la règle commune. Elle s'enflamme pour une orpheline volontairement perdue à la corne d'un bois (c'est — en mineur — son affaire Calas) ? Oui. Elle aide avec efficacité à la carrière de quelques écrivains venus des classes sociales laborieuses ? Assurément. Mais Hugo va beaucoup plus loin en prenant la défense de Claude Gueux, marginal, assassin ET homosexuel. Ce qui n'empêche pas Hugo de faire entrer — triomphalement — le mot « Peuple » dans sa mythologie, tout en refusant de voir ce qui se meut réellement dans l'intérieur de ce vocable-là. Un Evangile du Peuple ? Qui donc n'y songe pas, sincèrement, ardemment, loyalement ? Michelet, Hugo, Sand, tous et chacun. Ils ignorent, de bonne foi, que le mot « Peuple » est une conjuration, un voile tiré par-dessus le réel. Encore une fois, Hugo va plus loin : il a une conscience vive des marginaux, ce qui le rapproche du contenu du mot « Peuple ». Il tire des monstres à la lumière du jour. Il a raison. Le peuple incarné est fait de monstres : il est la foule. *Notre-Dame de Paris* est, à cet égard, un roman symbolique : le peuple, c'est Quasimodo le muet. Dès lors, ce que Hugo, Michelet, Sand, prophètes d'un Evangile à venir, espèrent ET redoutent, c'est le *Noël, Noël* que crieraient d'une même voix les gens qui sont le peuple, et par quoi le peuple adviendrait.

L'expérience de George Sand, sur ce terrain, est précise — et précieuse. Il y a d'abord son aventure personnelle, qui en fait une femme de lettres non par divertissement mais par métier. Elle s'oblige à un labeur considérable, mais ce labeur est son « être » même. Elaborant son texte, elle élabore George Sand. Elle a un tempérament aussi vif et avide que sa capacité de travail : elle happe ce qui passe à sa portée, loge dans ses chapitres la conversation qu'elle vient d'avoir, le livre qu'elle vient de lire, la silhouette qu'elle entr'aperçoit. Ensuite, pour pousser la cadence de ses feuillets ainsi qu'elle a coutume de faire, ce qui lui est nécessaire ce n'est pas *l'inspiration* (encore un vocable du dictionnaire romantique qui vise à dissimuler l'appel du texte), mais l'*idée :* un moteur qui tire vers l'avant. Il est essentiel, à ses yeux, que son projet d'écrire soit fondé sur (et porté par) un projet plus vaste. On devine quelque chose de semblable dans la dédicace d'*Adriani* à Madame Albert Bignon : *Quand je commence un livre, j'ai besoin de chercher la sanction de la pensée qui me le dicte.* Puis, toujours dans ce prélude par lequel elle donne son bref roman à l'actrice, elle ajoute : *Quand vous lirez ce roman, quand il sera écrit, il est bien certain que l'exécution ne me satisfera pas, et que, comme d'habitude, je n'aurai pas réalisé la conception qui m'apparaît vive et riante au début. C'est pourquoi je veux vous en dédier l'« intention », qui en fera probablement toute la valeur.* Ce mot d' « intention », par elle appliqué à un ouvrage assez médiocre, peut s'étendre à la totalité de lecture qu'elle exigeait, par le truchement de Gustave Flaubert, des lecteurs. Quelle « intention » ? Celle d'une société plus juste, sauvée de la pauvreté, sauvée de l'obscurité, et sauvée de la politique. Une religion inscrite dans un évangile qui aurait pour base et couronnement le Progrès. Le *chemin* et l'*art* se réconcilient dans un avenir qui ne mérite qu'un nom : Harmonie. Elle s'écrie, dans *Histoire de ma vie*, résumant en une synthèse un peu faussée son credo : Terre *de Pierre Leroux,* Ciel *de Jean Reynaud,* Univers *de Leibniz,* Charité *de Lamennais, vous marchez ensemble vers le Dieu de Jésus.* Ce n'est pas une profession de foi, c'est un catalogue... Le catalogue des mythes dont elle a éprouvé, manifestement, l'*inscription* dans l'illuminisme hérité du siècle des Lumières et tourné, sous la Monarchie de

Juillet, vers le socialisme utopique ! Mais elle n'a pas vécu ces mythes aussi profondément, aussi mortellement, que Gérard de Nerval qui fut de ses amis.

1830 la surprend. Louis-Philippe ? *De quoi lui sert de sortir à pied, le parapluie au bras, de donner des poignées de main au rempailleur du coin, s'il ne connaît pas l'opinion et les besoins de son peuple ?* Voilà le leurre, même si la critique est nette, et frappe bien ! Quelle opinion ? Quel peuple ? Où est-il ce peuple, dans par exemple, la littérature ? Pas dans les auteurs populistes soutenus par George Sand, en tout cas. Il faudra attendre Jules Vallès pour voir le mot « Peuple » se « peupler », acquérir des visages, être une collection d'individus. Il faudra attendre *L'Assomoir* d'Emile Zola pour voir s'effectuer un « change » linguistique : une parole-peuple, accompagnée, étant mœurs de langage, des mœurs de table, des mœurs de lit... de ce qui était englouti, enfermé dans le vocable « Peuple ». Ici encore — du moins en ce qui concerne le milieu des paysans creusois et berrichons —, il faut saluer l'effort de George Sand : elle a voulu, de toutes ses forces, et son Rabelais à portée de main, livrer la parole de ces gens, leur permettre ainsi, se reconnaissant, de se connaître. Mais l'utopie a joué son rôle habituel : elle a dégradé le poids du réel en picaresque. Le parler du Berri, cette province sourde (comme auraient dit les grands écrivains russes), au sein des romans champêtres de George Sand, disparaît dans le « langage coulant », émerge par des termes du régionalisme : elle a obéi au conseil du fidèle Rollinat, et c'était un mauvais conseil : *Raconte-moi l'histoire du Champi, non pas telle que je l'ai entendue avec toi. C'était un chef-d'œuvre de narration pour nos esprits et pour nos oreilles du terroir. Mais raconte-la-moi comme si tu avais à ta droite un Parisien parlant la langue moderne, et à ta gauche un paysan devant lequel tu ne voudrais pas dire une phrase, un mot où il ne pourrait pas pénétrer*. Elle ne pouvait, il est vrai procéder autrement. Elle fait partie de ce siècle gigantesque où toutes les promesses furent faites, et tous les chemins ouverts. Lorsque Victor Hugo proclame qu'il a mis un bonnet rouge au dictionnaire, chacun — aujourd'hui — comprend que c'est dans le dessous, et comme à l'envers, du langage qu'il faut vérifier sa tentative. Il en va de la même façon pour George Sand : c'est en la démythifiant qu'on voit paraître les mythes qui la portaient et à la formation desquels elle a si amplement, si généreusement, si passionnément contribué. Elle a par instant une grandeur terrible : celle des contradictions.

GEORGE SAND ET PIERRE LEROUX

A lire nombre d'ouvrages biographiques ou d'analyse consacrés à George Sand, il vient une sorte d'irritation : elle touche au rôle généralement médiocre que les commentateurs attribuent à Pierre Leroux. Il est vrai qu'il y avait de la confusion dans cet esprit emporté, et beaucoup de désordre dans une vie qui prenait misère de toutes parts et risquait de sombrer à chaque instant dans l'enfer des dettes. Mais il serait indu de réduire à cela l'un des hommes qui comptent parmi les inventeurs du XIXe siècle. On ne remarque pas assez à quel point la Monarchie de Juillet, caractérisée par le parapluie du souverain dont la tête irrésistiblement évoquait la forme d'une poire, fut fertile en bouleversements intellectuels. Si Louis-Philippe est porté au pouvoir par les banquiers, et le mot d'ordre du jour sera donné par Guizot : *Enrichissez-vous !* — force est de constater que sous l'éteignoir de la bourgeoisie régnante (le mot d'Odilon Barrot dit tout : *Le duc d'Orléans sera la meilleure des Républiques,* — et il date du lendemain des Trois Glorieuses), couve une prodigieuse activité de l'invention et de la contestation. Une partie des disciples de Saint-Simon forgent, avec Laffite et Rothschild, les structures du libéralisme économique, de l'économie de marché, de la productivité de l'argent par le biais des investissements

172

et du développement des industries : ils triompheront tout à fait sous le second Empire, et seront les artisans les plus efficaces de cet âge d'or du capitalisme français, entre 1852 et 1879. Par contre les utopies et le romantisme vont se faire ensemble. La préface de *Cromwell* et la bataille d'*Hernani* sont des préludes. Hugo le jacobite devient Hugo le révolutionnaire. Le 26 juillet 1830, dans *le National,* Thiers conteste la légalité du gouvernement de Charles X. Le même jour, à la Bourse, la rente baisse de quatre francs. Le 29 juillet, le sang coule. C'est *l'éclair* dont parle et s'enchante Michelet. Un éclair, vraiment : la révolution de Juillet en a la violence, certes ! mais surtout la fugacité. L'espoir se recouche. 1832 verra les barricades du cloître Saint-Merri, et ces événements que, dans *les Misérables,* Victor Hugo nomme *l'Epopée rue Saint-Denis.*

Là-dessous, il y a les bousingos qui sont prêts à tout (du moins en paroles). Il y a des hommes dévorés par le besoin d'agir, tel Godefroy Cavaignac. Il y a des gens de plume qui se cherchent et se forment, qui passent de la bohême aux idées socialistes, qui entretiennent la vivacité brouillonne de l'opposition, ainsi Alphonse Esquiros. Mais il y a Charles Fourier qui, en attendant chaque midi, sur un banc du Luxembourg, son mécène, réforme non seulement le monde mais l'univers entier. Il y a le Père Enfantin, qu'on a chargé de ridicules, mais à qui plus tard Lesseps devra Suez. Il y a Pierre Leroux et son intarissable Encyclopédie, et ses deux ouvrages capitaux : *l'Egalité* et *l'Humanité.* Balzac le met dans son livre : c'est le Léon Giraud des *Illusions perdues.* La postérité lui fut ingrate, et l'on oublie avec constance qu'il a créé deux mots qui firent bien du bruit : *socialisme* et *symbolisme.* Il avait des idées sur la société, qui étaient des idées communautaires, — et il avait également des idées sur la poésie, et si précises qu'on ne voit pas, à la fin du siècle, un écrivain symboliste capable de renier ce que Pierre Leroux, parlant du Symbolisme dans les années 40, déclarait : que la poésie est *destinée à faire entendre au lieu de dire...*

George Sand a ceci de particulier, qu'elle est enthousiaste. Elle se déchaîne autant dans la passion physique que dans l'avidité qu'elle a d'écrire et de conter. *Rien*, confie-t-elle, *n'engourdit les chevilles comme la fatigue délicieuse d'un amour heureux.* Mais rien n'est capable de la détourner de son écritoire, et des vingt grandes pages qu'elle noircit chaque jour. Elle est un tâcheron par force. D'ailleurs, ce qu'on lui reproche, à bien examiner le dossier à charge, ce n'est pas d'additionner des amants *comme tout le monde*, — c'est de vivre seule, c'est d'assumer la charge de sa famille et son entretien, c'est de gagner son argent avec son travail. Ce qui choque, affirme-t-on, c'est de la voir vêtue en homme ! Allons donc ! C'est de voir la « femme Sand » œuvrer comme un homme, s'occuper de politique et de réforme, ne pas dépendre du sexe « fort », et congédier ses amoureux exactement comme les hommes renvoient leurs maîtresses. Si elle était demeurée épouse Dudevant, on lui aurait passé ses liaisons, ses livres, ses impertinences, ses procédures avec les éditeurs. Mais voilà ! elle a gagné son indépendance contre son mari, et demain contre le puissant Buloz de *la Revue des Deux Mondes.* On ne lui pardonne même pas d'avoir refusé d'être exemplaire : elle est, dans ses tribulations, féminine ; et ne consent au féminisme qu'avec prudence. Elle se contente de vivre à sa façon, et Honoré de Balzac rapportera *Béatrix* d'un séjour à Nohant. La non-conjugalité de George Sand, c'est là le scandale. On l'accable de tous les vices parce que son alcôve est de tous les ragots. Victor Hugo s'est honoré lorsqu'il écrivit en 1860 : *Je n'ai jamais plus senti le besoin d'honorer George Sand qu'à cette heure où on l'insulte.* Mais, en 1860, George Sand s'était détachée de Pierre Leroux.

174

Lorsqu'elle rencontre le philosophe, elle sort de ses amours tumultueuses avec Michel de Bourges, lequel lui a, semble-t-il, révélé la nature sauvage de sa sexualité. Elle n'est plus *Lélia,* et pour le prouver, elle va ré-écrire ce livre, l'ordonner sur une autre base que celle, non-dite, esquissée avec des réticences dans l'arrière-texte, de la frigidité. Dans son salon figurent en bonne place Marie d'Agoult, Liszt et, moins assidu, ce père spirituel que lui est alors Lamennais. Mérimée (du moins, on le suppose) a fait là-dessus un quatrain des moins spirituels :

> *Changeant de sexe et de manière,*
> *Elle est Dudevant par-devant,*
> *Elle est George Sand par-derrière ;*
> *Lamennais s'y trompe souvent.*

Prosper Mérimée qui avait le libertinage vorace voulut, si l'on en croit Tocqueville, tâter de la dame : ce fut un fiasco ! Stendhal, en Italie, esquissait, devant elle et Musset, des entrechats sur le pont d'un bateau.

En juillet 1837, Pierre Leroux remarquait dans l'un de ses innombrables articles : *Lélia, c'est une âme qui demande sa nourriture.* Et cette nourriture, eh bien, lui, l'utopiste, pouvait en rassasier cette « âme » justement. Avec sa crinière de lion et son tempérament naturellement porté au religieux, il avait proposé, dès 1831, *une nouvelle synthèse de toute la connaissance humaine.* Du moins travaillait-il dans ce sens, et avec d'autant plus d'ardeur qu'une philosophie officielle tendait à s'imposer, et finit par s'imposer ; celle de Victor Cousin, c'est-à-dire : l'éclectisme. Ce que rejetait l'éclectisme de Cousin, implicitement, c'était justement la religiosité, la tendance au mysticisme, et mieux encore : le rêve et le désir de l'unité (ce que Leroux baptise synthèse), qui ne se peuvent distraire de ce qu'Albert Béguin a nommé *l'âme romantique.* Une phrase de Marie d'Agoult à George Sand marque bien cette appartenance de Pierre Leroux au « profil » du temps : *Il y a tant de poésie dans sa philosophie que vous vous y laisserez prendre et que vous vous trouverez un soir avoir écouté tout un système en pensant ouïr une harmonie de Lamartine.* C'est cela, je crois, qu'il faut comprendre : que Pierre Leroux séduit George Sand non tant parce qu'il est un réformateur de la société, mais parce que sa réforme s'inscrit dans un cadre métaphysique. Le détachement de George Sand vis-à-vis de la religion catholique, qui est religion d'Etat, alliée aux privilèges et à l'argent, voire son hostilité envers le parti-prêtre et Rome, la rendent disponible. Sa ferveur mystique instinctive demeure béante : c'est Pierre Leroux, plus que Lamennais, qui va, sur ce point, lui donner ce qu'au fond elle espère : un évangile humanitaire. Elle n'est pas différente, sur ce terrain, d'un Michelet et de sa Bible de l'humanité ; de Victor Hugo, et de sa religion nouvelle. Pierre Leroux, en 1831, remplaçant le mécène de Fourier par le prophète, écrivait : *Les sages, les philosophes disparaissent dans la foule qui suit le révélateur : et alors cela s'appelle une foi, une religion. Les philosophes détruisent les solutions incomplètes adoptées par l'humanité et cette œuvre importante prépare les religions qui doivent leur succéder et les ensevelir.* Pour George Sand, dès lors, le « révélateur », c'est Pierre Leroux lui-même, en personne, — d'où son mot à Mme Marliani, le 8 mars 1839 : *Puis-je jamais en vouloir à un être que je vénère comme un nouveau Platon, comme un nouveau Christ ?* Elle ira plus loin, après la parution de *Consuelo,* dans une lettre à Ferdinand Guillon, datée du 14 février 1844, — lettre qui va mettre quelque confusion chez les historiens par l'outrance qu'elle montre à prétendre que ce qui est mauvais dans son livre est d'elle, alors que ce qui s'y trouve de bon est de Leroux, ce qu'il faut entendre sur le plan

des idées, — et elle ajoute : *Je ne suis que le vulgarisa-*
teur à la plume diligente et au cœur impressionnable,
qui cherche à traduire dans des romans la philosophie
du maître. Otez-vous donc de l'esprit que je suis un
grand talent. Je ne suis rien du tout qu'un croyant docile
et pénétré. Cela n'est pas exact, littéralement. Leroux
relance l'appétit de George Sand : grâce à lui, c'est
incontestable, elle aborde la partie jusqu'ici la plus mé-
prisée de son œuvre, et qui en est la partie la plus
riche. Grâce à lui, également, elle accepte la veine du
fantastique qui est en elle, et qu'elle avait tendance à
réduire. Leroux la libère dans la mesure où il lui permet d'exprimer ses fantasmes aussi bien que ses audaces.

Ce qui est en question, c'est, une fois de plus, cette
mythologie du progrès qui est au cœur du XIXᵉ siècle,
et autour de quoi toutes les tentatives se regroupent. Le
progrès — notion ensemble irrationnelle et irraisonnable — rassemble les écrivains du XIXᵉ siècle tout en
garantissant leur extraordinaire diversité. Pierre Leroux joue sa partie dans l'élaboration du mythe, et elle
n'est pas négligeable.

Dès 1830, au moment où il rencontre Saint-Simon,
Pierre Leroux est déjà convaincu que l'humanité est
un *être collectif qui se développe.* Mais Saint-Simon
formule une loi de la perfectibilité de l'être collectif,
alors que Leroux applique cette même loi non seulement à l'être collectif mais aussi à l'individu. A l'intérieur du progrès de l'ensemble se situe le progrès de
chacun. Cela ne suffit point : Pierre Leroux complètera
sa théorie, en 1834, en affirmant que *la philosophie,*
ou la religion, est la science de la vie. Autrement dit :
l'être collectif déborde l'humanité et enclôt la nature.
Charles Fourier avait, lui aussi, hissé le phalanstère au
niveau d'une cosmogonie. Pierre Leroux, sans le copier,
l'imite. Il croit absolument à la métempsychose, où

George Sand refusera de le suivre, jugeant que toutes les femmes du monde (du beau monde, s'entend) prétendent avoir été, dans une existence antérieure, Marie-Madeleine, ce qui leur permet d'associer la pratique du libertinage aux hypocrisies de la vertu.

L'influence de Pierre Leroux sur George Sand commence à se marquer dès *Mauprat*, mais d'une façon diffuse, peu nette, à peine perceptible. Par contre, lorsque Sand commence à rédiger *Spiridion*, fin 1837, à Nohant, la doctrine de Pierre Leroux, et surtout la « libération » spirituelle que lui apporte Leroux s'exercent à plein. Leroux ? Oui, mais aussi un nouvel amour : Chopin. Du coup, *Les Sept cordes de la lyre* vient se jeter dans la traverse, et bouleverser les projets. *Spiridion* est provisoirement abandonné. Le drame — ou poème (ce qui est mieux) — l'emporte. Il est d'une ambition certaine : c'est le *Faust* de George Sand, ni plus ni moins. Le public des lecteurs est superbement ignoré. Buloz, la main forcée, publie l'ouvrage, et geint : *Je voudrais voir Albertus au diable au lieu de mon argent*. Et George Sand, admirable de dédain, lui répond : *Vous devenez ambitieux aussi, vous avez la prétention de comprendre ce que vous éditez*. Malheureusement, l'accueil est des plus froids : c'est le silence. Pour les amis : un silence consterné. Une seule voix dit son admiration (et en vers) : celle d'un jeune écrivain débarqué de l'île Bourbon, Leconte de l'Isle !

Il y a, dans l'esprit de George Sand, une autre ambition que celle de créer un *Faust* français ; celle de rendre complet son amour pour Chopin, de compléter par une affirmation qui est le « texte » sa passion même. C'est ainsi que les principaux personnages des *Sept cordes de la lyre* s'appuient sur des « pilotis » à la fois discernables et étrangement mêlés. Chopin, aucun doute là-dessus, c'est l'Esprit de la lyre. Mais Hélène ? C'est George Sand métamorphosée : elle a les traits de Marie d'Agoult, *clair de lune incarné*, — et elle est aussi une George Sand future, dont celle qui tient la plume, et compose à toutes brides, n'est que la chrysalide. Hanz est, par euphonie, une autre part de Sand, mais c'est Franz Liszt. Méphistophélès fait songer à Victor Cousin, par sa proclamation d'éclectisme. Et Albertus ? Pas du tout Gautier, dont c'était, après son poème, le pseudonyme. Le nom est hérité plus directement d'Edgard Quinet. On y trouve Pierre Leroux, mais sous des masques qui sont ceux, conjoints et mélangés, de Michel de Bourges et de Lamennais. Albertus, c'est un père en trois personnes. *Les Sept cordes de la lyre* est aussi l'affirmation de l'art, et c'est — surtout — un triomphe du romantisme. Un triomphe qui va s'accomplir, avec une bien autre grandeur, dans *Consuelo,* ce *Wilhelm Meister* réussi de bout en bout. Il y a, des *Sept cordes de la lyre* à *Consuelo* un retournement fondamental : dans le drame, c'est la femme (Hélène) qui supporte la folie et exerce, pythonisse épileptique, la voyance, — alors que dans le roman tout est inversé : la folie et la voyance vagabonde sont l'apanage de l'homme (Albert). Dans le drame, Hélène est encore l'héroïne romantique traditionnelle : le mythe romantique est fidèle à son enracinement masculin. *Consuelo* est au contraire : la femme, dans le fonctionnement du mythe, y remplit le rôle jusqu'alors réservé au héros. Pierre Leroux avait raison : *C'est vous,* s'exclama-t-il, *qui êtes Consuelo.*

Spiridion terminé, Pierre Leroux fait lire à George Sand le livre d'Agricol Perdiguier : *le Livre du compagnonnage*. Enthousiasme. En mai 1840, la dame de Nohant (qui n'est pas encore la « bonne dame ») rencontre Avignonnais la Vertu. Il en sortira *le Compagnon du Tour de France*. Perdiguier est à l'origine de ce nouveau roman. Mais Leroux ? Marie d'Agoult juge, dès la parution, que *le roman de Mme Sand est le développement de la trinité de Leroux : l'homme est sen-*

*sation, sentiment, connaissance. Elle a fait trois fem-
mes —* ajoute Mme d'Agoult — *représentant ces trois
notions, la dernière, dit Sainte-Beuve, doit être une mauvaise connaissance.* Passons sur le mot du lundiste ! Il
est vrai que, dans l'élaboration de son système, Pierre
Leroux, procède par triades. A tel point que, dans *le
Compagnon du Tour de France,* nous voyons une triade multipliée, aux trois caractères de femmes vues par
Marie d'Agoult se mêlant une même organisation des
caractères masculins. La sensation y est le lot de la
marquise des Frenays, mais celui également d'Isidore
Lerebours. Le sentiment appartient à la Savienne, et
aussi à Amaury. Yseult de Villepreux incarne, ainsi
que Pierre, le degré de la connaissance. C'est le temps
où Pierre Leroux, décisif, proclame : *Je crois à la vie
éternelle, à l'humanité éternelle, au progrès éternel.*
George Sand, infatigable, écrit *Horace.*

Horace est un roman par trop dédaigné. Il s'établit
autour des événements insurrectionnels de 1832. On
entend Godefroy Cavaignac y dire : *La religion, comme
nous l'entendons, nous, c'est le droit sacré de l'humanité.*
Puis George Sand, dévorant des bibliothèques ingrates,
prise d'un vertige trépidant, livrant sa copie par fragments fiévreux, produit ce qui n'est pas loin d'être son
chef-d'œuvre : *Consuelo,* avec son supplément obligé :
la Comtesse de Rudolstadt. Ce livre touffu, rebondissant, tenant au roman noir et au picaresque, conte musical et récit ésotérique (elle avait écrit à Pierre Leroux,
en juin 1843 : *je crois bien qu'il y aurait à faire un
grand travail sur l'histoire* occulte *de l'humanité*) est
le seul véritable équivalent français du *Bildungsroman*
ou roman de formation (avec ce que le terme implique
de ferment initiatique). Suivra un livre que Balzac
jugeait *sublime,* et qui est *Jeanne.* L'influence de Leroux
glisse dès lors vers l'application du système à la réforme
de la société. On lisait déjà dans *Consuelo* cet apho-

risme : *Tout ce qui n'est pas l'échange doit disparaître dans la société future.* Ce qui conduit au rêve communautaire qui s'exprime dans *le Péché de Monsieur Antoine*, et à la religion future qui verrait naître le bonheur par l'amour et la richesse par le dépouillement : *le Meunier d'Augibault.*

Puis Pierre Leroux s'efface petit à petit, disparaît de l'horizon de George Sand (*le désordre*, dit-elle, songeant à lui, *entraîne la déloyauté*). Sa trace se voit encore dans les deux premiers chapitres de *La Mare au diable*. 1848 les rapproche : Leroux est élu représentant du peuple, et l'on connaît les activités de George Sand. 1851 les sépare : pour Leroux, c'est l'exil. Pour Sand, c'est Nohant. Les chemins, ici, divergent. Et lorsque Leroux écrira *la Grève de Samarez*, il parlera avec tristesse de ce qu'il juge être la trahison de George Sand, mais il a ce cri : *Sibylle armée du rameau d'or, ô fille d'Harmonie.* Rentré d'exil en 1859, Pierre Leroux meurt à Paris le 12 avril 1871, sous la Commune. Il s'agissait là d'un autre rêve...

INITIATIONS, LABYRINTHES
ET METAMORPHOSES

> *Dans une belle œuvre, que je voudrais*
> *mettre sous le nez des critiques, et*
> *dont le titre,* Consuelo *qui veut dire*
> *consolation, est symbolique, George*
> *Sand fait comprendre que le chant*
> *est une méthode pour vivre, pour sup-*
> *porter, pour surmonter.*
>
> Alain.

Dans l'un des derniers chapitres des *Mémoires d'ou-tre-tombe,* Chateaubriand égratigne George Sand. Ce coup de griffe vaut un hommage. L'enchanteur de l'Abbaye-aux-Bois, qui faisait paraître réelles les ombres lorsqu'il lisait ses pages à Mme de Récamier, a un regard de proie : *Peut-être les ouvrages de madame Sand,* écrit-il, *doivent-ils une partie de leur effet à ce qu'ils sont d'une femme.* Un tel jugement signifiait, dans son esprit, une critique. Les temps ont changé ! Il a connu George Sand en 1835. *Indiana,* qui est, à première vue, un *René* en jupon, pouvait le séduire, et le séduisit. *Lélia* lui parut effrayant : on y voyait au vif une grande nouveauté pour l'époque : la machinerie de cet animal dont on ne voulait connaître que les charmes et la position en retrait de la société : la femme. *Lélia* montrait qu'il se passait des choses à l'intérieur de cet objet de convention et de commodité. Il y avait là-dedans de l'inconnu, dont le vicomte voulait se défendre. Et puis quoi ? une telle obstination à prétendre unifier les domaines de la passion, qui sont aux sentiments ; et les territoires du mariage, qui tiennent à la marche du monde, cela n'était guère convenable. Chateaubriand, qui avait connu et vécu bien des désordres, n'était pas loin de trouver cette nouveauté-là intolérable. *Quand les femmes courront les rues ; quand il suffira, pour se marier, d'ouvrir une fenêtre et d'appeler Dieu aux noces comme témoin, prêtre et convive : alors toute pruderie sera détruite ; il y aura des épousailles partout et l'on s'élèvera, de même que les colombes, à la hauteur de la nature.* L'ironie est mordante. C'est que, pour Chateaubriand vieilli, enfermé dans un discours qui doit sauver sa vie ; pour ce Chateaubriand qui s'est tellement mélangé à la politique que la politique le rattrape et l'empêche de s'enfoncer à la suite de Rancé dans la contemplation et le retranchement ; pour ce Chateaubriand qui s'affirme prêt à descendre au tombeau le crucifix à la main, — il y a deux ordres de vertus : celles qui appartiennent à Dieu et à son Eglise, et qui font, à défaut de bonne littérature, d'édifiantes confessions ; celles qui sont de la terre et ne peuvent se distinguer des convenances. Chateaubriand a vu trop la société changer pour souhaiter qu'elle change encore. Si les lois sont chancelantes, il importe que l'étiquette soit rigide. Une femme qui se vêt en homme, qui publie *Lélia,* si elle cesse un instant d'être singulière sera aussitôt commune. Il réduit Sand à un mouvement sans lendemain. Il juge que c'est là une agitation qui ne laissera pas de traces. Jamais cette femme qui est — lâchons le mot qu'il tait — un « phénomène », un « cas » que l'on exhibe sans l'admirer, n'écrira un livre où les hommes futurs, au matin, de leur vie, découvriront des sensations inoubliables. Bref ! elle ne peut, du tout, témoigner pour un siècle dont elle n'est qu'une erreur. Où il voit juste, c'est lorsqu'il souligne le vrai du scandale : les ouvrages de George Sand *sont d'une femme*. Entendez : d'une femme qui met au jour, contre la convention, des sentiments qui sont d'une femme. Eh ! elle n'est pas, et de loin, le seul écrivain du beau sexe. La production des « bas bleus » ou des maîtresses de salons est, à cette époque, fort nombreuse : elle n'est en aucun cas redoutable. Ces dames jouent le jeu, ne troublent rien, ajoutent du rose aux couleurs du temps, et mettent du romanesque dans un siècle anxieux. Elles disposent des bouquets et des feuillages, des broderies et de la naïveté dans une maison qui se délabre. Voilà qui est bien. D'ailleurs, elles restent à leur place, — qui fut marquée par Dieu, — et si elles donnent dans la politique ce n'est jamais que pour aider à la carrière de leurs époux. Elles enjolivent le quotidien. A défaut d'être des courtisanes de lit, certaines se font courtisanes de plume : plusieurs avouent la double vocation. Elles vont du boudoir à l'écritoire avec les mêmes grâces éphémères. Et encore, Chateaubriand semble n'avoir pas lu *Consuelo* ni *la Comtesse de Rudolstadt*, ce qui l'aurait effrayé plus encore, et plongé certainement dans l'indignation. Cette apologie de la musique l'aurait indisposé, lui qui n'aimait que la sienne. Le plaidoyer en faveur de la liberté des femmes dans le choix de l'époux l'aurait mécontenté au-delà du possible. L'exaltation des révolutionnaires et des mots d'ordre jacobins l'aurait mis en fureur. Il aurait eu d'autres traits, dans la mesure où cette Bohême que George Sand inventait, il l'avait, lui, parcourue réellement et s'y était attardé. Mais au moment où *Consuelo* voit le jour, il est avec Rancé, et tout entier dans l'abandon du terrestre. Mystique contre mystique, c'était la mort pesante, caressée avec une horreur lyrique, contre une imagination dansante et envahie par le picaresque. Non pas deux mystiques, mais deux romantismes, et inconciliables. Une fin de vie passionnément consacrée à se rameuter et à se résumer, voilà Chateaubriand révisant ses *Mémoires* pour opposer à la mort le sens et l'unité de son existence. Une tentative désordonnée pour proposer aux hommes une unité mythique, et un effort discontinu pour sauter par-dessus le cadavre et le nier, voici George Sand écrivant *Consuelo*. Deux Christ l'un à l'autre opposés ; deux conceptions sociales sans commune mesure se heurtant l'une l'autre ; deux styles qui sont deux mondes l'un à l'autre hostiles : rien, décidément, ne pouvait rapprocher Chateaubriand de George Sand. Excepté ceci : le besoin de l'unité. Mieux : sa nécessité. Mais comment voir autrement le romantisme ? Il est tout entier dans ce paradoxe : le « Je » est épars, le « Moi » est en miettes. Il ne reste de l'univers que des débris. Alors, ils se retrouvent tous dans un immense labeur : ils écrivent avec une insistance orageuse, accumulant les volumes sur les volumes, détournant l'attention d'un aussi gigantesque travail, prétendant que c'est la nécessité matérielle qui les courbe sur les feuillets noircis. Il y a là une nécessité, oui ! mais elle tient à une urgence inavouée, peut-être inavouable : le besoin d'être, qui est un besoin d'ordre. A cette dispersion, dont témoigne le galop de l'histoire, que soulignent les événements bousculés, depuis le règne de la Pompadour par Louis XV interposé jusqu'au soulèvement de Juillet 1830, en passant par 89, 93, l'épopée impériale, le sacre de Reims : autant de tumultes et d'actions qui, à la fois, furent réelles, vécues, éprouvées, et sont éminemment, étrangement symboliques, le dessein de l'histoire prenant plaisir, dirait-on, à se dissimuler dans la trame de ce monumental dessin, — à cet éclatement du « sens », les romantiques entreprennent, avec angoisse, avec acharnement, avec des maladresses admirables, de répondre par la reconquête du « sens ». Qui dit unité dit utopie. Qui dit romantique dit utopique. *Consuelo* est une utopie portée, comme l'écrit si bien Alain dans ses *Propos de littérature,* par la musique, qui est l'art ; et sauvée, à nos yeux du moins, par cette apologie de la musique, du chant et de la danse, qui sont les formes de la liberté. Alain ajoutait : *Et que serait la danse, si elle n'était un art d'aimer qui sauve l'homme de l'animal ?*

A première lecture, l'aspect le plus remarquable de *Consuelo* et de *la Comtesse de Rudolstadt* réside en ceci que l'action qui y est contée se passe au XVIII° siècle. George Sand la romantique revendique ainsi, explicitement, ce que l'on découvre par le concept de « préromantisme » et dont les érudits disputent amplement. La première vague du romantisme avait entrepris d'abolir, sinon dans la forme, au moins dans le fond, le siècle classique : Théophile Gautier par ses *Grotesques* et *Mademoiselle de Maupin* découvrait, avec une ivresse un peu iconoclaste, le temps de Louis XIII ; Victor Hugo, avant d'élaborer une esthétique sans frontières : elle est dans son *William Shakespeare,* renvoyait au Moyen Age par les *Ballades* et par *Notre-Dame de Paris.* Jules Michelet, bouleversant les Archives nationales, créait l'Histoire, y asseyait le présent, en faisait le tremplin des temps à venir. Il s'effectuait, je l'ai dit, une lecture « symbolique » des événements. L'homme entrevoyait, dans ces brumes impossibles à écarter, la longue marche parcourue au fil des siècles. Les poètes inventèrent une mythologie qui tendait à devenir une religion. L'homme n'était plus posé sur le sommet du temps, mais il était plongé dans l'écoulement universel, aveuglé par la vague, roulé par l'élément, inconnu à lui-même. Le voici devenu tel que le voit Alfred de Vigny : *un nageur incertain.* S'il se détourne pour jeter un regard derrière lui, il perçoit un chaos agité de rêves. Ce sera demain *la Légende des Siècles* de Victor Hugo. Mais c'est aussi bien Ballanche ou Soumet. L'heure est au syncrétisme, qui permettrait d'ajuster les pièces du puzzle. Mais l'heure est également à la religion, et à une interrogation fondamentale : la Bible et l'Evangile marquent une origine. Or, cette origine n'est pas absolue dans le temps, il s'en faut. Des textes plus anciens encore sont exhumés ; des mythologies antiques viennent appuyer les mythologies qui sont aujourd'hui en gestation. Il y a des Christ avant le Christ : préfigurations, annonciations, prophéties, ce que l'on voudra. Au-delà du point où la lumière de la connaissance du passé peut porter l'œil, il y a encore de l'inconnu construit de mains humaines. Passée la borne où s'évanouissent les témoignages de civilisations, il y a, engloûties, effacées, perdues, des civilisations encore. Que le nageur regarde vers la rive opposée, il ne voit rien. Il ne sait même pas où elle est, ni si une telle rive existe. Or, elle existe, à moins que cette nage ne soit vaine. A quoi servirait à M. de Chateaubriand de corriger avec un soin minutieux ses *Mémoires,* si ces *Mémoires* ne peuvent trouver, quelque part dans l'au-delà terrestre, un ancrage ? Et pourquoi M. de Vigny, qui a le pessimisme certain, confierait-il à la publication cette *Bouteille à la mer* si elle devait ne s'échouer jamais sur quelque plage plus stable ? Ce qui se produit alors, c'est une rencontre entre la poésie et la science, entre ceux qui rêvent et ceux qui cherchent, entre ceux qui créent les questions et ceux qui tentent de résoudre les problèmes, entre ceux qui se soucient de la destinée des astres et ceux qui bâtissent les premiers ateliers. Cette rencontre crée un mythe : celui du Progrès. Le XIXe siècle a ceci de particulier sur tous les autres : qu'il croit au bien, et au bonheur, avec une rapacité de vautour. Tout est bon qui vient conforter le projet collectif. La culture est une panacée. La conquête de l'air, une promesse. Le suffrage universel, la pierre philosophale. La démocratie, le paradis perdu soudainement retrouvé. Comme le XIXᵉ siècle a de lui-même l'image d'un siècle qui construit, il prend du XVIIIᵉ siècle l'idée d'un siècle qui a détruit. C'est ce que pense l'école de Saint-Simon, et ce que décident ses disciples. Du moins : presque tous ses disciples. Pour mon propos, il importe d'en excepter au moins un : Pierre Leroux. Et c'est Pierre Leroux que George Sand, sur ce point-ci comme sur d'autres, suivra lorsqu'elle écrit, dans la fièvre, ce roman de dimensions considérables qu'est *Consuelo*.

L'auteur ne voit pas dans le XVIIIᵉ siècle exclusivement le Siècle des Lumières, pas plus qu'elle ne le conçoit uniforme ou linéaire. Il a, pour elle, des soubresauts, des tremblements. On le voit comme une addition de certitudes. George Sand y ajoute l'irrationnel. Elle y met les doutes, les repentirs. Elle oppose à ceux qui le présentent comme une surface nette, brillante, occupé de bout en bout par l'exercice et la découverte enivrante de la raison pratique, une profondeur agitée d'ombres, de ténèbres, de secrets. Romantique, son regard répond sur son objet le clair-obscur : ainsi contemple-t-elle le XVIIIᵉ siècle. Le clair-obscur, c'est la couleur des labyrinthes. C'est le ton du Piranèse. C'est la teinte des *Rayons et les Ombres* de Victor Hugo. Le XVIIIᵉ siècle, dans *Consuelo*, ce roman peuplé de labyrinthes, est un labyrinthe lui aussi. Qui parle de labyrinthe a dans l'esprit la Chambre secrète, où est la connaissance : George Sand n'échappe pas à cette règle. A un endroit de *Consuelo*, dans une note en bas de page, qu'elle ajoute pour préciser ce qu'est une scène de théâtre non plus examinée par le spectateur mais par l'acteur qui s'y meut, elle évoque un tableau : le *Philosophe en méditation* de Rembrandt. Qui gîte dans la Chambre secrète, sinon celui qui médite, celui qui sait :

le philosophe ? Ce qu'elle écrit alors, dans cette note, vaut pour son idée du XVIIIᵉ siècle tel que, *dans le roman,* elle le recrée : *cette grande chambre perdue dans l'ombre, ces escaliers sans fin, qui tournent on ne sait comment ; ces lueurs vagues qui s'allument et s'éteignent, on ne sait pourquoi, sur les divers plans du tableau ; toute cette scène indécise et nette en même temps...* Dès lors, pour George Sand, le XVIIIᵉ siècle ne peut en aucune façon être séparé du XIXᵉ siècle, non pas que le premier porte le second, mais parce que le second naît dans ce creuset que lui fut le premier : *si notre siècle arrive à se résumer lui-même, il résumera aussi la vie de son père le dix-huitième siècle, ce logogriphe immense, cette brillante nébuleuse.* Puis, plus nettement encore, elle écrit du XVIIIᵉ siècle qu'il fut un *laboratoire effrayant, où tant de formes hétérogènes ont été jetées dans le creuset, qu'elles ont vomi, dans leur monstrueuse ébullition, un torrent de fumée, où nous marchons encore enveloppés de ténèbres et d'images confuses.* Par quoi nous sommes rendus ensemble au labyrinthe, qui est l'image ; et à l'unité, qui est le mythe. Et lorsque, dans *la Comtesse de Rudolstadt,* le porte-parole de la société secrète des *Invisibles* s'adresse à Consuelo et lui déclare : *C'est une religion que nous voulons reconstituer,* il livre la clé de l'ouvrage romanesque de George Sand, mais il s'agit d'une clé double. Premièrement, en effet, il ne fait aucun doute que George Sand partageait l'avis de Lamennais, de Saint-Simon, de Leroux, de bien d'autres encore, à savoir que la question sociale bien comprise est une question religieuse. Ou bien encore : qu'une question sociale exige une réponse religieuse. Son désaccord avec Saint-Simon porte précisément sur le XVIIIᵉ siècle. Pour Saint-Simon, le XVIIIᵉ siècle est essentiellement une « époque critique » : c'est Voltaire livré sans frein à son examen corrosif. Sand, par contre, suit Leroux : le XVIIIᵉ siècle est *à la fois* critique ET organique. Il détruit et il construit. A Voltaire, il faut adjoindre Rousseau. L'un ne va pas sans l'autre. A Helvetius, il convient d'ajouter l'illuminisme. Ceci n'est pas l'envers, ni le contraire, de cela. Ceci complète cela. Otez Voltaire, Rousseau cesse d'inventer la société. Enlevez Rousseau, Voltaire perd de son efficace. Maintenez Helvetius ET l'illuminisme : vous avez le tout, qui est *un torrent de fumée*. Ou bien encore, pour demeurer sur le terrain « mythologique » qui est celui de *Consuelo :* il faut joindre à l'exotérisme l'ésotérisme. Au manifesté, le secret. A ce qui se voit dans la clarté, ce qui se trame dans l'obscur. A ce qui est visible, ce qui ne l'est pas : la société secrète souveraine que George Sand, dans *la Comtesse de Rudolstadt,* met en jeu pour les besoins de sa cause, se nomme la Société des *Invisibles.* On songe à cette compagnie des Treize dont rêvait Honoré de Balzac ! D'ailleurs, le porte-voix des *Invisibles* déclare qu'il existe deux modes d'action à l'application desquels veille la Société : l'un *est tout matériel,* il vise à *miner et faire crouler l'ancien monde par la critique* (c'est Voltaire, et c'est l'*Encyclopédie*) ; l'autre *est tout spirituel : il s'agit d'édifier la religion de l'avenir.* Du coup, la source « sentimentaire » de *Consuelo* se perçoit admirablement : c'est Rousseau : les *Confessions,* l'*Emile,* le *Vicaire savoyard* et *la Nouvelle Héloïse.* Voici dès lors paraître non pas l'autre clé du roman de George Sand, mais le double de cette clé livrée par l'initiateur, ce versant qu'Alain, en une phrase, a si bien mis en lumière : le salut par la musique, qui est l'art. L'art, c'est le poème. La fonction du poème au XIXe siècle, c'est de dégager, hors du *torrent de fumée,* ce rivage qui permettra à la nage de n'être plus hasardeuse, au nageur de ne plus être aveuglé par l'incertitude de ses efforts : l'unité, qui est l'utopie ; l'utopie, qui est le mythe ; le mythe, qui est le Progrès. Le Progrès, c'est la lumière. C'est la fin de l'occulte.

Plus de secret : voilà la démocratie, c'est-à-dire l'Humanité.

Si Fabre d'Olivet, à qui revient, par instants, un rôle d'initiateur, si Ballanche, si Balzac lui-même admettent ou semblent admettre un régime théocratique, il n'en va pas de même pour George Sand et ses amis. Il est vrai que la théocratie a suscité ses utopies. Il est vrai que les utopies qui se sont succédé, sur le modèle de la République de Platon, depuis Campanela jusqu'au Saint-Just des *Institutions,* en passant par Thomas Moore ou Cabet, ferment l'horizon, clôturent l'avenir, inscrivent un « maintenant » décisif autant que définitif : ce sont des utopies totalitaires. Mais dès lors que les utopies admettent l'idée du Progrès, elles se modifient du tout au tout : loin d'interdire, elles permettent. La dynamique y remplace la rigueur. Leur moteur, qui est ce mythe nouveau : le Progrès, étant, par essence, indéfini, elles sont indéfinies dans leur croissance. Elles n'ont d'autre lointain que l'absolu. Elles témoignent pour un mouvement infini qui a un « sens ». Dès lors, elles disposent que l'Age d'or est *devant* les hommes, et non plus derrière eux. Pour George Sand, dans *Consuelo,* les prêtres des époques reculées possédaient, peut-être, des entrevisions du futur, sur quoi s'appuyaient leurs prophéties, mais ils n'étaient aucunement en possession de secrets merveilleux qui nous seraient à jamais perdus. La « cité antique » est imparfaite par nécessité. Le « despotisme monacal » est un stade heureusement dépassé. Le « temple d'Osiris » est une fable dépourvue d'actualité. Gérard de Nerval fait du meurtre d'Hiram une « illumination » de son *Voyage en Orient.* George Sand voit dans ce même meurtre l'acte des révoltés soudain dressés contre le maître. Au fond, il importe principalement de choisir : ou bien la tradition, ou bien le progrès. Il n'existe aucun accommodement ni moyen terme. Cependant, deux visages émergent hors de ce dilemme, ne peuvent être réduits, abolis par lui : celui du Christ, celui de Satan le Porte-Lumière. Aussi acharnés soient-ils, les George Sand, les Leroux, à se vouloir *constructeurs cachés d'une société nouvelle,* ceux-là qui, dans *Consuelo,* s'avouent sous le masque des *Invisibles,* — ils ne peuvent renier cette mythologie religieuse de l'Occident qui est basée sur la Révélation et la Rédemption. On voit mal, généralement, combien et comment le XIXᵉ siècle élabore et édifie un nouveau Christ. *Consuelo,* dans les scènes de l'initiation de la comtesse de Rudolstadt, apporte, sur ce point, divers renseignements non négligeables et cependant négligés. Par exemple, voici le dialogue qui s'établit entre la comtesse et l'initiateur : — *Qu'est-ce que le Christ ? — C'est la pensée divine, révélée à l'humanité. — Cette pensée est-elle tout entière dans la lettre de l'Évangile ? — Je ne le crois pas ; mais je crois qu'il est tout entier dans son esprit !* Or, que cherche le XIXᵉ siècle, vers quoi tend le poème par quoi il a entrepris de se résumer (et dont seul l'un des derniers grands du romantisme : Stéphane Mallarmé, par son idée du Livre, finalement, s'est approché), en quelle entreprise sans retour souhaite-t-il s'engager ? Eh bien, dans la mise au jour d'un Evangile. D'un Evangile qui, étant à la fois l'esprit (l'Humanité) et la lettre (le Livre), serait, au sens le plus littéral, l'Evangile du Peuple. Voilà Hugo, voilà Michelet ! Voici Ballanche, et George Sand ! Balzac et Nerval sont présents eux aussi ! Et dix, vingt autres. La littérature, disons plutôt : l'art (dont l'espace, le couronnement et l'épiphanie sont le Poème seul), — est le trépied de la révélation. Le poète, c'est le mage. George Sand reprend à Ballanche un terme familier : c'est le *voyant.* Avant son avènement, il y avait le sorcier, leurre primitif, étape nécessaire mais fallacieuse, auquel le poète enfin succède, — et George Sand, dans *Consuelo,* comparant le poète au sorcier, écrit magnifiquement que le premier (le poète) *rêve à coup sûr, tandis que l'autre invente au hasard.* Ouvrez Victor Hugo, celui du *Seuil du Gouffre*, par exemple ! Le poète ? Il a

... cette intimité formidable avec l'être.

C'est un *songeur farouche,* familier des

... prodiges au fond du mystère entr'ouverts.

Il rêve. Mais son rêve est une parole. Il dit parce qu'il est immobile, parce que *les feuilles* le recouvrent, *sans bruit,* l'ensevelissent en le dévoilant, *ainsi qu'un chêne dans la nuit.* Mais ce mage, ce poète, un mot le requiert, vers l'énonciation duquel il s'efforce :

... il peut tout ; hors ceci : nommer Dieu.

Nommer Dieu ? Oui ! Non plus comme au sein des mystères obscurs que les théocrates imaginent dans les entrailles des antiques Pyramides, dans les souterrains des temples éboulés ; non plus à la façon des cabalistes, ni de ces chercheurs fanatiques des phonèmes sacrés ; ni à la manière des mystagogues. C'est à l'inverse :

Nommer Dieu de façon que l'abîme comprenne...

Que l'abîme comprenne, et c'est la Rédemption. Que l'abîme comprenne, et c'est l'Evangile enfin. Là, Victor Hugo s'accorde avec George Sand : trois mots illuminent l'édifice : *Liberté — Egalité — Fraternité.* Il n'est plus qu'un sanctuaire : la République, qui suppose le suffrage de tous, et, pour ce faire, l'éducation de tous. George Sand est formelle : la justice doit triompher de la charité. On lit dans *Consuelo* ces phrases sans équi-

193

voque : *L'aumône avilit celui qui la reçoit et endurcit celui qui la fait. Tout ce qui n'est pas l'échange doit disparaître dans la société future.* Voilà le grand mot lâché : l'échange. Le socialisme de George Sand tient en ce seul mot. Il faut l'échange sur le plan social, ce qui implique une réforme des fortunes et des rémunérations. Il faut l'échange sur le plan de l'art, ce qui exige la culture également partagée entre tous. Il faut l'échange sur le plan du couple, ce qui amène une transformation totale de la conception du mariage, autrement dit : *le droit imprescriptible de l'amour dans le mariage.* Consuelo complète ainsi l'aphorisme : *ce qui distinguera toujours la compagne de l'homme de celle de la brute, ce sera le discernement dans l'amour et le droit de choisir.* Rien n'est plus fondé que le divorce : *La loi de l'humanité (...) veut une réciprocité d'ardeur, une communauté d'aspirations entre l'homme et la femme. Là où cette réciprocité n'existe pas, il n'y a pas d'égalité ; et là où l'égalité est brisée, il n'y a pas d'union réelle.* On découvre là l'affirmation et les limites de ce « fameux » féminisme de George Sand, qui fait l'objet de très vaines gloses...

Revenons, un instant encore, au Christ des romantiques. Mieux encore : au Christ qui se donne à voir dans *Consuelo.* C'est un exemple incomparable. Mais ce ne peut être Dieu. Et ceci pour une raison bien simple, qui nécessite et que nécessite la mythologie tentée par le XIXᵉ siècle : Dieu est futur. A pousser à l'extrême les propositions éparses et lyriques des romantiques (quitte donc à les tronquer, mais à peine), on constate que pour eux Dieu est incomplet, parce qu'il est privé de l'homme. Il faut que Satan soit sauvé, que justice soit rendue à Satan, afin que Dieu, enfin, se réconcilie avec lui-même, et — au terme — soit ! A la limite : l'esclave interdit Dieu. Où est l'esclave ? Dans la pesanteur du silence, enchaîné. Satan ? Zdenko l'innocent salue Consuelo en ces termes énigmatiques : *Que celui à qui on a fait tort te salue !* Lucifer, c'est Prométhée. Prométhée, c'est le Christ du XIXᵉ siècle : le voleur de feu, qui s'empare maintenant des machines à vapeur et fait jaillir haut les flammes « productrices » des ateliers ; le voleur de culture et de science, qui — pareil à la devise de Larousse — « sèmera à tous vents » ; le voleur de justice qui bannira l'injustice. Dans ses *Litanies de Satan,* Baudelaire, contempteur féroce de George Sand, écrira :

O prince de l'exil, à qui l'on a fait tort !

Les deux visages que j'ai dit, et que ni Victor Hugo, ni George Sand, ni, finalement, Jules Michelet, ne parviennent à conjurer : Christ et Satan, — loin de se contredire, vont au contraire s'allier. On notera, dans *Consuelo*, cette phrase : *C'est lui, Jésus, qui est le miséricordieux, le doux, le tendre, et le juste : moi* (Satan), *je suis le juste aussi ; mais je suis le fort, le belliqueux, le sévère, et le persévérant.* Les ténébreux et les tyrans, les despotes et les nantis prétendent que je suis le prince de la Ténèbre, alors même que je porte la Lumière dans les bas-fonds où la seule Humanité (entendez : le Peuple) périt, ignorante et exploitée. Le monde s'est courbé durant dix-huit siècles devant le Christ. Le monde a permis durant dix-huit siècles que l'Eglise, abusant de son nom, s'arroge la puissance. Mais si le monde *pendant dix-huit siècles* a adoré Jésus, c'était *sans le comprendre.* A cet instant, George Sand met dans la bouche d'un personnage romanesquement situé au XVIIIᵉ siècle ces paroles qui hantèrent le Romantisme : *et il* (Jésus) *ne sera réellement compris que lorsqu'il sera détrôné du rang où la superstition l'avait placé.* Tout est, d'après Consuelo, dans l'« esprit » de l'Evangile. Il y manque la « lettre ». Maintenant, le sens se dessine : la Révolution française a permis à l'Evangile *d'être dit.* Elle a chassé hors du Temple les marchands de la foi, qui sont les prêtres. Elle a remplacé les mystères par la clarté. Les rites par la fête. La communion cérémonielle par le calice de bois rugueux des Hussites. Le symbole de l'hostie, rondelle armoriée et sans saveur, par la solidité, l'*épaisseur,* la réalité lourde et touffue des deux espèces : le pain et le vin. Le rite lointain, par le banquet fraternel. L'Evangile retrouvé, c'est la société politique enfin fondée. La religion qu'il faudra, à partir de là, bâtir, — tâche fantastique à laquelle s'acharnera le XIXᵉ siècle, — se résume, ainsi que la République en trois vocables. Premièrement, elle accueille sans contraindre : c'est la liberté. Deuxièmement, elle rejette les sacerdotes et les interprètes ; elle n'est point initiatique et ignore les voiles : c'est l'égalité. Troisièmement, elle s'adresse à tous, faisant de chacun le libre égal de son prochain : c'est la fraternité. Cet Evangile-là ne connaît et ne respecte qu'un seul symbole (on le trouve dans le traité sur *l'Egalité* qu'a publié Pierre Leroux) : c'est *le repas des égaux.* Christ ? George Sand n'élude pas le problème : *Le Christ est un homme divin que nous révérons comme le plus grand philosophe et le plus grand saint des temps antiques. Le culte christique ? Nous pouvons bien nous agenouiller auprès de sa cendre, pour remercier Dieu de nous avoir suscité un tel prophète, un tel exemple, un tel ami ; mais nous adorons Dieu en lui, et nous ne commettons pas le crime d'idolâtrie.* Enfin : *Nous distinguons la divinité de la révélation de celle du révélateur.* Et, de la même façon que Dieu doit advenir lorsque adviendra le Peuple, l'Evangile est lui aussi incomplet. Consuelo est ferme sur ce point : *J'attends le développement de l'Evangile, j'attends quelque chose de plus que l'égalité devant Dieu, je l'attends et je l'invoque parmi les hommes.*

Le roman de George Sand est d'abord un roman de l'initiation. Il se présente à la façon d'un labyrinthe, autrement dit : d'un périple tremblé, où les épreuves enseignantes se multiplient, chacune d'entre elles prenant la forme d'un labyrinthe secondaire, et toutes, au terme, tendant à nous faire pénétrer dans la Chambre secrète que le labyrinthe a pour mission de défendre et de protéger. Cette Chambre secrète est, bien entendu, située dans l'endroit romanesque le plus touffu, celui que désigne et qui désigne le mieux la mythologie à laquelle travaille — alors — George Sand, et qui est une transcription illimitante ou transfigurante des propos de Pierre Leroux. Le mythe est très exactement situé dans ce qui peut être, dans la géographie romanesque, le moins allégorique possible, et donc le plus symbolique qui soit imaginable : cette Bohême qu'avait traversée assez longuement Chateaubriand et que George Sand n'avait jamais vue : un site ouvert, gardé par les arbres et les rocs, préservé par une érudition en partie naïve, fruit d'une rêverie fiévreuse. Cet endroit où le mythe, à mesure que se déroulent les péripéties rocambolesques du roman *Consuelo,* se perçoit ensemble comme un creux où le roman s'engloutit, et comme un sommet où le roman se métamorphose. La méditation du philosophe (pour en revenir au tableau de Rembrandt) s'incarne en une musique jouée sur un violon : image d'une danse libre où chacun est également convié à rejoindre ses frères ; sorte de chant souverain où le lecteur peut (et devrait) reconnaître le Poème du XIXᵉ siècle, — un seul poème, brisé, interrompu, inachevé (certes !) s'étant écrit durant ce siècle-là. *Apologie,* dit Alain qui a raison. Symbole surtout. Autrement dit : figuration hasardeuse, désignation impérative de *quelque chose* qui n'est pas encore figé dans un concept ; de quelque chose qui se fait. Et ce qui se fait, au temps où George Sand rédige fébrilement *Consuelo,* c'est le projet social, monstrueusement informe, qui va se rompre en 1848. Dès lors, le bavardage qui est dans *Consuelo,* l'invraisemblance des situations, s'effacent et n'importent plus. L'auteur tient, dans ce livre qui n'en finit pas, chapitre après chapitre, de rebondir, dédaignant la logique, deux discours à la fois. L'un nous émeut : c'est celui de la candeur et des emportements de l'enthousiasme. L'autre nous fascine : il se situe, pour emprunter à Gilbert Durand des termes on ne peut plus justes, *dans l'irrémédiable déchirure entre la fugacité de l'image et la pérennité du sens que constitue le symbole.* Par là, dans *Consuelo,* George Sand, entre l'« éclair de Juillet » et le pétard mouillé de 1848, s'est faite prêtresse impie de la liberté « remythifiante ». Elle s'était persuadée que *l'espérance* devait parler : c'est peut-être pour cela qu'on la méprise tant aujourd'hui !

La scène finale, dans les monts de Bohême, éclaire rétrospectivement les différents labyrinthes par lesquels, à la suite des héros, a dû transhumer le lecteur. On y saisit ce que George Sand découvrait dans le XVIIIe siècle — *siècle étrange, qui commence par des chansons, se développe dans des conspirations bizarres, et aboutit, par des idées profondes, à des révolutions formidables !* — c'est-à-dire : un certain XIXe siècle qui, venant de découvrir l'Histoire, veut s'emparer d'elle. Dans cette mesure, si *Consuelo* se propose *aussi* comme roman historique, loisir est laissé à l'auteur de bouleverser la chronologie, d'abolir le hasard, de plaider le faux, — car le projet romanesque n'est pas de restituer ce qui s'est effectivement passé, mais ce qui, dans le passé, n'a pas cessé d'être : *Ce qu'il y a de plus impossible dans mon livre, c'est précisément ce qui s'est passé dans la réalité des choses.* Le discours de Dieu étant impénétrable, il convient de pénétrer, la plume à la main, dans le secret de cet autre discours qu'est l'Histoire. George Sand a beau affirmer : *il est de notre devoir de romancier de passer rapidement sur les détails qui tiennent à l'histoire,* son ouvrage démontre que si les détails importent peu, c'est pour la raison impérieuse et suffisante que c'est le mouvement de l'Histoire qui compte. Il n'est pas possible que ce mouvement soit insensé : il a un but, qui est le triomphe de l'utopie ; il est l'enjeu d'une lutte formidable entre les maîtres et les esclaves ; il échappe hors de *la sphère glacée de ce qu'on appelle la vie positive,* car Dieu qui est à son origine doit, au terme, en naître enfin. On comprend pourquoi George Sand donne pour centre à son livre un endroit qu'elle ne connaît nullement : la Bohême, où ses habitudes de voyageuse ne l'ont jamais menée. Ce qu'elle sait de la Bohême, c'est ce que Chateaubriand, qui y fut, ignore : les insurrections des sectes religieuses. Pour elle, ces insurrections sont doubles, ainsi que le dira, dans *Consuelo,* la baronne Amélie : *La liberté religieuse de notre pays, c'était sa liberté politique.* Politique et religion mêlées, c'est le propos de Lamennais, de Leroux, de Sand. C'était déjà le propos du journal *le Monde* qui fut créé en 1836 et vécut à peine une année. On y côtoyait Jean Reynaud, qui est une figure curieuse occupée à des cosmologies étonnantes. On y rencontrait Charles Didier, qui fut l'amant de George Sand, ce qui importe peu ! et lui procura une documentation sur les sociétés secrètes et l'ésotérisme, ce qui est l'essentiel. Il y avait Lizst, la tête en feu. Sainte-Beuve, qui n'aime pas s'égarer dans des idées inconfortables, à propos du *Monde,* écrivit laconiquement : *Ce trio surtout de noms marquants, Lizst et Sand, Lamennais en tête, faisant la chaîne, avait de quoi renverser. Ce pas de trois dansé en public de l'air le plus sérieux avait du bouffon.* Peut-être ! Mais Sainte-Beuve joue volontiers, auprès de George Sand, les pourvoyeurs : il lui présente sans se faire prier tantôt des personnages à aimer et tantôt des maîtres à penser. C'est par lui qu'elle approche Pierre Leroux, mais lorsque l'homme des *Lundis* s'aperçoit à quel point Leroux influence Sand, et surtout que celle-ci, quittant Buloz, fonde, avec ses philosophes, *la Revue indépendante,* c'est plus qu'il n'en peut supporter, et il se plaint, met en garde, proteste. Sa missive lui vaut cette prise de position sans ambiguïté : de George Sand à Sainte-Beuve, en janvier 1842 : *Il y a cinq ans que je le* (Leroux) *lis et que je l'écoute ; chaque progrès de son être a retenti dans le mien quoique à un degré bien moins élevé et en touchant des cordes qui rendent des sons d'une nature différente.* La voilà toute dans l'exagération ! Au vrai, elle se cherche *à travers* Leroux, et, à travers Leroux, elle cherche l'unité qui la hante comme elle hante tous les romantiques. Elle métamorphose Leroux dans la mesure où, par le truchement des rêveries de Leroux, elle tente de se métamorphoser elle-même. Rien n'est plus significatif à cet égard que l'évolution de l'héroïne de *Consuelo.* Dans la première partie du roman, qui se passe à Venise, Consuelo est Pauline Garcia, la cantatrice que vient d'épouser Viardot. Dans la deuxième partie, qui déroule ses épisodes en Bohême, au Château des Géants ; ainsi que dans la troisième partie de *Consuelo,* qui est une errance par les routes de la Hongrie, de l'Autriche et de l'Allemagne, Consuelo *devient* George Sand. Enfin, dans les dernières pages de *Consuelo,* et dans l'ensemble de *la Comtesse de Rudolstadt,* Consuelo incarne une George Sand « au futur », une George Sand telle qu'elle se voudrait, une George Sand métamorphosée. Mieux encore : une George Sand enfin par elle-même convaincue. Et lorsque ses relations avec Leroux et d'autres utopistes se relâcheront et cesseront, les causes que l'on souligne généralement valent : inconséquence de Leroux, fatigue de Sand, déplacement des préoccupations,

— oui ! mais il n'empêche que cet éloignement tient *aussi* à l'échec de George Sand, à l'impossibilité pour George Sand d'être Consuelo, bref ! à l'échec de la métamorphose. Balzac s'empresse de signaler à Mme Hanska la rupture qui vient de survenir : *Le train philosophico - républico - communisco - Pierre - Lerouscico - germanico - Deisto - sandique s'est arrêté net* (31 janvier 1844). Voire ! Les liens avec Balzac existent bel et bien, de même que les liens avec Charles Nodier n'ont pas été rompus. Albert de Rudolstadt, qui a perdu le sens commun, tient à Louis Lambert et à Jean-François les Bas-bleus : *C'est la croyance du peuple dans tous les pays,* remarque George Sand, *d'attribuer aux fous une sorte de lumière supérieure à celle que perçoivent les esprits positifs et froids.* On trouvera dans *Consuelo* une longue réflexion sur la démence, mais qui, à bien voir, anime le XIXe siècle : on la trouve dans Balzac ; elle est le sujet de *la Fée aux miettes* de Nodier ; Hugo en est, littéralement, hanté ; Gérard de Nerval enfin — et George Sand qui lui accordait une attention privilégiée en fut certainement bouleversée — est interné en 1841. Or, dans ce besoin passionné d'unité et de sens qui est la caractéristique du siècle, il est manifeste que la démence devait trouver à se loger dans l'ensemble, à se situer dans la cohérence universelle. Ne pouvant être admise en tant que réalité de *la vie positive,* elle devint « signe », « symbole ». Si Albert retrouve l'usage de la raison le temps que dure l'initiation de Consuelo, il revient à son état premier d'égarement dès que cette initiation est terminée, soit : lorsque Consuelo est suffisamment engagée dans les réalités spirituelles pour pénétrer dans la démence et en découvrir le génie véritable. Les romantiques ne peuvent admettre ni le fou, ni le condamné à mort. Que les aliénés mentaux soient retranchés de l'humanité, que la justice sociale donne la mort ! et la cohérence ardemment cherchée et revendiquée s'évanouit. C'est cette même exigence qui explique la faveur de la métempsychose au XIXᵉ siècle : Fourier invente le voyage des âmes dans des sphères successives ; Pierre Leroux pense que les âmes s'incarnent en des corps différents ; Victor Hugo se débat avec une métaphysique de l'immortalité. C'est que les siècles sanglants et despotiques du passé ont fait périr des innocents, et — au nom, toujours, de l'universelle cohérence — justice doit être rendue à ces innocents-là : ils doivent revenir dans le temps du bonheur, qui est le règne du Progrès, et en bénéficier. George Sand aura quelque mal à suivre Leroux dans cette rêverie un peu fumeuse, et se déterminera finalement en faveur de Leibniz dont elle approuvera vivement le système.

Lorsqu'elle écrit *Consuelo*, George Sand vient de découvrir les Hussites. Pour elle, c'est une illumination. A tel point d'ailleurs qu'elle ajoute à *Consuelo* et à *la Comtesse de Rudolstadt* deux autres textes : *Jean Zyska* et *Procope le Grand*, estimant que l'ensemble des quatre ouvrages est nécessaire à la leçon qu'elle donne. Un mot de Consuelo la dévoile : *J'ai de connaître Dieu un besoin qui me consume.* Plus tard, on verra Victor Hugo s'enfoncer jusqu'à disparaître dans un poème interminable qui a pour titre : *Dieu,* et qui englobe tout ce que Victor Hugo écrit depuis *les Contemplations,* y compris *les Contemplations.* Plus tard, on ne pourra rien comprendre à Baudelaire si l'on omet le sens du péché qui anime ses vers, et qui désigne, à sa façon inverse, une soif de Dieu. Mais George Sand a moins de métaphysique. Elle n'est pas fascinée par de semblables gouffres. Elle a un besoin pratique, qui la fait impatiente. Sa « méditation » est beaucoup plus à fleur de terre. Aussi retient-elle dans les projets de Jean Huss et de Jérôme de Prague ce qui convient à sa vigueur active : ils voulaient *examiner et éclaircir le*

mystère du catholicisme. Ils souhaitaient (c'est, bien entendu, la version retenue par George Sand, dans son
livre) redécouvrir *l'interprétation et l'application de
l'Evangile fraternel et égalitaire de saint Jean.* Alors, ils
se confondent avec le peuple en lutte, car, ajoute-t-elle,
comme il n'y a qu'une religion, il n'y a qu'une hérésie.
Quelle est cette unique hérésie possible ? Eh bien, c'est
*la religion du Saint-Esprit, qui remplit tout le Moyen
Age et qui est la clef de toutes ses convulsions, de tous
ses mystères.* Saint Jean et Joachim de Flore réunis
dressent les fanatiques de la Bohême *à la fois* contre
les prêtres et contre les despotes, contre le Trône et
contre l'Autel. L'image du combat est le calice des Hussites et cette façon qu'ils avaient de communier partout
et avec n'importe qui, proposant dans la coupe de bois
le pain qui nourrit et le vin qui désaltère. Le Concile
de Constance condamnera la communion sous les
deux espèces. La baronne Amélie, première initiatrice
rencontrée dans le Château des Géants, en vue de la
Pierre d'Epouvante, expliquera à Consuelo les raisons
de l'interdit : *C'est que les Hussites avaient une terrible
soif de sang* (dont la figuration, ici, est, bien entendu,
le vin du banquet), *et que les Pères du concile les
voyaient bien venir. Eux aussi avaient soif du sang de
ce peuple ; mais ils voulaient le boire sous l'espèce de
l'or. L'église romaine a toujours été affamée et altérée
de ce suc de la vie des nations, du travail et de la sueur
des pauvres.* La religion nouvelle, qui est l'espoir du
XIX⁰ siècle, doit donc s'établir contre les églises et leurs
vicaires. Ces derniers ne sont-ils pas les alliés naturels
et constants de la tyrannie ? Dans ces contrées dont
parle *Consuelo,* et qui sont beaucoup plus les éléments
d'une mythologie en marche que des lieux réels, au
moment où les religions s'affrontent à la façon dont
s'affrontent le passé et l'avenir, la ténèbre et les clartés,
les plus puissants rois demeurèrent catholiques, non pas

tant par amour de la religion que par amour du pouvoir absolu. Mais afin de rendre efficace le contenu de son ambitieux travail romanesque, il importait que Sand puisse y loger le fondement de son « socialisme » : l'échange. Et, de fait, on découvre, dans le discours de la baronne Amélie, que *c'était la manie des Hussites de communier partout, à toute heure, et avec tout le monde.* On comprend qu'en ce XIXᵉ siècle des romantiques, tel que George Sand le reflète avec exactitude, et où le « Je », le « Moi » sont fracturés, divisés, éparpillés, ce que Pierre Leroux nomme « la loi de continuité » requiert fortement. A la division de la personne, à son divorce d'avec elle-même, comment ne point proposer *l'idéalisme de la vie du nous* ? C'est cela l'ultime métamorphose de Consuelo. Et c'est cela que George Sand, avide cependant de réussir, ne réussit pas. L'arrêt brusqué du « train », comme dit Balzac, c'est l'enlisement d'un mythe, sa retombée. Son échec au niveau du vécu.

Le syncrétisme, qui est en action dans *Consuelo* comme il est en œuvre chez les romantiques, ne s'arrête pas en si bon chemin. Il trouvera, par exemple, son appui dans une symbolique des noms utilisés dans le roman : Consuelo signifie « consolation » (*Consuelo de mi alma*, disent Zdenko l'innocent et Albert le voyant), tout comme Gottlieb, un autre « innocent », se traduit par « amour de Dieu ». Les animaux (le chien Cynabre, et le rouge-gorge) tiennent leur partie, reflets des métamorphoses qui se trouvent dans *la Fée aux miettes.* Une profession élue nous met sur une piste plus ferme : celle de cordonnier. Il s'agit là d'une convergence d'éléments qui préludent, dans le roman, à l'évocation de Jacob Boehme, le cordonnier mystique. Et, par le truchement de Jacob Boehme, au tracé du Satan romantique, celui, entre autres, de *la Fin de Satan* de Victor Hugo, et celui qui se dissimule en vingt endroits sous le nom de Prométhée. George Sand, à cet endroit de

Consuelo, cite Boehme : *Dans le combat avec le Luci-*
fer, Dieu ne l'a pas détruit. Homme aveugle, vous n'en
voyez pas la raison. C'est que Dieu combattait contre
Dieu. C'était la lutte d'une portion de la divinité contre
l'autre. Et Boehme encore : *Le vrai ciel où Dieu de-*
meure est partout, même au milieu de la terre, il com-
prend l'enfer où le démon demeure et il n'y a rien hors
de Dieu. Dès lors, par le truchement de son héroïne,
George Sand s'enthousiasme : *Cette religion est la mien-*
ne, puisqu'elle proclame la future égalité entre tous les
hommes et la future manifestation de la justice et de la
bonté de Dieu sur la terre. Les romantiques ignoraient
la notion du « Dieu absent », mais ils en éprouvaient les
effets : ce débat du nocturne est au centre de leur malaise. Si Jacob Boehme, dans les temps lointains, avait
défini Dieu comme étant le silence éternel, les romantiques auxquels, hier, Mme de Staël a offert un renou-
vellement complet du champ de la « méditation », par
son livre *De l'Allemagne,* espèrent tout d'un Verbe qui
sortirait Dieu du silence, d'une Parole qui accomplirait
Dieu, d'un poème si vaste et complet qu'il serait décidément le Poème, inscrivant, faisant paraître, rendant
sensible, présente, ineffaçable, indéniable et active la
triple hypostase qui, pour l'heure, repose dans le tombeau où trois mots sont morts : Liberté, Egalité, Fraternité. Si bien que dans les dernières pages de *la Com-*
tesse de Rudolstadt, George Sand, fidèle à son principe
qui consiste à être infidèle aux détails de l'histoire,
invente une rencontre entre son personnage de fiction,
Albert de Rudolstadt, et un héros réel : ce Weishaupt,
qui a fondé l'ordre des Illuminés, à Ingolstadt, le 1er mai
1776, et qui avait choisi pour pseudonyme un nom redoutable : Spartacus. Et Adam Weishaupt, dans *Consue-*
lo, déclare à Albert le poète, l'inspiré, le musicien : *J'ai*
vu qu'être libre seul, ce n'est pas être libre. L'homme ne
peut pas vivre seul. L'homme a l'homme pour objet ; il

ne peut pas vivre sans son objet nécessaire. Et je me suis dit : Je suis encore esclave, délivrons mes frères. C'est à cette condition que Dieu pourra naître. A cette condition que le Poème pourra s'écrire. Mais le Poème ? Il y a Albert de Rudolstadt et Consuelo son épouse (cette âme en deux personnes qui s'appela Consuelo et Albert : ces mots de George Sand nous remettent en mémoire un thème cher au romantisme : celui de l'androgyne) : leur langage est devenu musique. Le Poème s'écrit à même l'arbre, le rocher, l'eau passagère. L'oiseau le porte (on lit, dans Histoire de ma vie, ce mot étrange : L'Homme-oiseau, c'est l'artiste), l'écho le répercute, les pauvres, les démunis, les marginaux s'en enchantent. Albert, auparavant, avait déclaré que la musique et la poésie sont les plus hautes expressions de la foi. Il ajoutait : et la femme douée de génie et de beauté est prêtresse, sibylle et initiatrice. Maintenant, Albert, rendu à cette déraison qui sert à la raison de guide, est, dans les vallées sauvages de la Bohême, la proie fascinée du Poème. Mais Weishaupt et son ami le baron de Knigge (encore une liberté prise par George Sand sur les détails exacts de l'histoire !) disent du poète Albert qu'il est ce philosophe à la fois métaphysicien et organisateur. Ils attendent de lui, le poète, qu'il leur confie le fil d'Ariane ; qu'il leur fasse retrouver l'issue du labyrinthe des idées et des choses passées. Mais ce livre que rédige George Sand est lui-même un labyrinthe. Ou, si l'on préfère : le lieu d'une initiation (initier, c'est dévoiler, lever le masque). Enfin : l'occasion de la métamorphose ultime. A Weishaupt, Albert le voyant enseigne que le temps n'existe pas. On songe, alors, à une parole de Joseph de Maistre — contre lequel, mais avec lequel, s'élabore le XIXe siècle —, et qui chemina longtemps dans les esprits : L'homme n'est pas fait pour le temps, car c'est quelque chose de forcé qui ne demande qu'à finir.

206

Cependant, George Sand a écrit *Consuelo* et *la Comtesse de Rudolstadt* en défiant le temps. Et cela de diverses manières. D'abord, elle vient de rompre avec Buloz, le souverain de *la Revue des Deux Mondes,* qui a mal accepté la préfiguration oblique de *Consuelo,* qu'il fut contraint de publier, et qui avait pour titre : *les Sept cordes de la lyre.* C'est un ouvrage, qui est un *Faust* à l'envers, rédigé par Sand pour sceller des noces « mystiques » (et « artistiques » : c'est tout un !) avec Chopin. Puis *Horace,* ce chef-d'œuvre méconnu, ne passe pas du tout. George Sand, plus que jamais dévouée à Pierre Leroux, fonde avec son utopiste privilégié et Viardot (un nouveau « pas de trois » qui fait ricaner Sainte-Beuve) *la Revue indépendante.* Elle confie à la feuille nouvelle un conte : c'est la *Consuelo* initiale, l'épisode vénitien, des pages pantelantes d'amour. Il n'y a là qu'un motif : Pauline Garcia, la sœur cadette de la Malibran, jeune épouse de Viardot, lequel avait dirigé le Théâtre italien à Paris. Elle a des défenseurs, ainsi Alfred de Musset qui écrit, pour sa première entrée publique, le 1er novembre 1839 : *Mlle Garcia est entrée de prime abord et hardiment dans la vraie route. Comme son père et comme sa sœur, elle possède la rare faculté de puiser l'inspiration tragique dans l'inspiration musicale.* Le père de Pauline était un maître espagnol notoire. Transposez dans le romanesque ! Voici le Porpora ! Mais au moment où paraissent les chapitres de *Consuelo,* Pauline Viardot est détrônée déjà — ou presque — par la Grisi. Théophile Gautier, cet emporté de nature, écrivait qu'il donnerait toute la littérature, et la sienne d'abord, pour la voir nue au bain ! Pauline est comme George Sand, qui est comme Consuelo : elle n'est belle que visitée par l'inspiration, qu'habitée par une voix hors nature : *La Consuelo est de celle que l'expression du génie rehausse extraordinairement.* Elle est à l'opposé de ce type romantique qui séduisit tant

Gérard de Nerval (si l'on évoque Jenny Colon) et tant Théophile Gautier (la Grisi, justement) : cette blonde aux yeux noirs, du style *bianco, biondo e grassotto.* Vanter Pauline, c'est aller à rebours. C'est — aussi — découvrir George Sand, et la découvrir, écrivant *Consuelo,* entraînée dans une transe poétique sans équivalent, *belle...* Et cette première partie, à quoi se devait primitivement limiter *Consuelo,* parle d'amour. Consuelo y est vue. Elle est objet du regard. Elle est contemplée. Le désir est autour d'elle, avec son manteau de mots. Dans la suite du récit, elle agira. Ici, on agit autour d'elle. Anzoletto qui ne détache pas les yeux de son corps, on jurerait que c'est George Sand devant Pauline. N'oublions pas Marie Dorval, ni la jalousie d'Alfred de Vigny, qui jurait avoir découvert en George Sand *un rival.* Marie Dorval, il est vrai, donnait dans ce travers. Sand ? Elle avait tant d'inavouable en elle que cet inavouable-là n'aurait pas de quoi surprendre. Admettons que ce qui se montre dans l'arrière texte de la première partie de *Consuelo,* c'est ce que George Sand refuse d'admettre, ou n'admet que de biais. Mais ces pages-là vibrent d'une passion à la fois sentimentale et charnelle partout perceptible, même si elle masque sous un murmure son intolérable et bouleversant tumulte.

La première partie terminée, George Sand poursuit sur sa lancée. *Consuelo* paraît dans *la Revue indépendante* en seize livraisons, qui s'échelonnent entre le 1ᵉʳ février 1842 et le 25 mars 1843. L'auteur à Charles Duvernet, le 12 novembre 1842 : je reprends *Consuelo,* s'exclame-t-elle, *comme un chien qu'on fouette.* Elle ne s'accorde aucun répit. Elle est bouleversée par des situations familiales : tout fait eau à ce moulin de phrases. Le fils préféré de Consuelo ? C'est Maurice, l'insignifiant, plongé dans l'intrigue parce qu'il est à portée de souci. La bibliothèque est mise au pillage. La *Vie de Trenck,* qui a tout d'un apocryphe, sert beaucoup.

Des pages heureuses sont inspirées par ces beaux mémoires de la Margrave de Bayreuth, qui virevoltent avec impertinence, et qui retrouvent la méticulosité ronchonne et acide de notre Saint-Simon (non plus, cette fois, l'économiste, mais le mémorialiste inspiré, ce Proust rongé par les harpies du privilège). Et l'ouvrage est ainsi poussé, à l'allure d'un feuilleton, avec des négligences qui font rire, des précipités qui enseignent, une faconde incontrôlée à laquelle il faut se fier scrupuleusement. *Consuelo* terminé, l'auteur s'aperçoit que le labyrinthe, s'il est ébauché par la succession de labyrinthes évoqués alternativement : depuis le dédale du Riesenburg jusqu'à la retraite machinée des *Invisibles,* en passant par les corridors de Sans-Souci et les coulisses du théâtre royal, n'est pas encore parfait ; qu'il n'est pas encore *dans* le livre, mais lui reste extérieur ; qu'il s'exprime en péripéties, mais échoue à incarner le *sens* de l'entreprise. De la même façon, l'initiation n'est pas complète : il s'en faut. La métamorphose n'est pas encore visible. Elle n'a été, jusqu'ici, que sous-entendue. Alors, elle reprend la plume, avec un même désordre fiévreux, et livre, quinzaine après quinzaine, sans de notables interruptions, à part *Fanchette* et *la Lettre à Lamartine,* les feuilles de *la Comtesse de Rudolstadt.* Cette suite, qui est une conclusion différée, est publiée, dans *la Revue indépendante,* en quatorze livraisons, du 25 juin 1843 au 10 février 1844. C'est à Gustave Flaubert, beaucoup d'années ensuite, qu'elle osera prétendre avoir perdu jusqu'au souvenir de *Consuelo.* Elle avait mis Barbès dans son Panthéon. Elle rédigeait les missives ministérielles de Ledru-Rollin. Nous étions, alors, en 1848. Le romantisme, pour George Sand, s'est échoué dans cet instant-là. Il s'est éteint, comme disparaît une lumière : irrévocablement.

Ce que George Sand a proclamé dans *Consuelo,* c'est la vertu terrible de l'art, qui est un chemin. Qu'est-ce qu'un chemin ? Une chimère. *Qu'y a-t-il de plus beau qu'un chemin ?* pensait-elle ; *c'est le symbole et l'image d'une vie active et variée.* Il ne mène nulle part ? Il est à lui-même son chemin. Le mythe du XIXᵉ siècle est à lui-même son propre mythe. *Et puis ce chemin, c'est le passage de l'humanité, c'est la route de l'univers.* Le chemin, et la triade républicaine qui donnera présence à Dieu ? *Le chemin appartient à celui qui ne possède pas autre chose.* La leçon finale, qui transforme le philosophe en poète, métamorphose en danse sa méditation, elle est peut-être dans cette tourne de phrase : *Le chemin est une terre de liberté...*

Consuelo est un roman que son ambition condamne. C'est une œuvre belle par ses faiblesses. C'est la seule qui soit, dans la littérature française, comparable au *Wilhelm Meister* de Goethe. C'est un poème du cœur et du regard. Une vision de son héroïne, au détour d'un labyrinthe, lui donne sa dimension juste : *ses yeux se fixèrent avidement sur ce château, peut-être imaginaire, dont l'approche lui semblait interdite, et que les voiles du crépuscule faisaient lentement disparaître dans l'éloignement.* Ce château mythologique, qui est le lieu des fables, et qui a la candeur baroque de l'espérance, eh bien ! il est à la semblance exacte de ce livre qui sans cesse se dérobe et qu'on ne finit pas de lire : *Consuelo* de George Sand — ou la fécondité des métamorphoses !

GERARD DE NERVAL ET SES CLES

Lorsqu'on prononce ce *mot* : Nerval, il semble qu'on ait dit : poésie. J'insiste : non pas un nom propre, désignant un individu, un « nommé » Labrunie pour l'état-civil, connu sous le pseudonyme de Nerval, — mais tout se passe comme si l'on déléguait à la puissance de ce mot-là tout le poids de la poésie, de l'activité poétique, et qu'on en avait, ainsi, du même coup, fini avec cette notion gênante et incommode. Mieux encore : cet homme, qui a vécu, qui a produit, disparaît à nos regards, dissimulé, gommé, effacé par un même vocable qui répond à un double leurre selon qu'on le prononce, ou non, avec une majuscule : *Nerval* incarne alors le rêveur, le bohême, le fou : c'est, par excellence, le destin de qui se livre à la poésie ; *nerval*, concept à la fois dangereux et réprouvé, mais harmonieux cependant, est lourd des charmes et du péril de cette même poésie, dont on peut, dès lors, se passer de savoir un peu mieux ou un peu plus ce qu'elle est. Bref ! le mot « Nerval » se suffit à lui-même. Il devrait logiquement convoquer une présence, — et il ne signifie qu'une absence (et scandaleuse). Gérard Labrunie, dit Gérard de Nerval, n'existe pas ! Son poème, lui aussi, est tombé en poussière : il en flotte, ici ou là, des miettes et des débris : l'odelette qui a pour titre *Fantaisie,* ou bien le premier vers d'*El Desdichado* :

Je suis le Ténébreux, — le Veuf, — l'Inconsolé...

voire l'attaque d'*Artémis* :

La Treizième revient... C'est encor la première...

et, pour finir, quelques morceaux hagards (de se trouver isolés) de *Sylvie* ou d'*Aurélia*. C'est trop, ou trop peu. A ce compte-là, il aurait mieux valu le jeter tout entier aux oubliettes (ce qui, d'ailleurs, manqua d'arriver). L'image la plus approchante que l'on puisse dessiner de l'*absence* de Nerval, c'est l'évocation d'un curieux phénomène de la mémoire commune : d'une façon générale, on a, sauf à se documenter de frais, oublié les lignes maîtresses, les événements principaux, les circonstances de la vie de Gérard de Nerval, mais on se souvient toujours, et avec une persistance suspecte, de l'endroit où il est mort pendu, et comment se nommait cet endroit : la rue de la Vieille-Lanterne. Or, cette rue a été depuis longtemps détruite. Elle ne figure d'aucune manière dans la géographie parisienne telle qu'elle nous est donnée, aujourd'hui, à vivre. C'était une rue fétide, entre la Tour Saint-Jacques et la Seine, une sorte de boyau obscur et sale qui fut sacrifié lors de l'aménagement des abords de l'actuelle Place du Châtelet. Eh bien, cette rue continue à naviguer dans l'iconographie imaginaire, avec, l'illustrant et lui donnant un sens, ce cadavre accroché dont les pieds touchent le sol : Nerval. Voilà le masque !

Serait-il mieux loti contre la voracité des commentateurs ? Non, justement. Arguant, malgré l'amas des témoignages contraires, que Nerval écrivait dans le désordre, les éditeurs qui voulurent ordonner sa production et la rendre accessible, bousculèrent ce que Nerval lui-même avait établi. On détourna, par exemple, les poèmes, parce qu'il s'agissait de textes écrits en vers, des proses avec lesquelles l'auteur avait jugé nécessaire de les joindre : on les soumit aussitôt à une exégèse particulière. C'était là une première erreur. Je n'entends nullement, par là, signifier que la masse des commentaires ainsi produite est inutile, mais, simplement, que les commentaires établis au départ du groupe de sonnets connus sous le titre des *Chimères* et oublieux du dessein général n'ont qu'une valeur lointainement anecdotique. Ce qui est vrai, c'est la très réelle fascination qu'exerce sur le lecteur cette suite de strophes d'une clarté fabuleusement énigmatique. On peut suivre, ici, Marcel Proust, dans son *Contre Sainte-Beuve*, évoquant *ces admirables poèmes où il y a peut-être les plus beaux vers de la langue française, mais aussi obscurs que du Mallarmé, obscurs, a dit Théophile Gautier, à faire trouver clair Lycophron.* Le premier devoir est de s'interroger sur cette obscurité-là. Commencer par récuser ce terme : obscur veut dire pénombreux, et se dit de quelque chose qui est mal éclairé. *Les Chimères* de Nerval, des sonnets qui sont de cristal, manquent-ils de lumière ? De toute évidence : non ! Ils sont là, transparents, écrits dans une langue ferme, soucieuse de la syntaxe habituelle, usant d'un vocabulaire accessible. Le problème alors se déplace : l'énigme ne réside pas dans cette fameuse « obscurité » si souvent appelée à la rescousse, mais bien dans le fait qu'ils aient été, qu'ils sont écrits. Que ces sonnets existent bel et bien, et existent dans un vaste univers, lui-même énigmatique : celui des textes. Parlant du poème, Gérard de Nerval remarquait qu'*il est avant tout une œuvre d'art, dont la signification est à la fois esthétique et publique.* Il n'a pas élaboré *les Chimères* pour, dans le même temps, faisant son texte inaccessible, nous en priver. Il a dit ce qu'il avait à dire, qui est Nerval vécu et Nerval inventé, qui est le Romantisme éprouvé et le projet du Romantisme. Et, tout cela, il l'a dit dans un climat culturel précis, daté : il a usé du tissu culturel de son époque pour dire *cela*. Dès lors, quatre éléments entrent en jeu. Premièrement, un établissement rigoureux du texte des diverses parties des *Chimères*, et la chronologie de la rédaction de l'ensemble : c'est à quoi s'est acharné Jean Guillaume. Deuxièmement, une analyse méthodique de ce qui se passe dans l'écriture, au niveau matériel, puis au plan des structures, lorsque Nerval écrit *les Chimères* : c'est un travail poussé très avant par Jacques Geninasca. Pour cela, et pour aboutir (au moins sur le terrain méthodologique), il importe principalement de récuser l'« illisibilité » des *Chimères* (dans le langage quotidien, obscur et illisible se valent), ce que souligne Jacques Geninasca : *S'il est vrai que le poète réalise ce qu'il dit dans l'acte de le dire, il faut bien que, symétriquement, au moment de la réception, le lecteur accomplisse, dans l'acte de la lecture, le dit du texte.* Un texte sans « lecture » possible, un écrivain sans prise en charge par un lecteur sont inconcevables. Il me semble qu'il importe, en cet instant, de rendre Gérard de Nerval à ses contemporains avant de le saisir dans son aventure solitaire. Or, Nerval est un Romantique. On aura beau jeu de citer les vers de son épître à Duponchel, en 1825 :

Fuis surtout, fuis toujours le style Romantique ;
Où tout est pour l'éclat, où rien n'est pour le sens, —

cette citation se retourne aussitôt contre qui la brandit, — car, justement, ce jeune Nerval, coutumier alors de longs poèmes un peu ronflants et fort gonflés, voici que sous prétexte de renier le « style » Romantique il donne et montre en un mot le « projet » Romantique : donner un sens. Trouver une unité. Découvrir, enfin rameuté, d'un seul tenant, réconcilié avec les contradictions mêmes qui le déchirent, le « Moi ». Pouvoir dire « Je », et que ce « Je » corresponde à une identité

214

vécue, voilà le vœu pathétique de ce siècle-là. Il est bien
certain que le « Je » qui est au travail dans *les Chimè-*
res, n'est pas le Je-Nerval, tel qu'est Nerval ici et maintenant :

> *J'ai rêvé dans la Grotte où nage la Syrène...*
> *Et j'ai deux fois vainqueur traversé l'Achéron...*

Mais il ne s'agit pas d'un « Je » collectif. D'un
« Je » qui serait un « Nous ». S'il en était ainsi, *les Chi-*
mères n'auraient pas été écrites, et Charles Baudelaire
ne serait pas venu. C'est un « Je » mythique. Un rêve
qui rêve le « Je » possible. A l'origine, donc, des sonnets de Nerval, il y a la saisie du désordre et de la dispersion, l'angoisse du « sens » égaré. *Les Chimères*
écrites, le texte dit le « sens », — et c'est parce que
ce « sens » nous est donné à percevoir que le texte nous
paraît à la fois si lumineux et si dérobé.

Avant de recourir au rêve de Nerval, — et c'est là
la mise en chantier du troisième élément dont je voulais parler, — il est nécessaire d'explorer aussi bien
qu'il se peut et autant qu'il soit possible le Nerval vécu.
Ensuite, et c'est la quatrième phase de l'opération, celle
qui requiert le plus de vigilance et le moins d'emportement, il est possible d'inventorier le mythe. Il est bien
entendu, ceci posé, que le mythe et le vécu entretiennent
des relations constantes, des rapports d'échange qui ne
s'interrompent à aucun moment, et qu'il est essentiel
de garder en mémoire les phrases écrites par Nerval
découvrant, jeune, la littérature allemande, et remar-
quant dans sa préface à l'anthologie qu'il a faite des
poètes allemands qu'il y a une opposition entre le tempérament des Français : *Chez nous, c'est l'homme qui*
gouverne son imagination, — et l'attitude des auteurs
d'outre-Rhin : *Chez les Allemands, c'est l'imagination*
qui gouverne l'homme, contre sa volonté, contre ses ha-

bitudes et presque à son insu. On n'ira pas chercher dans cette déclaration je ne sais quelle théorie strictement applicable aux deux peuples, mais, bien plutôt, un aveu précoce de ce qui, en Nerval, est Nerval, et que soulignera bientôt la découverte bouleversante qu'il va faire non seulement du *Faust* de Gœthe, mais encore et surtout de celui qui est, en quelque façon, son double germanique : Hoffmann le fantastiqueur. Si bien que le mythe est déjà tout entier dans un poème du début : *Fantaisie* justement (paru en 1832 pour la première fois) :

> *Il est un air pour qui je donnerais*
> *Tout Rossini, tout Mozart, tout Weber...*

> *Or, chaque fois que je viens à l'entendre,*
> *De deux cents ans mon âme rajeunit...*

> ...
> *Puis un château de brique à coins de pierre...*

> ...
> *Puis une dame, à sa haute fenêtre,*
> *Blonde aux yeux noirs, en ses habits anciens...*

— et les deux vers terminaux qui montrent bien que Jenny Colon la comédienne n'est pas Jenny Colon, pas plus que Gérard de Nerval hantant les coulisses n'est Nerval écrivant :

> *...Que, dans une autre existence peut-être,*
> *J'ai déjà vue... et dont je me souviens !*

De là découle toute la cohérence de l'œuvre, depuis l'invention de la Reine de Saba, qui est la tentation du théâtre, mais *aussi le Voyage en Orient* ; puis *Sylvie* ; et Marie Pleyel dans la traverse de *la Pandora* ; et la reine des Belges, Louise d'Orléans, dans ce qui deviendra le sonnet *Horus* ; et *Aurélia* enfin ...Je ne prétends aucunement, écrivant ceci, que *Fantaisie* soit « ensemble » l'origine et la fin ! La phrase adressée à Arsène Houssaye, le camarade du « petit Cénacle » et de l'impasse du Doyenné, montre bien (sans démonstration : mais nous sommes « en poésie ») le tracé de la cohérence que j'invoquais : *La Muse est entrée dans mon cœur comme une déesse aux paroles dorées ; elle s'en est échappée comme une pythie en jetant des cris de douleur.* Expérience-limite ? Soit. Il reste à sauver Nerval de la *vulgarité* du mythe, ainsi que l'entendait Etiemble lorsqu'il s'en est pris à la « mythification » de Rimbaud. A ceci près, qu'Etiemble ne nous a pas, détruisant l'erreur, aidé à percevoir le vrai de Rimbaud. Il faut manier autrement Nerval. Se garder, par exemple, parce qu'il avait la réputation d'être, et était tout de bon, un *liseur* considérable, de juger et d'estimer qu'il avait *tout* lu. Cela reviendrait à donner pour garant à la cohérence de Nerval l'incohérence de la Bibliothèque ; à fonder l'ordre auquel il tendait (le « sens »), et que révèle exemplairement *Les Chimères,* sur le désordre évident, fatal, obligé, de la « lecture ». Nerval grappillait son bien dans le hasard des livres. Il trouvait des arguments d'occasion. La librairie était *dessous* lui : non dessus !

Cette dame, dans le château Louis XIII (mais cela, cette datation « légendaire », est sans doute un salut à Théophile Gautier, celui de *Mademoiselle de Maupin,* et celui des *Grotesques*), cette *blonde aux yeux noirs,* elle n'est une « chimère » que dans la mesure où l'espace où elle existe est un espace du questionnement :

Suis-je Amour ou Phoebus ?... Lusignan ou Biron ?

Le « Je » qui s'interroge est, nécessairement, le « Je » du mythe. Sa question, à elle seule, démontre son éclatement, son absence de fermeté. Amour et Psyché ;

Phoebus et Daphné changée en arbre (ou encore : Phoebus et sa sœur : Diane chasseresse) ; Lusignan et Mélusine qui est une fée ; puis, enfin, Biron. Faut-il lire, pour Biron, Byron ? La graphie est possible. Dans son épître à Duponchel, Nerval écrit :

Lamartine, Biron, et leurs rimes obscures...

Ailleurs, il produit des vers « imités de *Biron* ». L'amour incestueux du poète anglais n'était pas, alors, connu. Il est préférable de voir là ce Biron — fameux également par les chansons du Valois — qui fut un rival politique de Henri II (la *Henriade* de Voltaire était un ouvrage très lu), et, surtout, l'amoureux de l'épouse puis de la veuve du roi : Marie-Félice des Ursins, sa Sylvie. En réponse : la Reine.

Mont front est rouge encore du baiser de la Reine —

la Sirène —

J'ai rêvé dans la Grotte où nage la Syrène —

enfin, la Sainte et la Fée :

Les soupirs de la Sainte et les cris de la Fée.

A cette lecture première, d'autres ont loisir de s'adjoindre. La Reine, par exemple, peut se lire pour cette *Louise d'Or. Reine* de la dédicace du sonnet *Horus*. Lors de son séjour à Bruxelles en octobre 1836, Gérard de Nerval l'avait associée à la statue de N.D. du Bon-Secours, qui est dans l'église Saint-Jacques, proche du palais royal. Cette Notre-Dame était, note-t-il, *jeune, fraîche, grasse et rosée.* L'épouse de Léopold Ier lui ressemble, semble-t-il, elle qui est familière de cette cha-

218

pelle : *la jeune reine* (y) *va prier souvent.* Il la reverra
au Théâtre de la Monnaie, en 1840, alors que Jenny
Colon, « première chanteuse à roulades », interprète
ce *Piquillo* signé par Alexandre Dumas. Et Phoebus est,
peut-être, l'autre : ce Gaston Phoebus d'Aquitaine, que
nous retrouverons plus loin (sans omettre le personnage
aimé par Esmeralda dans *Notre-Dame de Paris,* livre-clé
de la première partie du siècle). Bref, si nous nous en
tenons à la première « lecture » (laquelle, il est important de le noter, ne contrarie nullement les autres lectures possibles, mais, au contraire, les autorise), nous
devons constater, ainsi que fait Jacques Geninasca, que
chacun des couples, chacun des amours ici convoqués
est *assorti d'une prohibition qui se manifeste tantôt
comme* tabou, *que le conjoint humain s'engage à respecter pour que dure l'union, tantôt comme un* interdit
*que l'amant doit enfreindre pour que le lien conjugal
puisse s'instaurer.* Par ailleurs, l'imbrication des couples
et des amours, qui fait intervenir l'antique et l'historique, le mythique et le légendaire, introduit une bascule où les pôles, qui sont la France et l'Italie, s'enra-
cinent dans un espace plus familier (d'apparence) :
Paris et le Valois. Plus loin encore : l'ici et l'ailleurs.
Mieux : le passage entre l'ici et l'ailleurs. On lit dans
la version du recueil de 1854 :

Et j'ai deux fois vainqueur *traversé l'Achéron,*

et dans ce même *El Desdichado,* inserré dans *Le Mous-
quetaire,* la feuille de Dumas, le 10 décembre 1853 :

Et j'ai deux fois vivant *traversé l'Achéron.*

Le héros, ici et là, est ainsi capable de passer la frontière interdite, d'aller au pays des morts, et d'en revenir.
« Je » est Orphée. Mais le « Tu », qui se voit dans le
texte ?

C'est qu'il se fait — dans cette mythologie en mouvement, ou, si l'on préfère : au regard de cette liberté (écriture) remythifiante, — un échange entre l'ici et l'ailleurs, d'abord marqué par une communication « vivante » et « victorieuse » entre le monde des vivants et celui-là qui, pour reprendre un terme de Léon Cellier utilisé en une autre circonstance, demeure celui de *la morte qui parle*. A ce moment, l'ailleurs dit ce qu'il est : l'univers des morts. Les morts participent du passé ET de l'ailleurs. Si bien que Marie-Jeanne Durry avait entièrement raison d'indiquer que la « blonde aux yeux noirs », *à sa haute fenêtre penchée*, vient de plus loin que le passé : elle appartient effectivement à l'*ailleurs*. Gérard de Nerval écrit, en effet : *Je ne suis jamais heureux qu'en espérance et en souvenir.* Parce que l'ailleurs est à la fois derrière et devant. Il est le royaume de ce qui a été et le royaume de ce qui n'est pas encore. L'Achéron est un fleuve double : on passe de l'une de ses rives à l'autre. Mais il est fleuve : il a son aval et son amont. Il est également miroir. Et miroir de la mémoire, où se déchiffre ce que la mémoire sait, et ce que la mémoire devine ; ce que la mémoire retient, et ce qu'elle invente. La mémoire est, autant qu'un souvenir du passé, un souvenir du futur. Si d'une part, elle témoigne (ainsi dans l'odelette *La Grand'mère*), elle est, d'autre part, l'espace de singulières et remarquables entrevisions. Au moment de la crise de 1841, c'est une figure de la mère morte qui apparaît sous le porche du n° 37 de la rue N.-D.-de-Lorette. Autrement dit : un signe venu du plus lointain passé (à bien voir : d'un passé — biographiquement — inconnaissable par Nerval) strie le présent, vers le moment de l'heure pivotale, dans la nuit, et prophétise muettement : *C'est la Mort,* s'écrie le poète. Et cette année 1841 sera traversée par des crises successives qui vont le mener à Picpus dans la maison de santé de Mme de Saint-Marcel, puis ensuite, après une rechute, chez le docteur Esprit Blanche, à Montmartre. *C'est la Mort !* Jenny Colon meurt le 5 juin 1842... Ce qui ne signifie pas du tout que les intersignes en question aient été vécus par Nerval : ils sont inscrits dans son texte, c'est ce qui doit requérir. On remarquera, à ce propos, que de nombreux biographes, jusqu'aux travaux actuels, ont pris au mot ce qu'écrivait Nerval. Ils se sont mépris sur la valeur du pacte autobiographique soit-disant conclu. Ils ont cru que les *Nuits d'Octobre* ou les *Promenades et Souvenirs,* sinon *Sylvie* ou *Aurélia* devaient se prendre au pied de la lettre au moins autant que les épisodes « touristiques » du *Voyage en Orient.* Du coup, ils se sont trompés de Nerval, ont confondu la proie et l'ombre, et n'ont saisi ni l'unique ni son double. C'est que Nerval construit une rêverie : il ne s'abandonne pas à la rêverie. Mieux : il ne s'abandonne qu'à la rêverie qui convient à son besoin fondamental de cohérence. Il possède en propre une clarté sans pareille. Sa qualité « poétique » la moins contestable, la plus affirmée, chez lui, le fou, le dément, eh bien, c'est la lucidité. La lucidité ? Examinons ! Homais n'est pas lucide. Prud'homme n'est pas lucide. Bouvard et Pécuchet ne sont pas lucides. Nerval ? Oui. La véritable lucidité ne nivelle pas : elle crée. A cette création par l'auteur doit répondre une création égale, parallèle, équivalente, opérée par le lecteur. *Les Chimères* appartenant au domaine du discours poétique, Jacques Geninasca estime que le texte, en cet instant, doit être conçu *comme la suite d'opérations grâce auxquelles le lecteur construit, à travers une série de relais, l'objet sémiotique qu'est, par définition, le poème.* Fort bien. Mais si — sémiotiquement reconstruit — le poème nervalien n'est reçu, par le lecteur, qu'à la façon d'un phénomène « obscur », opaque, sorte d'obstacle au « lire » ? Cela indiquerait le caractère « hermétique » du poème nervalien. A quoi Jacques Geninasca rétorque que l'hermétisme nervalien s'appréhende, et ne peut s'appréhender que *comme une désignation oblique des insuffisances de notre savoir-lire.* Les choses sont-elles aussi simples ? La symbolique remythifiante qui est au travail à travers toute l'œuvre de Nerval, et qui agite jusqu'au délire physique et jusqu'à la mort son vécu, provoque, chez le lecteur, une symbolique homologue : il n'y a pas de lecture claire de Nerval parce qu'il ne peut exister une pureté de la lecture. On le sait depuis longtemps : il n'y a pas de vrai sens d'un texte.

Ce sens tremblé, je tiens que les rapports de Gérard de Nerval avec George Sand, pour ce qu'on en connaît, en font nettement apparaître le champ. Il y a, d'abord, ce que Nerval emprunte, fût-ce de biais, à Sand, et — en premier lieu — le type féminin cher à Gozzi dont Sand est la première à faire état dans ses *Lettres d'un voyageur,* ce qui est repris par Nerval avant que Gozzi ne soit traduit en français : *ce type de beauté blonde du Midi...* Autrement dit, ce type *bianco, biondo e grassoto,* qui basculera très vite dans les fondements de la mythologie nervalienne Vient ensuite la crise de 1841. C'est le temps où George Sand est occupée, avec un acharnement inimaginable, à produire les chapitres de *Consuelo* et de la *Comtesse de Rudolstadt.* Or, alors qu'il est interné chez Mme de Saint-Marcel, Gérard de Nerval fait parvenir à l'acteur Bocage, qui fut brièvement un amant de George Sand et est resté de ses amis, un billet étrange, par lequel il demande à rencontrer Sand *pour affaire de famille.* On s'étonne ? Pourtant, il y a là beaucoup de logique. Deux mois plus tôt, Sand avait publié *Un hiver au Midi de l'Europe* : dans cet article, elle parlait d'une possible origine languedocienne ou provençale des Buonaparte, dont une branche se serait fixée à Majorque. Elle publiait, en complément, des blasons et des armes. Or, Nerval, avide d'échapper aux feintes et aux dérobades du « Moi », est à la recherche, avec obstination, d'une généalogie plus proche de l'« ailleurs » que ne peut l'être celle, assez brève, et d'« ici », des Labrunie. Le clos Nerval, qui existe, lui a donné l'empereur Nerva. La symbolique qui lui est propre (qui fait intervenir, avec une fréquence intermittente, les montagnes, les monts, et donc les grottes, les abîmes), l'attire vers les Pyrénées. L'alliance des Valois et des Médicis le fascine. Puis il y a Mortefontaine dont le château a eu pour propriétaires successifs Joseph Bonaparte, le prince de Condé et cette Mme de Feuchères, alias Sophie Dawes, laquelle intervient manifestement dans les structures du « temps passé », tel que Nerval le conçoit. Bonaparte ? Mais ce sont les premiers enthousiasmes ! Ce sont les *Elégies nationales !* C'est la légende, par Béranger interposé. C'est le creux, l'ombre, l'absence par lesquels l'enfant du siècle devient Enfant du Siècle justement.

Mises à part *les Elégies nationales,* deux poèmes de Gérard de Nerval méritent, sur le plan des napoléonides, une attention spéciale. On dit que, en mourant, l'Empereur a murmuré quelques mots dont ceux-ci : *Mon fils! Tête armée...* Nerval, plus tard, composa, sous le titre : *La Tête armée,* un poème (sonnet) où s'exprime le syncrétisme du Romantisme ainsi qu'il fut, avec une acuité extrême, ressenti par Nerval :

> *Alors on vit sortir du fond du purgatoire*
> *Un jeune homme inondé des pleurs de la Victoire,*
> *Qui tendit sa main pure au monarque des cieux ;*
> *Frappés au flanc tous deux par un double mystère,*
> *L'un répandait son sang pour féconder la Terre,*
> *L'autre versait au Ciel la semence des Dieux !*

223

Un autre texte encore : *Le Coucher du soleil*, montre

Le coucher du soleil, riche et mouvant tableau,
Encadré dans l'Arc de l'Etoile !

Or, remarque Jean Richer, ce n'est que le 5 mai (jour anniversaire de la mort de Napoléon Ier) que le soleil se couche dans l'axe même de l'Arc de Triomphe de l'Etoile. Ainsi, donc, frère mystique de l'Aiglon, fils naturel (comme il le prétend) de Joseph Bonaparte, Gérard de Nerval, qui a reconnu en George Sand des préoccupations voisines des siennes, demande très normalement à rencontrer *pour affaire de famille* une personne qui vient de trouver à Majorque et dans l'Aquitaine des traces du lignage. Le mot à Bocage date du 14 mars 1841. Le 16 mars, Gérard, signant « G... Nap. della torre Brunya » (les comtes aquitains semi-légendaires et les napoléonides sont ainsi revendiqués ensemble), écrit à Jules Janin une lettre où se lit cette phrase admirable : *Il fait si beau que l'on ne peut se rencontrer ni s'embrasser dans les maisons.*

Lorsqu'il est interné une nouvelle fois chez le docteur Blanche, en 1853, après un séjour à l'hôpital de la Charité, Gérard de Nerval écrit de nouveau à George Sand (entendons que nous ne connaissons que cette seule lettre, ce qui n'interdit pas d'imaginer une correspondance plus suivie) : c'est une lettre extraordinaire, qui commence par des propos terre-à-terre (il réclame des illustrations à Maurice Sand), puis, phrase après phrase, *s'illumine*, et s'illumine de tout ce qu'il y a d'énigmatique dans le destin du poète. Et dans cette lettre à Sand, Nerval copie ou recopie un poème à elle dédié. Il insiste : je vous l'ai envoyé déjà, dit-il, *à pareil jour il y a dix ans.* Non ! il y a dix ans (1843), le poème n'existait pas, mais *Consuelo* paraissait ! Ce sonnet débute par quatre vers étroitement imités d'un poème de Du Bartas jadis choisi par Nerval pour illustrer son anthologie des auteurs du XVI⁰ siècle. Mais Nerval, dans sa lettre à Sand, soustrait le second quatrain, celui-ci :

O seigneur Du Bartas ! Je suis de ton lignage,
Moi qui soude mon vers à ton vers d'autrefois :
Mais les vrais descendants des vieux Comtes de Foix
Ont besoin de témoins *pour parler dans notre âge.*

Les deux premiers vers de ce quatrain occulté volontairement (c'est-à-dire : non communiqué à George Sand : *Je garde le second quatrain pour vous le dire : car j'ai fait ma philosophie à Oxford, j'ai mangé du tambour, bu de la cymbale...*) trouvent leur éclairage le plus juste dans les textes de jeunesse de Nerval, lorsqu'il traitait de Ronsard et des poètes de la Pléiade. Les deux autres revendiquent la généalogie définitive, qui est engloutie en Aquitaine :

Le Prince d'Aquitaine à la Tour abolie...

Ces déclarations surprenantes sont suivies par des facéties énormes. La parodie fuse laconiquement : le héros de théâtre y renoue avec les fatrasies (et l'on sait que ce langage-là renvoie au non-dit, — ainsi Rabelais !) :

Arras, as-tu compris ce que dit La Rochelle ?
— Quand les chats mangeront les rats, le Roi sera
Seigneur d'Arras — C'est vrai, mais à bon chat, bon
                                                    [*rat.*
Et je suis trop ancien pour monter à l'échelle.

Ce quatrain burlesque est signé : *AMMON-RA, Duc d'Egypte.* C'est Brisacier en scène. La déroute du langage dit ce que le langage ne disait pas : et c'est peut-être un appel à l'aide, un signal désespéré, l'Achéron trop de fois traversé qui s'est refermé sur sa proie. L'ensemble de la lettre est close par çe nom : Gaston Phoebus d'Aquitaine. On lit, dessous : *pour copie : Gérard de Nerval.* Enfin, sous Nerval : *Dioscures.* Signe dans le ciel de son destin : il était né sous les Gémeaux ? Aveu d'une réconciliation ? Dans un de ses textes de 1850, il avait écrit des Dioscures : *ces cavaliers de la sphère céleste, compagnons fidèles qui ne se rencontrent jamais et dont l'un paraît au septentrion lorsque l'autre disparaît au midi.* La danse de Nerval et de son Double : un cérémonial de mort, qui met au jour le vrai visage du Romantisme.

L'ENIGMATIQUE « PANDORA »

Texte éclaté, déchiré, mélangeant l'humour et le tragique, hasardement et (ou) résolument non-clos : voilà *Pandora,* un conte de Gérard de Nerval dont on commença, par facilité, à ne pas se soucier, et auquel il convient de prêter l'attention la plus vive. Rien, ici, n'est simple. Mais il est vrai que, dès lors qu'il s'agit de Gérard de Nerval, rien, effectivement, n'est simple. Sous le prétexte que les indications d'un ton manifestement autobiographique qui parsèment l'œuvre, sont démenties par un examen plus lucide des événements de l'existence, d'aucuns projetèrent de séparer Nerval de son texte, et d'inventer que tout rapport de l'un à l'autre n'aboutissait, à la fin, qu'à brouiller et renforcer l'hermétisme du discours. C'était là se vouer à une lecture « hermétique », et prétendre que le texte se suffisait à lui-même. Les gloses finissaient — ainsi — par désigner une gnose tenue pour aboutie, enserrée dans les limites d'une somme d'écrits, bref : *dites.* Or, la production de l'écrivain Nerval est infiniment plus « trouble » que cela, — et c'est, justement, l'incertitude du « sens » (non pas uniquement du « sens » de la *Pandora,* mais du « sens » de tout ce que dit Nerval de ce qu'il tentait de dire) qui nous permet de concevoir *Pandora* comme une énigme. Le projet de Gérard de Nerval, à partir — en gros — de 1830, et tel qu'on le verra *s'affoler* — littéralement — dès la crise de 1841, ne peut en aucun cas se dissocier de ce qui tente, essaye, veut obscurément, au long du siècle (au moins jusque vers les années 60) s'établir comme projet général, ou, si l'on préfère : Romantisme. Orphée en est l'initiateur masqué, difficilement découvert, cerné par une errance aveugle traversée d'entrevisions et d'intuitions. Le Progrès en est le moteur bizarre : tantôt flamme déployée à la façon d'un étendard, parfois feu couvant et braises. Mais qu'indique le Progrès ? L'âge d'or.

Je pense à toi, Myrtho, divine enchanteresse,
Au Pausilippe altier, de mille feux brillant,
A ton front inondé des clartés d'Orient,
Aux raisins noirs mêlés avec l'or de ta tresse.

C'est *la blonde aux yeux noirs* ! Autrement dit, le vague de l'élaboration romantique, l'insuffisance évidente à répondre aux provocations de l'Histoire, mais l'acharnement anxieux, aboutissent, chez les Romantiques, à l'insertion oblique et dissimulée de la biographie. Les « aveux », même lorsqu'ils semblent directs et proches du vécu, appartiennent aux fantasmes du désir. Le « Je » du discours romantique doit être toujours mis en doute : il incarne cette tentative d'un espoir désespéré ou d'un désespoir camouflé par laquelle le Romantique veut se doter d'un « être ». Le vécu n'apparaît et ne s'inscrit que dans les marges. Mieux encore : dans ces bavures que le mythe ne parvient pas entièrement à gommer. *Je suis l'autre* ! Lorsque Gérard de Nerval inscrit ces mots en regard de la gravure de lui qu'a faite Gervais pour illustrer la brochure des *Contemporains* de Mirecourt, c'est parce qu'il est aussi le Nerval de la célèbre photographie de Nadar. Il craignait que Gervais ne reproduise le pathétique de ce reflet. Or, Gervais a commis une figuration dont se trouve exclue la terreur de Nerval saisie par Nadar ; dont est banni le désarroi. Comme, en ce moment, Nerval, sorti de chez Blanche, vagabonde pour la dernière fois en Allemagne, feint de s'illusionner sur son état véritable, la niaiserie de Gervais, où il peut se reconnaître Bousingo (à Théophile Gautier, dans le prélude au *Voyage en Orient,* ces mots : *Ah ! vois-tu, nous sommes encore jeunes, plus jeunes que nous ne le croyons!),* il s'insurge contre son leurre, se reprend, se *comprend,* et écrit « dans la marge » : *Je suis l'autre.* Où la biographie joue son rôle sybillin, c'est lorsqu'elle démontre par le vécu ET par le texte, que Nerval n'est ni dans ce *Je* qu'il écrit, ni dans cet *autre* qu'il revendique. Quel « Je », d'ailleurs ?

Suis-je Amour ou Phoebus ?... Lusignan ou Biron ?

Et celui de quel lieu? Lutèce recouverte de cendres (*Adieu aussi ville enfumée qui t'appelais Lutèce*) ? C'est Paris allié à l'Allemagne, deux signes du royaume de la nuit. Un double ténébreux et chéri : Hoffmann, mais aussi un tombeau, celui de la mère, à Gross-Glogau, seuil lugubre, et qu'il faut passer cependant pour atteindre à l'empire des Mères ; dédale qui mène Orphée à Euridyce, et Euridyce à la mort : c'est l'abîme ! L'Italie ?

Rends-moi le Pausilippe et la mer d'Italie,
La fleur qui plaisait tant à mon cœur désolé...

Mais l'Italie, c'est aussi le Valois. Rois de France et princesses du pays soleilleux, auxquels il faut ajouter les Bonaparte, dévoilent enfin le vrai lignage :

O Médicis ! les temps seraient-ils accomplis ?

Le Valois, c'est l'Italie idéale. Venise, Naples, Florence, étoiles brillantes, lumineuses, qui sertissent le collier de la femme rêvée, et jouent dans sa chevelure. Avant la publication des *Filles du feu*, avant la rédaction des *Chimères*, elle traverse cette petite pièce de théâtre à laquelle Nerval conférait un grand prix : *Corilla* (d'abord titrée *Les Deux Rendez-vous*, l'héroïne se nommant alors Mercédès). Jenny Colon, qui est *bionda e grassota*, devient la *blonde aux yeux noirs* : en elle, l'Italie et ses citrons, le Valois et ses chants populaires se rejoignent et se confondent. La Morte, qui est dans le cimetière du Nord ; la Comédienne, décédée en 1842 — il reste la troisième, la seule. Qu'il y ait eu liaison brève de Nerval avec Jenny Colon, c'est plus que probable : l'échec vint aussitôt. La femme avait failli tuer le mythe. Jenny quittée, elle peut redevenir l'*autre*, qui est la vraie : *Amor y Roma ! palladium sacré, reste à jamais inscrit sur la tombe d'Artémis.* Enigme ! Jeux de lettres : deux vocables se contemplent et se décomposent l'un dans l'autre, se reflètent tout en étant maintenus dans l'éloignement (signifié par ce « y », qui est emprunté à l'espagnol). Pour Artémis, nous sommes confrontés aux *Chimères*, et au vers fameux :

La Treizième revient... C'est encor la première...

par quoi débute le sonnet incomparable titré justement *Artémis*. Artémis, c'est Hécate. Phonétiquement, c'est Arthémise. Artémise, ou Diane chasseresse, image de Sophie Dawes devenue baronne de Feuchères et maîtresse du château de Mortefontaine. Mais, pour en revenir à la *Pandora* où se lit cette fort étrange exclamation : *Amor y Roma !* il faut songer qu'à deux pas de Vienne, il y a le château de Schoenbrunn, où a vécu, et où est mort le Roi de Rome. Or, Gérard de Nerval s'est persuadé qu'il est un napoléonide, non seulement par l'alliance du poème (*L'aigle a déjà passé : Napoléon m'appelle*), mais par filiation directe, reniement total des Labrunie : sa mère, qui repose à Glogau, l'a conçu lors de noces clandestines avec Joseph Bonaparte. Dès lors, Vienne est consacré lieu mythique. Donc, il va s'y passer quelque événement fabuleux et transfigurant. Quoi ? Un amour, bien entendu. *Un nouvel amour se dessine déjà sur la trame variée des deux autres.* Le caractère du « texte » nervalien, avec — comme je l'ai indiqué — les sournoiseries du labyrinthe biographique qui y affleurent et s'y dissimulent, puis les variations parfois mystifiantes et parfois mystifiées, tantôt ludiques et, à d'autres endroits, précises et fortes de l'appareil culturel considérable dont Nerval joue avec une maîtrise confondante, sans omettre l'usage de chiffres et de codes parfois mal maîtrisés et, je le crois, inventés pour partie, — tout cela fait de cette œuvre dont l'édition certaine et définitive est *impossible* (tant Nerval déplace ses textes établis à l'intérieur de l'établissement de ses textes nouveaux : ce qui crée un mouvement du « sens » unique, à ma connaissance, dans la littérature), un recommencement constant de la lecture, un déploiement quasi-illimité des lectures possibles. C'est dans la mise au point de cette machinerie minutieuse que se voit le vrai de ce qu'on a nommé la folie (voir Arvède Barine : la névrose, au sens 1900 du terme) de Nerval : sa lucidité ! Autant les autres Romantiques s'abandonnaient à la mythologie en formation, autant celui-ci la scrute, l'interroge, l'examine. Vouloir « lire » Nerval, c'est se persuader d'abord qu'il n'y a rien d'automatique dans son écriture, ni rien de hasardeux dans sa construction. Ce qui ne veut pas dire, bien au contraire, qu'on peut le réduire à quoi que ce soit qui ne soit pas, littéralement, ce qu'il a dit.

Pandora s'ouvre sur une évocation de l'énigme de Bologne (pierre gravée qui connut elle-même des avatars divers, et fut soumise à des interprétations variées) : *C'était bien à elle peut-être, — à elle, en vérité, — que pouvait s'appliquer l'indéchiffrable énigme gravée sur la pierre de Bologne : AELIA LAELIA. Nec vir, nec mulier, nec androgyna, etc.* Dans son chapitre sur *Le Comte de Saint-Germain*, au passage demeuré longtemps inédit, titré ironiquement *Eclaircissements*, Nerval avait traduit à son tour l'énigme de Bologne : *Aux Dieux Mânes : Aelia Laelia Crispis qui n'est ni homme ni femme ni hermaphrodite, ni fille, ni jeune, ni vieille, ni chaste, ni prostituée, ni pudique, mais tout cela ensemble, qui n'est ni morte de faim, et qui n'a été tuée, ni par le fer, ni par le poison, mais par ces trois choses ; n'est ni au ciel, ni dans l'eau, ni dans la terre ; mais est partout. Lucius Agathon Priscius, qui n'est ni son mari, ni son amant, ni son parent, ni triste, ni joyeux, ni pleurant, sait et ne sait pas pourquoi il a posé ceci, qui n'est ni un monument ni une pyramide, ni un tombeau. C'est-à-dire un tombeau qui ne renferme pas de cadavre, un cadavre qui n'est point renfermé dans un tombeau ; mais un cadavre qui est tout ensemble à soi-même et cadavre et tombeau.* Parmi les signatures « imaginaires » qui sont apposées sous les diverses parties de la lettre si curieuse et révélatrice qu'il enverra à George Sand en 1853, il y a celle-ci : *Lucius Priscus...*

La Pandora est assimilée à AElia Laelia : *Enfin la Pandora, c'est tout dire, car je ne veux pas tout dire.* Or, sur l'un des manuscrits retrouvés de ce récit, on remarque une dédicace : *à Timothée.* Qui est ce Timothée ? Jean Richer tient qu'il faut le distinguer du Timothée O'Neil auquel Nerval, en 1841, adressait *les Amours de Vienne,* lequel était Théophile Dondey, dit Philothée O'Neddy, l'un des poètes les plus vigoureux du groupe bousingo. Cependant, lorsqu'on sait que *Pandora* s'inscrit très exactement, de par la volonté expresse du poète, à la suite des *Amours de Vienne,* il est, à première vue, difficile d'admettre que la reprise du nom identique puisse s'appliquer à une autre personne. C'est méconnaître le jeu et la symbolique nervaliens des noms propres, le lien que leur usage tisse entre le vécu et le mythe. Dans le cas présent, dans la mesure où la liaison est logiquement maintenue entre les *Amours de Vienne* et *Pandora,* le lecteur remarque aussitôt une rupture dans le ton : la clarté dansante des pages initiales s'engouffre dans un univers où la fantaisie se charge d'orages et de tumultes. Signe au moins indirect de la folie menaçante ? Non. Aveu de la mythologie : Amor y Roma. C'est-à-dire : enracinement dans le lignage impossible et impossibilité de l'amour. Nerval avait été vivement frappé, en mars 1821, par la représentation du drame tiré par Barbier et Carré, sur une musique d'Ancessy, de divers épisodes narrés par Hoffmann dans ses œuvres, *les Contes d'Hoffmann.* Or les allusions à Hoffmann sont nombreuses dans *Pandora.* On y retrouve *la Nuit de la Saint-Sylvestre,* dont Nerval avait entrepris une traduction. Mais surtout, et c'est également une des clés de l'opéra que la musique, ensuite, d'Offenbach substituée à celle d'Ancessy, allait rendre célèbre, il y a la poupée créée par Cornelius : l'Olympia de *l'Homme au sable.* Théophile Gautier, à propos de cette péripétie du drame lyrique, écrivait : *Aimer un automate est un malheur qui arrive à tous les poètes, il faut bien s'en consoler.* Il exprime ainsi l'une des angoisses du « texte » ! Un automate ? Pourquoi pas AElia Laelia ? *Ni homme, ni femme, ni androgyne, ni fille, ni jeune, ni vieille, ni* chaste, *ni folle, ni pudique, mais tout cela ensemble.* Bref ! elle : la Pandora... Dès lors, le Timothée de la dédicace (manuscrite) de *Pandora* cesse d'être le compagnon de l'impasse du Doyenné et de la bataille d'*Hernani.* Il désigne clairement le « double » germanique : Hoffmann, auquel il arriva de signer quelques récits « Timothée », car il était né le jour où est fêté le saint qui porte ce nom. Il existe chez Hoffmann, comme chez Nerval, une pratique assez constante des rapports entre les noms (et principalement ceux des saints du calendrier) et les événements datés : un symbolisme, pourrait-on dire, de la dénomination. Mais Pandora ? On a dit, Vienne aidant, qu'il s'agissait de Marie Pleyel, la musicienne virtuose, que Nerval effectivement fréquenta, et dont il fut amoureux un certain temps. Si liaison il y eut, elle fut au moins aussi brève que celle qui unit fugacement Nerval et Jenny Colon, mais il en résulta une amitié vraie dont les traces sont perceptibles dans *Aurélia*. Et c'est justement parce que le visage de Marie Pleyel, ici, ne peut du tout s'accorder à celui de Pandora, qu'il est impossible, compte tenu de la cohérence de l'œuvre, et de la lucidité jamais démentie de l'auteur, que Marie Pleyel puisse être Pandora. Alors, qui ? Je n'ignore pas qu'il y a quelque vanité généralement à chercher des « pilotis » à des ouvrages qui se suffisent à eux-mêmes, — mais, dans le cas de Gérard de Nerval, dans ce complexe système de vases communicants par quoi la vie rêvée s'épanche dans la vie réelle, et réciproquement, l'appel de la biographie est plus impérieux que chez d'autres écrivains. Ceci vaut pour certains des grands romantiques : leurs œuvres sont travaillées par leur biographie, et refuser cette dernière revient, dès lors, à tronquer les premières. Aucune mythologie en formation n'est concevable, n'est perceptible même, si n'entrent pas en compte les éléments qui la fondent, qui lui permettent de se faire, et qui sont dans le vécu. La Pandora, pour Jean Senelier, ce n'est pas Marie Pleyel, mais l'image de la comédienne Esther de Bongars, qui fut célèbre pour son aisance à jouer aussi bien des rôles masculins (elle en joua treize, de 1836 à 1843, au théâtre des Varités) que des rôles féminins. *Les jeunes filles,* remarque Jacques Arago, *raffolaient de lui, les garçons raffolaient d'elle.* AElia Laelia sur les planches, offrant à Brisacier le spectacle d'une perfection intersexuelle absolue !

On remarquera également, lisant *Pandora,* que l'auteur est d'une part confronté à ce partage de l'attirance physique (ou, mieux, amoureuse) qui oppose à son type élu, « à la Gozzi », une femme qui s'éloigne absolument de ce type-là. La blonde et la brune (il y a un épisode semblable chez Jean-Jacques Rousseau). Et qu'il est, d'autre part, plongé dans son climat extrême : *A Vienne, en hiver, j'ai continuellement vécu dans un rêve.* Tel est le climat de *Pandora.* Mais Nerval ne peut se concevoir sans l'opération constante du syncrétisme, si bien que Marie Pleyel est malgré tout une partie de *Pandora.* C'est dans son salon de Vienne que le héros se ridiculise. C'est elle, à la fin, qu'il retrouve sur la Grande Place de Bruxelles (*Je n'ai revu la Pandora que l'année suivante, dans une froide capitale du Nord*). Là, en cette *place où tombèrent jadis les têtes des comtes d'Egmont et de Horn,* Pandora offre au narrateur un coffre (*la boîte fatale*) rempli *des plus beaux joujoux de Nuremberg.* Devant cette offre, qui peut se lire (pourquoi pas?) comme offre du corps, le héros s'enfuit. Mais non pas au hasard des rues. *Je me pris à fuir à toutes jambes vers la place de la Monnaie.* C'est-à-dire vers le Théâtre de la Monnaie, qui est l'Opéra de Bruxelles, et où Jenny Colon, avant de mourir, s'était plusieurs fois produite, et notamment dans *Piquillo,* et où elle avait signé un engagement. Nerval fuit les *joujoux de Nuremberg* de la Pandora, *ni* chaste (le mot est en italique dans le texte imprimé), *ni folle, ni pudique,* automate né entre les mains d'un Pygmalion du dérisoire : Lilith peut-être ! — et gagne *à toutes jambes* ce qui est, malgré tout, le tombeau de la comédienne : le lieu du mythe.

LE PROMENEUR ET L'ESPACE CLOS

A la mort mystérieuse de Gérard de Nerval, le docteur Blanche qui l'avait soigné avec beaucoup d'attention
et une grande compétence (basée sur une sympathie
réelle), écrivit à l'archevêque de Paris afin d'obtenir,
pour le poète, des obsèques religieuses malgré qu'il se fût
suicidé. On lit dans cette lettre une phrase étonnante, qui
n'est pas loin de donner la clé d'*Aurélia,* et ainsi d'*Artémis ou le Rêve et la Vie,* titre sous lequel Nerval avait
pensé réunir l'ensemble de ses œuvres disséminées dans
des publications partielles : *Si sa raison,* écrivait le docteur Blanche, *s'est de plus en plus égarée, c'est surtout
parce qu'il voyait sa folie face à face.* Autrement dit,
parce que l'« espace » qui le séparait de son Double
tendait à diminuer jusqu'à disparaître. La vieille légende
qui veut que celui qui voit son Double doit mourir tient
plus à cette réduction de l'espace qu'à l'entrevision du
reflet. Que les Dioscures, qui sont, l'un, le soleil du matin, et l'autre le soleil du soir viennent à se rencontrer,
et ce qui disparaît c'est l'univers où leur course s'inscrit.
Le symbole de ceci est assez nettement donné par le
« soleil noir » et l'étoile de feu qui, dans *Aurélia,* s'inscrivent dans le ciel. Dès lors, la pluie qui tombe devient
Déluge, c'est-à-dire : signe avant-coureur de l'anéantissement. Mais *Aurélia* montre aussi une femme, qui est

236

et rassemble toutes les femmes : la Mère, Marie et le cortège des amoureuses, et cette femme grandit jusqu'à recouvrir l'entièreté du visible : elle met au bien, et à la réconciliation, ce qui était au mal, et à la dispersion. Elle devient le « lieu » qui remplace tous les « lieux » du possible, — et du même coup elle offre, dans son gigantesque surgissement, la fusion de l'« ici » et de l'« ailleurs ». En elle s'inscrivent les « archétypes », de la même façon qu'en elle s'accomplit tout ce qui n'avait été jusqu'alors que symbolique. Elle est réponse décisive et définitive.

Deux remarques aussitôt s'imposent, qu'il ne faut cesser, en ce domaine, de répéter. D'abord, il faut insister sur le fait que c'est bien Nerval qui écrit ses ouvrages, et non pas la folie qui tient la plume. Ses œuvres appartiennent à la lucidité et non pas au délire. Ensuite, il y a quelque abus à vouloir faire de la poésie de Nerval — mieux encore : de la poésie romantique, — un discours qui viserait à la philosophie, ou bien : qui élaborerait, face aux questions du monde, un système capable et digne de répondre à ces questions. Certes, il serait aberrant d'exclure le « philosophique » hors du champ. Le poème entier de Victor Hugo, par exemple, et tel qu'il ne cesse de se faire et de se défaire de s'accomplir inabouti, depuis *les Contemplations,* brasse le « philosophique », mais — à l'évidence — c'est pour le creuser, l'inverser, et — dans cette limite angoissante où il vient se rompre — en montrer le dérisoire. Le poème tire au jour des mots ce que la philosophie ne dit pas et est incapable de dire. Il oppose au discours du philosophique un contre-discours qui décime les prétentions du philosophique et sa tyrannie. Il accuse ce qui le fait particulier : un questionnement à la fois aveugle et clairvoyant dans lequel le discours philosophique s'engloutit et à quoi il achoppe. Le questionnement qu'est la poésie ronge la réponse que veut être la philosophie. Ce que dit le discours philosophique perd son assise dès lors que se fait entendre la voix errante du poème, — parce que ce que dit le poème, c'est la présence, l'opacité, l'énigme du non-dit. La qualité de l'œuvre de Gérard de Nerval est là : dans l'aveu. Ici, le questionnement tente de se démarquer de toute rhétorique rassurante. Du même coup, Nerval révèle, plus que d'autres, la nature du romantisme. L'enfant du siècle qu'il est incarne aussi, sans masques, le malaise du siècle. Il appartient tout entier à cet être souterrain dont les signaux se déchiffrent avec plus ou moins de force, et avec des vivacités d'éclair, dans le poème...

Ce qui ne veut pas dire du tout que Nerval n'ait pas « questionné » la philosophie et son discours, la Tradition (comme il dit) et la science (comme il précise). Lecteur à la fois incomparable et désordonné, il a fait de la bibliothèque l'un des espaces de l'errance. Jean Richer note, avec quelque regret semble-t-il, que Nerval *n'avait eu accès à aucune initiation véritable* et qu'*aucune conversion profonde ne s'était opérée en lui*. Or, l'initiation représente la clôture d'un lieu. L'initié, c'est celui qui a cessé d'errer. La conversion profonde est le renoncement au questionnement : c'est le recours, plein et entier, à l'ordre d'un discours impeccable. La réponse que découvre l'initié, grâce à l'initiation, est telle qu'il ne reste aucun espace qui puisse permettre à l'œuvre de vagabonder, c'est-à-dire : de se faire. Car le poème est tel qu'il ne peut s'accomplir sans périr. Terminé, il s'abolit. Jean Richer ajoute : *Bien que le poète* (Nerval) *ait largement fait appel à l'ésotérisme, il a toujours donné une signification* personnelle, *donc abusivement restrictive, aux symboles qu'il empruntait pour s'exprimer*. Le terme utilisé par Jean Richer : *abusivement*, désigne on ne peut mieux, l'espace du poème. En effet, le poème campe dans l'envers des certitudes. Il appartient à la non-résolution et à la non-réalisation. Il est tout entier en chemin dans ces chemins qui ne mènent nulle part, et dont parlait Martin Heidegger. Il est dans l'« ouvert », et alors *il est*. Ou bien il accepte la clôture, et il devient plagiat, regagne le sein d'un discours confortant sinon confortable, et ne véhicule plus qu'une « bonne parole » d'où le non-dit est à jamais exclu. C'est pourquoi la Tradition et la science lui sont utiles, sans jamais lui être nécessaires. Il construit un monde inachevable à partir d'éléments épars hérités d'un *savoir* qui se veut définitif et sensé. S'il devenait reflet de ce *savoir*, ou de quelque savoir prétendument souverain, il cesserait d'être dans la mesure même où il se serait installé, organe de transmission, agent électoral, propagateur d'une réponse exclusive, dans cela qui l'interdit : l'immobilité !

Gérard de Nerval, *qui est assurément un des trois ou quatre plus grands écrivains du XIX° siècle,* ainsi que disait Marcel Proust, est assez vite devenu un auteur morcelé. Les chantres du terroir et du maintien des structures anciennes se sont emparés de lui comme ils s'étaient emparés de George Sand et du Berry de son roman, bien qu'avec moins de facilité, et voulaient le contenir dans les limites étroites de ce pays du Valois dont il avait recueilli, à son avis, les légendes et les chansons. C'était là, délibérément, ou par incapacité de lecture, négliger absolument les rapports que Gérard de Nerval entretint et entretient avec l'espace, et toute une dialectique entre le « dedans » et le « dehors », l'« ici » et l'« ailleurs », le « clos » et l'« ouvert », qui est au travail depuis les origines et traverse les ouvrages successifs. Le pseudonyme choisi par Gérard Labrunie : *Nerval* est déjà significatif. Il est emprunté d'une part à un « clos », ou petite parcelle de terrain, qui appartient à la famille ; mais il se réfère également à l'une de ces généalogies que le poète affectionnait, et qui devait, par l'entremise de la nomination du clos en question, ancrer son lignage dans la descendance de l'Empereur romain Nerva. La terre du Valois, c'est le lieu fermé, borné, délimité, où, cependant, sont enterrés les morts, qui sont loin *dans* le sol. Le lignage évoqué, c'est l'« ouvert », la remontée vertigineuse vers des origines à la fois historiques et légendaires. Le promeneur Nerval, — familier d'itinéraires capricieux *conçus*, écrit-il, *selon le plan des promenades solitaires de Jean-Jacques*, — lie l'espace et le temps. Les deux dimensions du temps sont l'histoire et la légende. Si l'on préfère : *Promenades et Souvenirs* d'une part, et *Le Voyage en Orient* d'autre part. On lit : *Je ne puis m'intéresser aux lieux que je vois sans chercher à y faire lever le spectre de ce qu'ils furent dans un autre temps ; mais ces souvenirs ont d'autant plus d'agrément, quand la forme extérieure n'a pas entièrement changé.* Réel et imaginaire ! Le questionnement de Nerval aboutit à les faire communiquer, à instaurer un « change » : c'est *Aurélia*, où on lit : *Ici a commencé pour moi ce que j'appellerai l'épanchement du songe dans la vie réelle.* Mais si l'on prête à la lecture de Gérard de Nerval une attention convenable, on ne peut s'empêcher de rapprocher deux phrases l'une de l'autre : celle-ci, qui, dans *Aurélia*, alerte et angoisse : *Telles sont les idées bizarres que donnent ces sortes de maladie ;* — et cette autre, dans *Sylvie*, qui pacifie : *Telles sont les chimères qui charment et égarent au matin de la vie.* A bien entendre, il s'agit de la même chose. Simplement, *Sylvie* témoigne pour la muse dansante qui pénètre l'esprit avec charme et juvénilité, — alors qu'*Aurélia* laisse percevoir plus nettement la Pythie qui s'enfuit en jetant des cris. Mais le témoignage de ces deux chapitres, *Sylvie* et *Aurélia*, d'une *même* autobiographie imaginaire, prouve que, chez Nerval, le rêve et la réalité ont été, depuis le début du questionnement, ou presque, vécus simultanément. Il n'y a pas le rêve puis la vie (ou l'inverse), mais la vie traversée par le rêve, et, à son

240

tour, bibliothèque comprise, traversant le rêve. Dès lors, le théâtre, lieu clos qui ne trouve son « ouverture » que dans l'imaginaire, se mélange étroitement à la scène où la vie se vit. *Il y a en tout homme un spectateur et un acteur.* On lit encore, dans *Aurélia,* ceci : *La terre, ses habitants et leur histoire étaient le théâtre où venaient s'accomplir les actions physiques qui préparaient l'existence et la situation des êtres immortels attachés à sa destinée.* Dans *Le Voyage en Orient,* cette notation fugace : *Il me semble que je marche au milieu d'une comédie.* Puis il y a cette courte pièce, *Corilla,* à laquelle Nerval, si l'on fait le décompte des publications qu'il en fit, tenait beaucoup : on y voit au vif le rapport Jenny Colon-Nerval, et comment la « comédienne », qui appartient au mythe, participe à la femme réelle, mais, en même temps, par rapport au fantôme du théâtre qui permet tout, en fait un fantôme limité. Et *Corilla* rebondit dans *Sylvie* où nous découvrons trois femmes, qui, alternativement et conjointement, offrent et présentent la triple face de Vénus : Aurélie, qui est la Vénus des Enfers ; Adrienne, Vénus céleste ; et Sylvie enfin, qui est la Vénus populaire. Adrienne et Sylvie : *les deux moitiés d'un seul amour. L'un était l'idéal sublime, l'autre la douce réalité.* Le rêve, la vie. Il n'est pas inutile d'évoquer la façon dont Nerval, demandant à Maurice Sand d'illustrer *Sylvie,* voyait Adrienne : *l'actrice,* notait-il, *est blonde — type bourbonnien, — Louise d'Orléans par exemple.* A se demander si la reine des Belges, fille du roi des Français Louis-Philippe, n'est pas, lorsqu'elle est face à Jenny Colon jouant dans *Piquillo,* la « vraie » Sophie Dawes ? La « véritable » Mme de Feuchères ? Cette dernière est la maîtresse du prince de Condé, Bourbon par excellence. Louise d'Orléans, elle aussi du type Gozzi, blonde avec des chairs blanches et un peu lourdes, est *Reine.* Chez Nerval, les images tissent un réseau serré, auquel participent les analogies et les entrevisions : il trouve son lieu véritable dans la rêverie très exactement...

Cela signifie que l'œuvre de Gérard de Nerval est faite d'*essais de sortie*. La maison de l'oncle, espace familial, c'est-à-dire, par définition, clos, est le lieu d'une métamorphose dont l'agent est la chanson du Valois. Le familier (l'« ici ») éclate sous la poussée du fantastique (l'« ailleurs »). Le voyage dévoile le décor historique, lequel, à son tour, s'illimite, par l'intrusion de la légende, en décor mythique. L'errance, elle aussi, possède son lieu : l'auberge ou le cabaret, qui sont des creusets. De ceci témoignent absolument *les Nuits d'Octobre*, où l'on voit comment et combien les lieux et les espaces fusionnent. Les personnages attablés chez la mère Saguet ou chez Paul Niquet, chez les marchands de cidre de Montmartre ou dans les assommoirs des Halles qui étaient alors inachevées, participent aux deux règnes : ce sont des « chiffonniers » qui traversent sans cesse la frontière qui sépare la vie du rêve. Ils sont là, dans leur poids et leur pesanteur, mais ils sont aussi les héros des contes d'Hoffmann. Ils sont d'aujourd'hui, mais ils sont aussi d'hier. Le cabaret devient ainsi un espace de transhumance : le passé, le présent et l'avenir s'y mélangent, le théâtre et le réel s'y superposent, la légende et l'histoire s'y épousent : le texte s'y *écrit*. Les différentes haltes de la traversée de Paris sont les étapes d'un périple initiatique : ce microcosme résume le monde. Dans les jardins parisiens, qui s'inscrivent avec force dans l'œuvre, se re-trouve la totalité de l'univers...

Le parcours dernier est dans *Aurélia*. Il est dominé par la femme géante qui englobe et abolit la terre et le ciel. Réconciliation ? Peut-être : questionnement démesuré, — et image ultime de ce que l'on a nommé le Romantisme !

L'AUTRE FLAUBERT

C'est lorsqu'il s'exclame : « *Mme Bovary, c'est moi !* » que Gustave Flaubert commence à brouiller les pistes. Il est essentiel de le prendre au mot, mais il est indispensable de donner au « bovarysme » ses dimensions vraies. A suivre volume après volume les *Œuvres complètes* de Flaubert, il vient au lecteur une façon de vertige : l'« ennui » de Flaubert, cette touffeur pessimiste qui étrangle, voici qu'il désigne dans le creux du monde le gîte des monstres, le pandemonium du désir, l'alambic des métamorphoses. La démence est là, sans cesse présente, dans l'arrière-texte. Flaubert le voyeur, dans la caverne de Croisset, contemple l'autre Flaubert : le possédé. Dans le même temps, ces mêmes *Œuvres complètes* montrent jusqu'à l'évidence comment le géant nerveux érige entre lui et la folie des murailles de fiches, de notes, de bibliographies, de lectures ardues. Le travail, ici, acharné, obligé, aigre, se transmue à la fois en effort vers la présence et en tentative éperdue de fuir. Là-dessus, la *Correspondance* fuse, met le cœur à nu, tire le dégoût au plein jour, colmate les brèches, et blesse ! L'homme hanté veut conjurer ses fantômes : il les attire !

Le paradoxe de Flaubert (on le sait, on l'a redit mille fois avec raison) c'est qu'ayant souhaité s'effacer non pas derrière son œuvre, mais dans son œuvre, disparaître sous les liasses du papier imprimé : *Je n'aime pas intéresser le public avec ma personne* écrit-il à l'ami Tourgueneff, — gagner l'anonymat de l'auteur célèbre, n'être plus qu'un nom gravé sous un livre : le tombeau de la gloire proscrit les pièges gluants de la métempsychose ! — ne parle que de lui, n'intéresse que parce qu'il est lui. Son paradoxe, c'est qu'il n'a pas réussi à se faire un nom ! Il est dans ses livres comme un loup dans un piège, saccageant l'ordre imaginaire, troublant le lisse du style, brisant la musique élaborée. Et plus il veut aller loin de lui dans les banalités normandes ou parisiennes, ou vers d'impossibles Carthages, s'écarter de ce Flaubert qui le regarde, plus on le devine proche, hagard, pantelant, impatient ! Chaque chapitre qu'il écrit le montre du doigt, le dénonce et crie au monstre. Il ne peut se débarrasser de son plus proche complice, qui est le marquis de Sade. Alors, il feinte, il décrit le monde extérieur, les choses du lointain, mais, ce faisant, il crée une œuvre que la sexualité habite de haut en bas : les scènes de bataille, les rues, les portes forcées, les repas, les mets, les langueurs, les rêveries, les velours, les bijoux, les attitudes, la pluie, le vent, les astres, les dieux... tout est contaminé, devient symbole sexuel, violence, insatiable désir. Les connotations érotiques affleurent un peu partout, surgissent brusquement, puis, sans jamais totalement disparaître, s'éloignent. Le sexe, qui ouvre sur la mort, ce puits de sang, cette nuit vivante, voilà ce que regarde, sous les yeux de l'autre Flaubert, Flaubert le voyant. L'examen des malades, des cadavres, — documentation ? Voilà l'alibi ! Cette contemplation morbide renvoie au « bovarysme » : ce corps jeté aux vers, n'est-ce point le signe le plus évident, et indéniable, du divorce qu'il y a entre la vie vécue et la vie rêvée ? Ce pantin figé roide dans le gel des os et la pourriture du sang, ce masque qui était hier nanti d'un Je éclaté, ne le voilà-t-il pas enfin réconcilié ? D'après Edmond de Goncourt, Flaubert aspirait à une mort sans horizon, sans survie, sans résurrection, sans recommencement : *être à tout jamais dépouillé de son moi !* Et le saint Antoine de *la Tentation,* ce livre si souvent repris au long de l'existence, sorte de « Flaubert tenté », — quel est son ultime vœu ? *Descendre jusqu'au fond de la matière, — être la matière !...*

Le singulier écrivain qu'est Gustave Flaubert passe tantôt pour finir le Romantisme, tantôt pour inaugurer le Réalisme. Cela concerne les historiens de la littérature, qui sont de mœurs froides. Le vrai débat de Flaubert est ailleurs dans un combat qui a pour lice l'écritoire mais aussi la vastitude du monde, dans un rêve où Emma (Flaubert) a pour ombre portée une Salammbô qui ressemble à Sarah Bernhardt, mais que traverse Elisa Foucault, épouse Schlésinger, la Mme Arnoux de *l'Education sentimentale,* et Louise Colet qui le mettra tout vif, en un portrait peu flatteur, dans son roman à clé : *Lui.* Il ne veut pas d'une littérature de témoignage, qui ressemblerait à son autobiographie masquée de 1838 (il avait dix sept ans !) : *Mémoires d'un fou.* Il veut échapper au labyrinthe. Il ne veut pas être dévoré. Il invente un livre qui gommerait tout de lui, sauf son nom. Il serait ainsi G. Flaubert, « écrivain » ; G. Flaubert, « homme des mots » ; non pas même « homme », surtout pas, surtout plus, mais scripteur sans annales : n'écrivant rien, écrivant ! *Ce qui me semble beau, ce que je voudrais faire, c'est un livre sur rien, un livre sans attache extérieure, qui se tiendrait de lui-même par la force interne de son style.* Flaubert l'ambigu ! La phrase que je viens de citer peut s'interpréter de deux façons. Premièrement, à la manière que j'ai dite : que Flaubert se refuse à laisser paraître quelque trace que ce soit de son débat intime, et veut une fois pour toutes enterrer le fou, biffer le monstre, *cacher* le sexe. Deuxièmement :

que le rêve si « parnassien », si « mallarméen » d'un livre détaché de sa genèse, libre d'entraves, événement « naturel », surgissement incomparable, fatal, *comme la terre sans être soutenue se tient en l'air*, — est un rêve démiurgique : l'artiste est semblable à Dieu. Il ne doit nul compte, à personne. Il ne prouve rien. Il n'a pas à témoigner. La poésie est absolument subjective : ce qu'il dit...

Il est commun d'entendre des lecteurs de la meilleure foi trancher : « J'aime *Madame Bovary* ; je n'aime pas *Salammbô* »... La rapidité du jugement donne à penser qu'on imagine deux Flaubert, ou deux manières de Flaubert, qui se seraient succédé dans le temps. Comme si, après avoir vidé ce qu'il y avait de romantique en lui, l'écrivain en était venu à une forme neuve : celle du réalisme. Il est utile, dès lors, d'avoir sous les yeux quelques dates, — qui prouvent, dans leur laconisme, le contraire. Elles démontrent l'entrelacement des « tentations » : elles font d'un tracé qui est faux, un éparpillement qui est réel. A dix-huit ans, Flaubert (nous sommes en 1839) rédige *Smarh,* première ébauche de la *Tentation de saint Antoine.* C'est en 1843 qu'il entreprend la première version de *l'Education sentimentale.* Etudiant en droit, Gustave échoue à l'examen de deuxième année, et se voit obligé de quitter Paris pour Rouen (Frédéric, le héros de son livre, sera reçu, en cette même année 1843, au 3e examen de Droit !). Cette première version de *l'Education sentimentale* sera terminée en 1845, un an, presque jour pour jour, avant la mort du docteur Flaubert (janvier 1846), et quatorze mois avant le décès de Caroline (mars 1846). Or, en 1845, Gustave visite l'Italie, la famille ayant décidé d'accompagner dans leur voyage de noces Caroline et son jeune époux Hamard : là, à Gênes, Gustave admire un tableau de Breughel qui est un *saint Antoine.* La révolution de février 1848 le trouve à Paris, spectateur des batailles de la rue Helder et du Palais-Royal. En avril, il est au chevet d'Alfred Le Poittevin mourant. En mai, il entame la rédaction de la première version de *la Tentation de saint Antoine*. Il termine son texte le *mercredi 12 septembre 1849, 3 heures 20 de l'après-midi. Temps de soleil et de vent. Commencé le mercredi 21 mai 1848 à 3 heures un quart :* c'est un manuscrit de 541 pages. Aussitôt, il convoque ses amis Bouilhet et Maxime du Camp pour une lecture de l'ouvrage : cette lecture durera quatre jours. Il faudra trente-deux heures pour en venir à bout. Flaubert lisait de midi à quatre heures, puis de huit heures à minuit. Le verdict fut sans appel : Du Camp et Bouilhet déconseillèrent la publication, prônèrent à leur ami la vertu des sujets simples, et lui vantèrent l'anecdote dont devait découler *Madame Bovary*.

Et, de fait, après la parenthèse du voyage en Orient (de novembre 1849 à juillet 1851), dès qu'il retrouve le Croisset et renoue avec la tumultueuse Louise Colet, il entreprend d'écrire *Madame Bovary*, qu'il achève en 1856, et qui paraît cette même année, avec les suites procédurières que l'on sait, dans *la Revue de Paris*, puis chez Michel Lévy. Il est vrai que ce livre, contemporain des *Fleurs du Mal* fait « changer » le roman autant que Baudelaire fait, de son côté, « changer » la poésie, — par quelque chose d'imperceptible et, cependant, de fondamental. Or — pour m'en tenir aux entrecroisements — en cette année 1856, Flaubert publie dans *l'Artiste* des fragments remaniés de sa *Tentation de saint Antoine !...*

Puis, fin 1857, sur un feuillet, une phrase inaugurale : *C'était à Mégara, faubourg de Carthage, dans les jardins d'Hamilcar.* Flaubert commence *Salammbô*. Il fréquente Sainte-Beuve, Gautier, Renan, les Goncourt. Il fait un voyage en Tunisie pour se documenter. Il déteste toujours autant le monde moderne et ses contemporains :

Va te faire foutre, troupeau ! Il se plonge dans des lectures considérables et poussiéreuses. Il rompt avec Louise Colet, et il a ce mot, qui est un aveu oblique : *Peu de gens devineront combien il a fallu être triste pour entreprendre de ressusciter Carthage !* Les mois passent. L'opacité de la solitude est déchirée seulement par les clameurs de Flaubert testant ses paragraphes. Il s'enlise jusqu'à l'épuisement dans sa mise au jour des mots de son *sacré bouquin,* et il le termine, enfin ! le 15 février 1862. La Mme Arnoux de *l'Education sentimentale,* c'est-à-dire Elisa, l'initiatrice mûrissante des amours adolescentes, atteinte de troubles mentaux, vient d'être, quelques jours auparavant, internée dans un asile de Bade.

Gustave Flaubert revient à *l'Education sentimentale.* C'est un roman nouveau qu'il commence en 1864 et termine en 1869. Mais aussitôt, sans plus attendre, il attaque la troisième version de *la Tentation de saint Antoine,* en poursuivra la rédaction durant la guerre de 1870, le siège de Paris, la Commune (à George Sand : *Je crois que la foule, le troupeau sera toujours haïssable*). Cette troisième version, terminée en 1872, sera confiée à l'éditeur Charpentier, qui la mettra en librairie en avril 1874. Entre-temps, Flaubert s'est mis à songer à *Bouvard et Pécuchet.* A George Sand : *Je vais commencer un bouquin qui exigera des mois de grandes lectures* (juillet 1873). Mais dans la traverse de ce si vaste et si étrange projet viennent s'inscrire les *Trois Contes.* D'abord *la Légende de saint Julien l'Hospitalier* achevé en 1876. Ensuite : *Un cœur simple,* écrit en quelques mois de cette même année 1876, peu après la disparition de Louise Colet. Puis : *Hérodias,* terminé en janvier 1877. Après ? Eh bien, il maintiendra un long et épuisant tête à tête avec ses deux bonshommes, et s'acheminera, travailleur un peu lugubre, vers la mort : *Bouvard et Pécuchet m'embêtent, et il est temps que ça fi-*

nisse ; sinon je finirai moi-même. C'est ainsi que cela prit fin : Gustave Flaubert, la tête noyée de sang, s'effondra le 8 mai 1880...

L'acharnement mis à l'achèvement des diverses versions de *la Tentation de saint Antoine,* à l'élaboration de *Salammbô,* à la rédaction d'*Hérodias* prouve bien la sincérité de tel propos de Flaubert parfois jugé extrême ou excessif : *ce qui m'est naturel à moi, c'est le non naturel pour les autres, l'extraordinaire, le fantastique, la hurlade métaphysique.* Qu'on ne s'y trompe pas ! Il le proclame : *Je suis né lyrique.* Auprès de Sainte-Beuve, il insiste : *Je suis un vieux romantique enragé.* A Laurent Pichat, il confie : *Si vous me connaissiez davantage, vous sauriez que j'ai la vie ordinaire en exécration...* Alors, la littérature ? Certes ! Mais comment ne pas voir combien à l'économie sémantique de *l'Education sentimentale,* de *Madame Bovary,* de *Bouvard et Pécuchet* correspond — ou répond — en contrepoint l'abondance d'un vocabulaire désordonné, littéralement fabuleux, dans le registre duquel les mots deviennent sonorités étranges, signes du mystérieux, témoin d'un « autre » monde, envers du quotidien et du contemporain ? Il y a là une griserie colorée qui s'enchante de ses propres déploiements, de ses déhanchements baroques, de son exotisme radical. Ainsi, dans *la Tentation de saint Antoine,* le discours de la reine de Saba, lorsqu'elle dénombre les trésors que portent sa caravane, ses onagres et ses esclaves : *Voici du baume de Génézareth, de l'encens du cap Gardefan, du ladanon, du cinnamome, et du silphium, bon à mettre dans les sauces. Il y a là dedans des broderies d'Assur, des ivoires du Gange, de la pourpre d'Elisa ; et cette boîte de neige contient une outre de Chalibon, vin réservé pour les rois d'Assyrie, — et qui se boit pur dans une corne de licorne. Voilà des colliers, des agrafes, des filets, des parasols, de la poudre d'or de Baasa, du cassiteros de Tartessus, du bois bleu de*

*Pandio, des fourrures blanches d'Issédonie, des escar-
boucles de l'île Palaesimonde, et des cure-dents faits avec
les poils du tachas, — animal perdu qui se trouve sous
la terre. Ces coussins sont d'Emath, et ces franges à manteau de Palmyre...* Il importe peu de savoir, ici, qu'Emath
est sur l'Oronte ; que Strabon parle quelque part de la
cité syrienne de Chalibon ; que le ladanon est une
résine parfumée extraite d'un arbre de Crète ; que le
tachas est aussi mythique que le catoblépas ! Les mots
polis par la diction soudainement ivre de Gustave Flaubert cessent de désigner le réel, voire le possible. Il
s'agit d'un emportement qui, par le verbe, le « style »
efface l'univers tel qu'il est, pour le remplacer par un
univers où la loi des mots impose seule les lois. *Ce qui
me semble à moi le plus haut dans l'art (et le plus difficile) ce n'est ni de faire rire, ni de faire pleurer, ni de
vous mettre en rut ou en fureur, mais d'agir à la façon
de la nature, c'est-à-dire de faire rêver. Aussi les très
belles œuvres ont ce caractère. Elles sont sereines d'aspect et incompréhensibles.* Voire ! Les jardins de Mégara
lorsqu'ils s'ouvrent sur la superbe orgie des mercenaires,
et que du haut des escaliers du palais d'Hamilcar descend, comme une actrice de théâtre vers les ombres du
proscenium, Salammbô, — *on sentait derrière elle comme l'odeur d'un temple, et quelque chose s'échappait de
tout son être qui était plus suave que le vin et plus terrible que la mort* — voici qu'ils s'éclairent d'une cruauté
partout perceptible, animant les objets autant que les
hommes, creusant les mots, les phrases, éclatant dans des
frissons desquels allait demain naître la sensibilité « fin
de siècle » ! Flaubert, une fois encore, se défend : il
veut, dit-il, épater le bourgeois ! *J'éventre des hommes
avec prodigalité. Je verse du sang. Je fais du style canni-
bale...* Mais quel moteur ténébreux se dissimule dans tant
de carnages ? Les éléphants, les défenses épointées et
renforcées d'acier, fauchent, piétinent, écrasent. Accro-

ché à la rédaction de son roman, Flaubert se vautre dans les évocations de massacres, de tueries, de supplices. Le suffète Hanon traverse le livre, la face rongée par un cancer, le corps couvert d'ulcères, déformé par une graisse putride. C'est une *masse sans nom : la graisse de ses jambes lui cachait les ongles des pieds ; il pendait à ses doigts comme des lambeaux verdâtres.* L'esclave Spendius rêve de machines de guerre si meurtrières qu'elles passeraient en épouvante les délires mêmes de l'imagination ! La bataille du Macar est un broiement des chairs, des corps, — et les fumées lourdes du sang convoquent l'érotisme. *J'arrive aux tons un peu foncés,* écrit-il à Ernest Feydau. *On commence à marcher dans les tripes et à brûler les moutards. Baudelaire sera content ! et l'ombre de Pétrus Borel, blanche et innocente comme la face de Pierrot, en sera peut-être jalouse.* Baudelaire, le complice fraternel ! L'ennui, c'est vrai, paraît — même dans *Salammbô* — lorsque les démesures de l'agitation et de la frénésie se calment. Le « ailleurs, n'importe où... » de Baudelaire, Flaubert, qui s'enivre d'un passé hypothétique, le ressent également, le souhaite, mais c'est un vœu par avance lassé, à la semblance du soleil, dans *Salammbô,* lorsqu'il perce les brumes : *la lumière arrivait, effrayante et pacifique cependant, comme elle doit être par-derrière le soleil, dans les mornes espaces des créations futures.* Et, à Baudelaire : *Ah ! vous comprenez l'embêtement de l'existence, vous !...*

Albert Thibaudet allait un peu vite en besogne lorsqu'il écrivait de *Salammbô* que c'était *un prétexte à joyaux et à rêves.* Nous savons aujourd'hui que le roman de Flaubert dissimule et contient ce sadisme exacerbé dont toute l'œuvre, obliquement, témoigne. Nous savons aussi que le curieux « animisme » qui est en action dans l'écriture flaubertienne fonde la modification du romanesque dont Flaubert est l'artisan. Mais Thibaudet n'a pas tort absolument : il indique laconiquement ce qui retint l'attention des proches héritiers de l'auteur de *Salammbô* : le décor insolite, la sensibilité morbide, le caractère hiératique et théâtral des personnages. On glisse vers les sculptures de Pradier et de Clésinger : l'étreinte de Salammbô et du serpent sacré devient un motif iconographique inlassablement recommencé, — mais plus encore, et plus directement, vers les motifs du préraphaëlisme et les thèmes chers à Gustave Moreau. Il suffit d'évoquer la première apparition de la fille d'Hamilcar au banquet des Barbares : *Sa chevelure, poudrée d'un sable violet, et réunie en forme de tour selon la mode des vierges chananéennes, la faisait paraître plus grande. Des tresses de perles attachées à ses tempes descendaient jusqu'aux coins de sa bouche, rose comme une grenade entrouverte. Il y avait sur sa poitrine un assemblage de pierres lumineuses, imitant par leur bigarrure les écailles d'une murène. Ses bras, garnis de diamants, sortaient nus de sa tunique sans manches, étoilée de fleurs rouges sur un fond tout noir. Elle portait entre les chevilles une chaînette d'or pour régler sa marche, et son grand manteau de pourpre sombre, taillé dans une étoffe inconnue, traînait derrière elle, faisant à chacun de ses pas comme une large vague qui la suivait...* De *Salammbô* à *Hérodiade*, le passage est aisé. Du roman carthaginois (l'historien Froehner, qui attaquait la science de Flaubert, avait forgé le mot, à propos du roman, de « carthachinoiserie ») au dernier des *Trois contes*, il n'y a pas une rupture, mais un espace que comblera le poème, *Hérodiade*, de Stéphane Mallarmé. L'accumulation des bijoux devient palette furieuse, boîte de Pandore d'où sortent des sensations névrosées : *C'étaient des callaïs arrachées des montagnes à coups de fronde, des escarboucles formées par l'urine des lynx, des glossopètres tombés de la lune, des tyanos, des diamants, des sandastrum, des béryls, avec les trois espèces de rubis, les quatre espèces d'émeraudes...* Les peuplades diverses sont les transhumants du rêve : leurs accoutrements raffinés, leurs mœurs farouches nient l'époque contemporaine, accusent la banalité du présent, compromettant les triomphes du progrès : *Des Cariens balançaient orgueilleusement les plumes de leur casque, des archers de Cappadoce s'étaient peints avec des jus d'herbes de larges fleurs sur le corps, et quelques Lydiens portant des robes de femmes dînaient en pantoufles et avec des boucles d'oreilles. D'autres, qui s'étaient par pompe barbouillés de vermillon, ressemblaient à des statues de corail...* L'œil de Flaubert est ainsi fait : il magnifie ou rabaisse. Il corrige par des « hurlades » ce qu'il contemple. A la limite : c'est un œil ivre de mots. Cette vision métamorphosante s'exerce au sein d'une action fermée, figée, immobile. Peu de progression dans *Salammbô,* aucune dans *la Tentation de saint Antoine :* plutôt, une succession de scènes fixes, comme dans les projections de la lanterne magique, — mais, pour ce visuel né, se fait alors, dans cette fixité même, un violent travail de métaphores. Les formes passent les unes dans les autres : c'est un tourbillon, un creuset furieux d'où surgit la fable. Lorsque, dans *la Tentation de saint Antoine,* le griffon, qui creuse la terre avec ses ongles et crie comme un coq, convoque les animaux, ce qui surgit hors de la forêt affolée témoigne pour l'arche de Noé du délire et de l'inachevé : *le Tragelaphus, moitié cerf et moitié bœuf ; le Myrmecoleo, lion par devant, fourmi par derrière, et dont les génitoires sont à rebours ; le python Aksar, de soixante coudées, qui épouvanta Moïse ; la grande belette Pastinaca, qui tue les arbres par son odeur...* Ces apparitions déchaînent l'orage : *Il arrive des rafales, pleines d'anatomies merveilleuses. Ce sont des têtes d'animaux sur des pieds de chevreuil, des hiboux à queue de serpent, des pourceaux à mufle de tigre, des chèvres à croupe d'âne, des grenouilles velues comme des ours, des caméléons grands comme des hippopota-*

mes, des veaux à deux têtes dont l'une pleure et l'autre beugle, des fœtus quadruples se tenant par le nombril et valsant comme des toupies, des ventres ailés qui voltigent comme des moucherons.. Sous les regards immobiles du saint, lui-même enserré dans son ermitage, c'est le spectacle de la mouvance qui se précipite : les formes animales fuient les unes dans les autres, s'engloutissent les unes dans les autres, s'accouplent monstrueusement, ébranlent les certitudes. Lorsque Mâtho pénètre dans le temple de Tanit pour dérober le zaïmph ou voile sacré, les images peintes sur les murs et sur les tapisseries s'animent, jaillissent, surgissent : *Des serpents avaient des pieds, des taureaux avaient des ailes, des poissons à têtes d'homme dévoraient des fruits, des fleurs s'épanouissaient dans la mâchoire des crocodiles, et des éléphants, la trompe levée, passaient en plein azur, orgueilleusement, comme des aigles. Un effort terrible distendait leurs membres incomplets ou multiples. Ils avaient l'air, en tirant la langue, de vouloir faire sortir leur âme.*

La peinture de la fin du siècle, puis de la Belle-Epoque, trouvera là bien des occasions d'imagerie. Pas seulement la peinture, mais encore l'art du bibelot, — et, par-delà, le goût lui-même. La passion de la brocante et des objets exotiques, si caractéristique des années 1900, tient, par Huysmans et quelques autres interposés, à Flaubert. Des Esseintes porte à son comble les manies de son temps. Il suffit d'ouvrir un peu au hasard l'un des deux tomes de *la Maison d'un artiste* d'Edmond de Goncourt pour prendre sur le fait l'ambition d'un collectionneur, d'un « bibeloteur » dira Goncourt, désireux de hausser son décor jusqu'au théâtre de *la Tentation* ou au lieu scénique de Mégara. L'objet le plus prisé est celui-là même qui figure la confusion des règnes : un arbre qui se termine en torse de femme, une forme animale imaginaire qui prend racine dans le marbre, une

*vieux âges, leurs éjaculations et leurs abattements mysti-
ques, leurs démences oisives, leurs férocités commandées
par ce lourd ennui qui découle, avant même qu'on les ait
épuisées, de l'opulence et de la prière.* Il est manifeste
qu'au moment où *A Rebours,* dont Barbey d'Aurevilly
disait qu'il coupait comme un rasoir, *mais un rasoir em-
poisonné,* devient le maître-livre, le bréviaire de tous
ceux qui seront tentés par le « décadentisme », les ouvrages un peu méprisés de Gustave Flaubert, ceux mêmes dont s'enchante Des Esseintes, retrouvent une actualité — un peu sournoise, peut-être ! mais indispensable à la formation de l'Avant-Siècle. Cela se conçoit
d'autant mieux que les fatigués, les énervés « fin de
siècle » connaissent leurs névroses et leurs excès. Ce
n'est qu'un cri, de l'un à l'autre : « l'ennui » ! Jean
Lorrain avait dit, méchamment mais justement, qu'on
pouvait dire indifféremment « fin de sexe » ou « fin
de siècle » : l'époque cherche le château des libertins de
Sade, rêve de s'asseoir au banquet des mercenaires dans
les jardins de Mégara, suit Pierre Louÿs dans le sérail
des nymphes et Octave Mirbeau dans son parc aux
supplices... Les Barbares sont aux portes ! Flaubert ne
l'ignore pas : *Derrière leurs grilles de fer ou de roseaux,
les femmes, la tête couverte d'un voile, regardaient en
silence les Barbares passer...*

Gustave Flaubert est bien à la semblance de ces
jeunes gens qui lui succèdent : le Verlaine, initiateur du
Symbolisme ; le Maurice Barrès de *Sous l'œil des Barbares,* qui mêlera esthétisme et culte du Moi ; le Francis
Poictevin des derniers livres, acharné à proscrire l'anecdote. Il est tenté par les Barbares, mais il est dans la
Cité : *J'ai la tristesse qu'avaient les patriciens romains
du IVe siècle.* Comme Vigny, comme Baudelaire, il voit
Paris aux couleurs du Bas-Empire. Il pousse alors deux
exclamations, dont le rapprochement éclaire : d'une
part, *Soyons échevelés !* d'autre part : *Soyons religieux !*

Nulle contradiction, mais une insistance éparse au cours des ans : *Je tourne à une espèce de mysticisme esthétique...* Encore : *Je suis mystique au fond et je ne crois à rien.* Ailleurs : *Sans l'amour de la forme, j'eusse été peut-être un grand mystique.* Là-dessus viennent les appétits énormes et les bâillements gigantesques. Le « Garçon » n'abandonne pas la partie, — pas plus que ne l'abandonne Emma Bovary, dans cette part de pureté intangible et insatisfaite qui en fait une héroïne des mornes temps présents. Ni, non plus le Barbare des bords de Seine qui s'en va dans Tunis chercher, au nom de l'autre Flaubert, l'autre Tunisie : Carthage. *Je porte en moi la mélancolie des races barbares, avec ses instincts de migrations et ses dégoûts innés de la vie qui leur faisaient quitter leur pays comme pour se quitter eux-mêmes.* On songe à Mâtho dans cette épopée érotique qu'est *Salammbô.* Mieux : on songe à la mort de Mâtho obligé de traverser la foule furieuse, et défiguré, dénaturé, lacéré, châtré par les ongles des femmes, des filles, et s'en venant, loque boueuse, sanglante et aveugle mourir écrasé par le soleil et le *regard* de Salammbô. C'est l'autre Flaubert.

BAUDELAIRE, LE DEMOCRATE ET LE TYAN

Une œuvre dont on n'a jamais fini de parler. Une œuvre qui ne cesse de nous questionner, et qui se détourne de nous dès lors qu'on veut l'appréhender. Au fronton demeure gravée cette phrase finalement écartée du discours public et qui devait trouver place dans un liminaire aux *Fleurs du Mal* : *Ce livre, essentiellement inutile et absolument innocent, n'a pas été fait dans un autre but que de me divertir et d'exercer mon goût passionné de l'obstacle.* Et s'il s'agissait, littéralement, de cela, et de cela seulement ? Une sorte de défi de soi à soi-même ? Un travail relevant de l'application portée par l'adolescent à la composition de ses vers latins, et se métamorphosant en entreprise démoniaque ? Il y a, à prendre les mots au mot, le divertissement, qui est, pour ce lecteur que fascinait le XVIIIᵉ siècle, cette sociabilité dont, à ses yeux, le meilleur exemple était offert par *les Liaisons dangereuses* de Choderlos de Laclos. Mais il y a, ensemble, une provocation de Baudelaire par Baudelaire : un jeu qui défie le je. Il suffit alors d'ouvrir le livre pour être saisi par ce malaise que Marcel Proust, dans *la Prisonnière*, lorsque le narrateur est interrogé par Albertine, à la fois dévoile et masque, désigne et dissimule :

Si le viol, le poison, le poignard, l'incendie,
N'ont pas encor brodé de leurs plaisants dessins
Le canevas banal de nos piteux destins,
C'est que notre âme, hélas ! n'est pas assez hardie.

Provocation sadienne ? On l'a dit mille fois. Mais le lecteur est traîné dans cette provocation même, impliqué par elle, et par elle interpellé. Il ne s'agit plus de montrer au lecteur un « autre », dont les turpitudes et l'angoisse non seulement laisseraient intacte la bonne conscience de qui lit mais, très exactement, en saperait et détruirait les assises :

— *Hypocrite lecteur, — mon semblable, — mon frère !*

C'est un propos qui est identique à celui de Victor Hugo dans sa préface aux *Contemplations,* et qui s'inscrit dans la célèbre exclamation : *Insensé, qui crois que je ne suis pas toi !* — mais qui révèle un tout autre dessein. Non plus, dans l'apostrophe baudelairienne, cette communion panique qui fait du poète le réceptacle de tous les autres, le lieu de la Passion des humains : c'est, au contraire, la dénonciation de ce qui grouille dans l'intime, de ce qui fermente sous le paraître, de ce qui gronde dans le non-dit. *Hypocrite,* lecteur dissimulé, lecteur qui ne cesse de lire en feignant de n'être pas, lecteur qui voit dans le livre ce qu'il refuse de contempler en soi : c'est l'un des sens possibles. Encore faut-il insister sur l'espace particulier de cette prise de parole : un écrivain, ici, s'adresse non pas aux hommes, à « quelque vague humanité » (comme dirait Laurent Tailhade), mais à un « lecteur » : on ne sort pas de la littérature, mais la littérature, dès ce premier poème des *Fleurs du Mal,* est mise au mal justement, s'efforce de perdre son innocence, tente d'être.

Baudelaire est un romantique qui veut en finir avec

le Romantisme. Son rapport avec Victor Hugo est des plus curieux et des plus révélateurs. Il avait inscrit sur une feuille volante publiée dans les posthumes les éléments d'un projet : *L'envers de Claude Gueux. Théorie du sacrifice. Légitimation de la peine de mort.* Cela avait suffi à divers commentateurs plus ou moins mal intentionnés pour transformer « envers » en « contraire ». On obtiendrait ainsi un Victor Hugo chef de file des abolitionnistes auquel s'opposerait un Baudelaire héritier farouche et déterminé de Joseph de Maistre. Or ce n'est pas ainsi qu'il convenait de *lire* le rapport Hugo-Baudelaire. Ils sont, l'un et l'autre, également fascinés par 89 et 93, mais leur fascination ne s'exprime pas de la même façon. Mieux encore : s'applique différemment, et aboutit à des réflexions quasiment divergentes. Victor Hugo, on le sait, n'écrivit que dans le but de *dire* enfin deux moteurs essentiels : Dieu, et la Révolution. Dans ce poème interminable et interminé dont les fragments et débris auront pour titre *Dieu,* la Révolution devait être incluse. Et la Révolution devait également couronner, et comme terminer *la Légende des Siècles.* Hugo échoue. Echoue à *dire* cela. Et c'est « cela » que Baudelaire regarde en face. « Cela », quoi ? La mort du roi ! L'exécution la plus capitale qui soit possible. Le sacrifice le plus complet : un cérémonial, à la fois archaïque (parce que cérémonial justement) et moderne (parce qu'il ne peut être répété : il est advenu). Il s'agit également d'un transfert qui inverse le rapport : le roi-bourreau devient roi-victime dans la mesure même où le peuple-victime devient peuple-bourreau. Le poème qui clôturait l'édition des *Fleurs du Mal* de 1861, *le Voyage,* convoque, dans sa sixième partie, des couples irréconciliables mais inséparables :

> Le bourreau qui jouit, le martyr qui sanglote ;
> La fête qu'assaisonne et parfume le sang ;

Le poison du pouvoir énervant le despote,
Et le peuple amoureux du fouet abrutissant.

Ce que Baudelaire maintient, songeant à 89 et 93, c'est le rapport qui unit la victime et le bourreau. Victor Hugo, à l'inverse, veut abolir ce rapport dont la mythologie du Progrès ne peut, du tout, s'accommoder. D'ailleurs, Victor Hugo a été « pair » de France. Pair signifie « égal ». Parlant, il parle dans l'égalité. La pairie fut une fonction honorifique, mais le « mot » avait un contenu symbolique dont le discours hugolien témoigne. La Révolution, dès lors, c'est le « possible », non pas l'abolition historique du sacrifice, mais la négation du lien entre le bourreau et la victime, la négation de l'échange entre victime et bourreau (et échange tel que l'un peut devenir l'autre). Baudelaire, par contre, s'écrie : Vive la Mort ! *Non seulement je serais heureux d'être victime, mais je ne haïrais pas d'être bourreau — pour sentir la Révolution des deux manières...*

En ce qui concerne *Claude Gueux*, et cet « envers » à quoi songeait Baudelaire, il faut remarquer qu'effectivement Victor Hugo y fait figure de chef de file des abolitionnistes. Michel Foucault a justement insisté sur la perfection de cet ouvrage (et du *Dernier jour d'un condamné*), puisqu'on y trouve l'exposé magistral et impeccable du plaidoyer du XIXe siècle contre la peine de mort. Simplement, le criminel, dans l'univers hugolien, est essentiellement, voire uniquement, une victime. Baudelaire pensait autrement, et c'est pourquoi il avait projeté d'écrire *les Misérables* à l'envers (déjà !), faisant de Jean Valjean non plus un homme qui avait volé un pain, mais un criminel heureux, dont une réussite exemplaire devait couronner la carrière. C'est opposer *Juliette ou les Prospérités du vice* à une Justine non plus foudroyée par la raison sadienne, mais récompensée par la morale laïque et déiste. Le criminel de Victor Hugo est justifié par l'imperfection de la machinerie sociale. Celui de Baudelaire se livre tout à une *atrocité sans prétexte*. La légitimation du supplice est dès lors tirée vers Dostoïevski, puisque l'exécution a pour mission de *sauver (spirituellement) la société et le coupable*. Il est vrai qu'il y a, dans certains endroits, au fil des chapitres du *Dernier jour d'un condamné*, un rapprochement fait par Victor Hugo entre l'exécuté dans sa marche au supplice et le roi solitaire dans son palais. Il ne faut pas s'y tromper, ni se tromper sur les intentions de Victor Hugo : ces passages ont pour raison d'indiquer, sous la monarchie restaurée, la possibilité et comme la proximité du régicide. Cela seul suffit à montrer que la pensée de Victor Hugo est, sur ce point, autrement complexe que l'on ne dit. Et à cette complexité répond une complexité — égale mais inverse — chez Baudelaire. Dans la mesure où Hugo énonce une politique de l'égalité, Baudelaire élaborait fugacement, difficilement, d'une façon presque inaudible, une politique de la solitude. Il ne faut pas oublier que Victor Hugo, toujours présent, est très exactement l'*autre* de Baudelaire !

Si Victor Hugo a été pair de France, il devient aussi, par sa souveraineté d'écriture, par son triomphe poétique, par l'impérialisme de son discours, « père ». Il suffit du rocher de l'exil pour en faire une image mythique opposée à celle du despote qui règne à l'Elysée. Et cela parce qu'il condamne (c'est *Napoléon-le-Petit*, c'est l'*Histoire d'un crime*, ce sont *Les Châtiments*), le criminel devenant le tyran ; et l'innocence, la démocratie, — mais également parce qu'il entreprend de construire (*les Contemplations*, et tout ce qui en découlera d'« interminable »). Baudelaire est alors très conscient que cette « paternité » transforme Victor Hugo, à son tour, en despote. Un despote bienveillant, certes ! Et, mieux encore : un despote par bienveillance, par philanthropie. Et, à propos de ce despotisme-là, Baudelaire indique qu'à son avis il est *plutôt fait de pitié que d'amour,* et ajoute : *c'est ici que se montre le premier germe de l'esprit satanique.* Le Satan de Baudelaire ne peut cesser d'être au travail dans la société parce qu'il est sans cesse au travail dans l'individu. Le Satan de Victor Hugo, c'est Prométhée sauvé de ses chaînes et délivré de son vautour. La damnation pour Victor Hugo est le produit des imperfections de la société. *Il dénonce une damnation sociale créant artificiellement, en pleine civilisation, des enfers.* Le processus est autre chez Baudelaire : il se découvre dans *Les Litanies de Satan.* Ici devient lisible le lien nécessaire et profond entre la damnation et le salut, la conversion de l'une en l'autre ayant pour lieu le lieu du supplice :

> *O Prince de l'exil, à qui l'on a fait tort...*
> . . . .
> *Toi qui fais au proscrit ce regard calme et haut*
> *Qui damne tout un peuple autour d'un échafaud...*

L'individu baudelairien est ainsi, alternativement, conjointement, victime ET bourreau : *Il y a en tout homme, à toute heure, deux postulations simultanées, l'une vers Dieu, l'autre vers Satan.* Voilà qui élimine la réconciliation hugolienne, mais qui, tout également, modifie le Romantisme : c'est l'homme qui est désigné, n'importe lequel, et non plus l'artiste, l'élu. Non plus le singulier que l'on reconnaît (Victor Hugo, on le devine à certaines insistances, en est convaincu) à la hauteur et à l'ampleur de son front, et qui est, ainsi, dessiné par quelque Lavater, — mais ce singulier universel qui est, dans cette société industrielle et citadine occupée à se construire, *l'individu.* Cette différence se marque, par exemple, dans l'idée du *guignon.* Pour les Romantiques, cette notion soulignait, ainsi chez Victor Hugo, ainsi chez George Sand, l'incompatibilité fatale de la gloire et du bonheur. La conception baudelairienne *dit* l'art dans son entier, mais, dans l'arrière-texte, et une fois encore, nomme *l'individu !*

On distingue trois thèmes baudelairiens majeurs, qui s'incarnent en trois figures : le condamné à mort, le suicidé et le solitaire. Ces figures se combinent diversement entre elles. Plus exactement : elles dépeignent des situations limites épurées. Que l'on regarde mieux le fonctionnement de l'œuvre de Baudelaire, et l'on voit paraître, découlant du mélange de ces figures initiales, trois personnages dont l'aire d'action est emplie par le questionnement de l'individu. Il y a le criminel, chez lequel se trouve la conjonction de la solitude et de la condamnation à mort. Il y a le dandy, en lequel se rencontrent la solitude et le suicide : le dandysme baudelairien étant une *religion qui n'a qu'un sacrement : le suicide.* Il y a le poète, point de convergence de la solitude, du suicide ET de la condamnation à mort. Cette constellation des figures et des personnages baudelairiens éclaire décidément cet *envers de Claude Gueux* à quoi il songeait, et qui se découvre à l'œuvre dans son œuvre : c'est elle qui dévoile Baudelaire *opposé* à Victor Hugo, et permet de mieux saisir ou approcher la nature de cette opposition. Le poète, c'est le dandy, *plus* la condamnation à mort. Qu'est-ce que le dandysme, outre ce sacrement du suicide qui est essentiel ? *C'est une institution vague, aussi bizarre que le duel.* C'est également *une espèce d'aristocratie.* Si nous comprenons bien : un archaïsme. Mais renouvelé. *Le dandysme est une chose moderne et qui tient à des causes tout à fait nouvelles.* Donc : survivance ET modernité. Le poète (celui *à qui l'on a fait tort,* et à qui l'on ne peut que faire tort, marqué qu'il est par l'étoile du génie, qui est le guignon) est, à la fois, la rencontre des trois thèmes baudelairiens et l'espace non d'une détermination mais d'un vouloir trouble, contrarié et contradictoire : *L'hom-*

me veut être deux. *L'homme de génie veut être un, donc solitaire.* Dans le même temps, il manifeste avec constance cet autre vouloir, à peine avouable, qui est nécessaire cependant à sa constitution : *le goût de la prostitution.* Concentration et vaporisation, tout est là. Mais tout est là pour chaque individu. Le premier venu met en branle la contradiction et ses effets. Le n'importe où, le n'importe quand (cadastres du romanesque chez Baudelaire) relancent le questionnement : *La dualité, qui est la contradiction de l'unité, en est aussi la conséquence.* Et comme le Romantisme, chez Baudelaire, n'est pas proscrit, mais affronté, pris à bras le corps, le triomphe du dire poétique, le « génie », n'est point renié : *La gloire, c'est rester un, et se prostituer d'une manière particulière.* La position de Baudelaire vis-à-vis de Victor Hugo, père et pair, se nuance : c'est une question de cheminement. Ce que l'auteur des *Fleurs du Mal* reproche à l'auteur des *Contemplations,* c'est de procéder par des *contrastes uniformes.* Ces fameuses antithèses répétées gomment le scandale de l'individu, tel qu'il apparaît chez Baudelaire, — lequel préconise l'application d'*une loi de la gradation, du peu à peu, du petit à petit.* L'énergie n'est pas donnée d'un coup : elle se gagne, comme dans la capitalisation, par le jeu des intérêts composés et progressifs.

Bref ! Ce qui devient fondamental, ce n'est plus le « vouloir être *un* » rhétoriquement affirmé, mais, plutôt, la duplicité, le « change » constant du Moi et de son double, voire : la solitude prostituée d'un Je qui est un Je gigogne, un Je à tiroirs, un Je multiplié par des Je successifs ou contemporains : *L'artiste n'est artiste qu'à la condition d'être double et de n'ignorer aucun phénomène de sa double nature.* Le livre, nous en avons été (presque) averti, est inutile et innocent. C'est que *le monde ne marche que par le malentendu.*

Qu'est-ce que la solitude, ou qu'implique-t-elle, —

266

sinon un complot ? Le Romantisme a mis en valeur l'incertitude qui pèse sur le sujet, sur le Je. Baudelaire, qui prend racine dans le XVIII° siècle, et qui dénonce à son origine même le dialogue rousseauiste : *Rousseau juge de Jean-Jacques*, est, comme le soulignait Walter Benjamin, lié au développement d'une société, qui, par l'industrialisation et le phénomène urbain, devient société de masse. De la France, Baudelaire dira qu'elle est *ce pays trop peuplé que fauche la souffrance*. Tout se joue dès lors au sein d'un débat essentiel, ébauché, esquissé et esquivé : celui qui rapproche et sépare les irréconciliables et inséparables ennemis : aristocratie et démocratie. Une société de masse est une société par laquelle peut se constituer et se constitue une théorie des nombres sociaux. La probabilité devient calcul des probabilités. Or, c'est à cet instant qu'intervient, chez Baudelaire, *le premier venu*, l'indésirable qui est grain de sable dans la machinerie, et qui brouille la clarté raisonnable et rationnelle du prévu. Il est vrai qu'il tranche, dans *Fusées*, laconiquement : *Tout est nombre*, écrit-il. Il conviendrait, ici, de ne pas perdre de vue un rapport possible avec ce qui se lit dans le huitième entretien des *Soirées de Saint-Pétersbourg* de Joseph de Maistre, entretien au cours duquel le comte parle de l'existence de Dieu : *L'intelligence ne se prouve à l'intelligence que par le nombre. Toutes les autres considérations ne peuvent se rapporter qu'à certaines propriétés ou qualités du sujet intelligent, ce qui n'a rien de commun avec la question primitive de l'existence*. Le nombre, *messieurs, le* nombre ! *ou l'ordre et la* symétrie ; *car l'ordre n'est que le* nombre ordonné, *et la symétrie n'est que* l'ordre aperçu *et* comparé...

Que tout soit nombre ne suffit pas à établir *hic et nunc* l'ordre et la symétrie. La société industrielle *se fait*. La cité, lieu privilégié de la vaporisation du Moi, est mouvement, miroir d'une incertitude conquérante, ou encore d'une certitude brouillonne, tapageuse, un « dehors » qui se construit en se détruisant :

> Le vieux Paris n'est plus (la forme d'une ville
> Change plus vite, hélas ! que le cœur d'un mortel)...

Et, dans ce même poème, *Le Cygne*, significativement dédié à Victor Hugo, ces vers encore :

> Paris change ! mais rien dans ma mélancolie
> N'a bougé ! palais neufs, échafaudages, blocs,
> Vieux faubourgs, tout pour moi devient allégorie...

Cadre idéal pour le mangeur d'opium, théâtre où les fantasmes du solitaire jouent du Racine ! Représentation à laquelle s'agrippe ce personnage qui lutte étrangement pour ne pas se défaire : l'individu. Dans la géométrie des probabilités, l'incertitude du sujet prend une forme nouvelle. Le déterminisme n'est plus exactement l'Ananké inscrite par Victor Hugo au porche de *Notre-Dame de Paris*, mais souligne *l'identité de deux idées contradictoires : liberté et fatalité.* La société démocratique feint d'offrir un choix, mais elle ne donne pas le choix. *La vie est un jeu. Les joueurs sont au nombre de trois milliards.* L'ordre est d'apparence : *Plus l'artiste se penche avec impartialité vers le détail, plus l'anarchie augmente.*

L'homme de Baudelaire a ceci de particulier qu'il est individualisé à l'extrême, resserré sur lui dans l'enclos de la solitude, c'est la concentration du Moi, — mais, dans le même temps, sans hiatus aucun, il ne cesse de se diluer, de se « vaporiser », d'être en contact avec la multitude, de s'y perdre, et de se perdre dans ce monstre en gestation continue qu'est la Cité moderne. Le voilà sujet et objet d'un complot : c'est son archaïsme. Sa solitude le dénonce. Mais le voici, tout également, menacé par le collectif. Ce tiraillement constant le voue à ce projet difficile et quasiment inaccessible : la modernité. La solitude comme complot, c'est le dialogue de Jean-Jacques *et* le regard de Rousseau. Le complot est le fait des autres : les Encyclopédistes, les philosophes des Lumières, la clique de Voltaire, la bande à Diderot, et, derrière eux, la *masse* de tous ceux-là, aux traits indistincts, les anonymes, qui les suivent et les soutiennent. Mais le complot, c'est également Jean-Jacques : sa solitude, ses promenades solitaires, son herbier. Le mot de Diderot le démasque : *Il n'y a que le méchant qui soit seul.* Le solitaire, ce grand célibataire, est soupçonné de complot : c'est d'évidence. Du coup, ce qui se tisse autour de lui, ce qui se trame, c'est une conspiration des autres contre lui, qui a pour effet projeté de l'empêcher de comploter justement. Autrement dit : il est toujours *dans* un complot ou conjuration, et toujours *en dehors* de ce complot ou de cette conjuration. En 1859, Charles Baudelaire indiquait à Poulet-Malassis le thème d'un récit qu'il se proposait de mener à bonne fin : une nouvelle *basée sur l'hypothèse : découverte d'une conspiration par un oisif qui la suit jusqu'à la veille de l'explosion, et qui alors tire à pile ou face pour savoir s'il la déclarera à la police.* L'oisif désigne, bien entendu, Baudelaire lui-même, auteur d'un livre *essentiellement inutile et absolument innocent* (Un projet sur feuille volante de la même nouvelle remplace l'oisif dont il est question dans la lettre à Poulet-Malassis, dit, par les méchantes langues. Coco-Malperché, par un Je qui désigne le narrateur lui-même). Et comment comprendre autrement que par l'innocence absolue ce « pile ou face » contraire à la science comptable des probabilités, — sinon par un recours à Machiavel ? *Le grand bon sens à la Machiavel qui marche devant le sage, comme une colonne lumineuse, à travers le désert de l'histoire...* Baudelaire avait songé à faire dialoguer aux enfers

Machiavel et Condorcet, ce *grand esprit faux* ainsi que disait Sainte-Beuve. Or, Baudelaire faisait grand cas du livre de Maurice Joly : *Dialogue aux enfers entre Machiavel et Montesquieu,* malgré que l'auteur, écrit-il, ne lui semble pas assez *artiste.* Maurice Joly était un avocat tâcheron qui tirait à boulets rouges contre le second Empire. Son livre parut clandestinement à Bruxelles sous le règne de Napoléon III. La lecture d'époque en fait un pamphlet exemplaire : l'utilisation despotique des règles et des moyens de la démocratie y est parfaitement décrite et dénoncée. Mais une lecture décalée de cet ouvrage fondamental montre à quel point, dans l'arrière-texte, Maurice Joly est complice de son Machiavel, autant que Baudelaire le sera (ou l'aurait été) du sien. Une anecdote vaut d'être rapportée ici : elle ne manque pas de sel. On sait que Baudelaire, le dandy, fait allusion à une *belle conspiration à organiser pour l'extermination de la race juive.* Le plus curieux, dans l'affaire, c'est que le *Dialogue aux enfers* de Maurice Joly servit de matériau — sans, bien entendu, le consentement de l'auteur, et après son suicide — à la mise au point de ce faux, qui fut une machine de guerre de l'antisémitisme : *les Protocoles des Sages de Sion,* probablement élaboré dans les coulisses du salon de Mme Juliette Adam par un directeur du *Gaulois* nommé Elie de Cyon (l'homophonie servant d'aveu) ou produit par ce turbulent des sciences occultes, le docteur Encausse, mage et thaumaturge surnommé Papus. Les *Protocoles,* mis entre les mains de l'Okrana, police politique tzariste, justifièrent les pogromes et le génocide. Malgré les preuves contraires, les Nazis et les Vichystes s'y tinrent ferme...

Revenons à la solitude et au complot. Le « pile ou face » ne suffit pas. Le solitaire va s'efforcer, dans la condition qui lui est faite, de se construire un espace capable d'interrompre et de rendre inutile, inefficace et dérisoire toute communication. Cet espace, c'est d'abord celui de l'écrit : un livre *essentiellement inutile.* Mais c'est aussi et surtout l'espace du suicide : un contre-espace, un congédiement du « pile ou face », un abolissement du hasard, et, en même temps, une protestation de l'individu, voire : son triomphe. *Je me tue,* prévient Baudelaire, *parce que je me crois immortel, et que j'espère...* Espérer quoi ? L'immortalité de l'âme, ou la réconciliation de l'individu avec lui-même ? La fin du complot, ou l'aboutissement du sacrifice ? A moins qu'il ne s'agisse du livre, soudain métamorphosé en efficace et coupable, d'innocent et inutile qu'il était ?... Du moins reste-t-il de cet effort un ajout ironique ET tragique à la déclaration des droits de l'homme : *Parmi l'énumération nombreuse des* droits de l'homme *que la sagesse du* XIXᵉ *siècle a recommencée si souvent et si complètement, deux assez importants ont été oubliés, qui sont le droit de se contredire et le droit de* s'en aller. Il ne faut pas aller chercher Baudelaire ailleurs, ni dans des esthétiques. Il est *ici,* tout entier. Ici ? Une parole qui permet, autorise et avalise la transgression.

A bien lire, le discours de Baudelaire est articulé autour d'un *cependant* qui souligne l'instabilité, mais qui maintient dans leur rapport d'échange la victime et le bourreau. Ainsi : *L'amour veut sortir de soi, se confondre avec sa victme, comme le vainqueur avec le vaincu, et* cependant *conserver des privilèges de conquérant.* Ailleurs :

...sentiment de destinée éternellement solitaire.
Cependant, *goût très vif de la vie et des plaisirs...*

Le *cependant* apparaît également dans les poèmes, creusant et étendant l'espace, tirant vers le bas ET vers le haut, distendant. Par exemple, dans ce même poème, *le Voyage,* qui fait paraître les ennemis irréconciliables et inséparables, ces vers :

Désir, vieil arbre à qui le plaisir sert d'engrais,
Cependant *que grossit et durcit ton écorce,*
Tes branches veulent voir le soleil de plus près !

Du plus enraciné au plus lointain. De l'ici à l'ailleurs.
Du royaume des morts au royaume des anges. La même
balance, fragile, incertaine, se découvre dans les domaines de la passion : *Quand même les deux amants seraient
très épris et très pleins de désirs réciproques, l'un des
deux sera toujours plus calme ou moins possédé que
l'autre. Celui-là, ou celle-là, c'est l'opérateur ou le bourreau ; l'autre, c'est le sujet, la victime.*

Si Victor Hugo est l'*autre* de Baudelaire, son *prochain*, c'est Sade. Ayant à quémander auprès de Poulet-
Malassis des renseignements sur Sade et Restif, qui
n'étaient pas pour lui mais pour Sainte-Beuve, le poète
exprime bien cette « différence » entre lui, qui est à
l'intérieur, et cet autre, le célèbre lundiste, qui, malgré
Volupté, campe à l'extérieur : *Le sieur Baudelaire a assez
de génie*, précise-t-il, *pour étudier le crime dans son propre cœur*. Mais ce qui requiert Baudelaire en Sade, c'est
justement ce que Sade se défend d'être. Sade ayant ôté
à Dieu sa souveraineté et, ainsi, réduit le despote, n'accepte aucunement le despotisme de la nature : on le sait.
Baudelaire lit Sade à sa façon : *Il faut toujours revenir
à de Sade, c'est-à-dire à l'*homme naturel, *pour expliquer
le mal*. Comme si la Nature seule était capable de cau-
tionner l'artifice ; et l'*homme naturel*, le dandy. Encore
à propos de Sade : *La nature ne peut conseiller que le
crime*. Radicalement : *Le crime est originellement naturel*. Or, la sanction du crime, tel qu'il est perpétré par
le criminel qu'imagine Baudelaire, c'est-à-dire : *essentiellement inutile* et d'une *atrocité sans prétexte*, — c'est
la condamnation à mort. Pour le poète, le poème dresse
l'échafaud du suicide. A l'horizon se dessine cette *socio-
logie du sacré* dont, plus tard, parlera Georges Bataille.

Et l'on comprend le fin mot du discours baudelairien, celui qui exclut et inclut le *cependant*, et qui tient en cet aveu : *Il n'y a rien de plus intéressant sur la terre que les religions !*

Baudelaire est lui-même un despote. Mais, retranché hors des domaines trop évidents et clairs de l'action, il est un despote du paraître. C'est le tyran aux cheveux teints en vert.

sourds d'en bas, fâcherie des torrents ou craquements de côtes des volcans !... La France debout dans une page, avec son rire et sa mélancolie, sa grâce de félin et ses vigueurs de fauve, couronnée de ses lilas frais et de ses raisins noirs ! Excellente introduction au véritable Vallès, ce vivant considérable, toujours en mouvement, livré aux appétits du corps, soucieux avec humour d'une nourriture épaisse et savoureuse, soupe de gourmand plus que de gourmet, jouisseur du bien écrire, et pamphlétaire soucieux de formules hautes en couleurs, féroces mais d'une étonnante justesse d'oreille, ainsi, dans son hostilité d'avant 71 envers Hugo : *Je souffre à voir finir dans les sabots de Polichinelle celui qui avait chaussé les souliers du Dante ;* ou bien, féroce, l'attaque contre Baudelaire, en 1867 : *Il n'avait pas la santé d'un débauché et avait dans son enfer* une petite porte masquée *par où l'on pouvait remonter au ciel ;* contre Thiers : *soixante-douze hivers et quatre pieds dix pouces...* Ce qu'il faut bien voir, c'est que si la politique est partout dans Vallès présente, elle ne règle point tout, ni ne régit l'entendement. Certains parleraient là d'une contradiction, mais elle m'échappe : c'est de la santé, je crois, et une forme altière de magnifier les individus. Il faut à ceci quelque exemple, j'y viens. Rien n'est plus opposé à Vallès l'insurgé, Vallès le libre-penseur, Vallès le communard, que Barbey d'Aurevilly, catholique ultra, réactionnaire avec pompe, monarchiste avec fracas, dévôt avec dandysme, mais rien n'est plus étrange que les articles que Vallès — en partie — consacre à Barbey. En avril 1864, pour saluer *le Chevalier des Touches,* roman de chouannerie : *M. Barbey d'Aurevilly appartient à cette race d'originaux à outrance qui se jouent des formes connues, et aiment à s'ensanglanter, tout fiers, presque joyeux, aux difficultés de la lutte : il y a beaucoup de fanfaronnade dans leur histoire, de la puérilité quelquefois, de la tolérance souvent mais souvent aussi* de la conscience. *De leur force naît leur talent et leur audace arrache la victoire.* On songe à Barbey, avant son tournebride de la rue Rousselet, lorsque son besoin formidable d'arriver, mais à quoi ? d'inscrire son nom, comme une signature de feu dans le travers de l'époque, et cela se voit dans les lettres à Trebutien que Vallès ne pouvait connaître, — ce Barbey venu du boccage normand conquérir le trottoir parisien, ces quelques mètres, devant Tortoni, — Barbey qui mime la vraie vie avec l'écume de la rage lui montant aux lèvres : c'est l'obstination à mordre, à griffer, à s'efforcer d'être, qui devient et anime tout, — on songe sans moquerie, je crois, à cette démesure du Barbey d'alors, qui est un masque et une arme, et c'est ce que Vallès voit bien, écrivant dans le même article : *C'est à coups d'estoc et de taille, à coups de poing et de bâton que M. d'Aurevilly s'est fait sa route, à travers les routiniers bêtes d'hier et d'aujourd'hui. Il a été injuste souvent, brutal ; et de son pied de frêne il a écorné quelquefois le bon sens ; mais il est resté lui, avec toutes les vertus de ses vices. C'est un éloge. Il est sans restriction dans l'ensemble.* Vallès, semble-t-il, reconnaît en Barbey cette espèce d'hommes à laquelle il sait bien que lui-même appartient : qui ne négocient jamais sur l'essentiel. La politique, cela va de soi, divise, mais voyez comment : *Celui qui a écrit ce livre est un homme* (il s'agit, je le répète du *Chevalier des Touches*) *; s'il eût vécu du temps de ces héros, il eût été des leurs ; il a mis là son âme, il y aurait joué sa tête ; quand on est convaincu de cette façon, on est fatalement éloquent.* La louange, ainsi, continue, mais on voit mieux ce que Vallès a dans l'idée, qui est l'engagement dans l'action. La littérature, pour notre auteur, est toujours un peu suspecte. C'est là qu'il se rencontre avec Barbey : le connétable (comme disaient les fidèles de la rue Rousselet) avait beau soigner à l'extrême ses manuscrits et pousser sa calligraphie colorée jusqu'à l'art des copistes de jadis, son activité principale consistait à se livrer, dans les colonnes des journaux, à des colères iconoclastes, fouaillant les bas-bleus et les académiciens, vouant aux gémonies les fabriquants et les plagiaires, méprisant avec des coups de charretier les tièdes, vomissant les mondains, et — surtout — prétendant à chaque page que l'activité littéraire engageait le Ciel et Dieu. Pour Vallès, c'est l'action qui est en jeu. En 71, il sera, lui, réellement, ce contre-chouan : il a « été des leurs », siégeant à l'Hôtel de Ville, jouant sa partie dans le premier gouvernement populaire, prolétaire, qui tenta d'exister dans l'Histoire. Lui aussi, Vallès, par sa conviction acharnée, fut « fatalement éloquent »... Je reviens à cet article de 1864, et à la singulière « pensée » politique qui s'y dessine. Vallès ajoute : *Certes, je ne les aime guère ces chouans assassins pour Dieu et leur roi, je hais la politique autoritaire et dévote de M. Barbey d'Aurevilly, mais j'ai la chair de poule et le frisson quand il me mène à l'assaut de la prison d'Avranches, ou quand, dans un crime grandiose, il attache à l'aile du moulin qui tourne le meunier qui a trahi. Lorsque enfin il déshabille Aimée de Spens devant les soldats républicains, je me demande si je suis en face d'une témérité comique ou d'un trait de génie.* Ces quelques lignes — au passage — démontrent combien Vallès fut un fin critique (souvent) : tout Barbey est donné dans ces derniers mots. Voyez l'*Ensorcelée* ! La blessure de l'abbé de la Croix-Jugan, et toute cette fureur répandue sur la lande de Lessay, et, dans les autres romans, ce gigantisme de l'ombre des personnages, cette démesure brûlée qui se marque par des actes extrêmes, quoi ? « témérité comique », ou « trait de génie » ?... En août 1866, dans un texte fameux (ou qui mériterait de l'être), *les Francs Parleurs,* qui est capital pour comprendre le Vallès d'avant 71 et l'œuvre qu'il écrivit après la défaite des communards, Vallès, revenant à Barbey, répond : *Du talent ! un talent bizarre,* tourmenté et fier ! une phrase chamarrée sur toutes les coutures, bordée de rouge, galonnée d'or : à la Murat : à la Cambronne aussi ! Il ne recule devant rien : Il voit juste d'ailleurs comme un Normand qu'il est, et pour juger ou peindre les passions humaines, il a la sensibilité d'une femme dans un corps d'athlète. Un homme ! mais qui, sur le Calvaire, fait l'effet d'un épouvantail contre les anges !... On n'a jamais, sur ce sujet, mieux dit : il y avait, chez Barbey, l'envie constante de ce panache crâneur et quasiment désespéré qui voue aux batailles où la parade est assassine ; et rien ne trouble plus, finalement, que cette ultime rencontre, qui n'a pas eu lieu, Vallès et Barbey séparés par une barricade, au carrefour de la Croix-Rouge, par exemple, séparés par tout l'avenir...

Il importe de s'attarder quelque peu à ce texte de 66, *les Francs Parleurs,* qui a été publié par *le Courrier Français* en deux articles : à mes yeux, il démontre que l'incohérence « politique » dont il arrive, même à ses défenseurs, d'accuser Vallès n'en est pas une finalement ; et ainsi, par avance, silhouette le « Communard » Vallès, farouche défenseur de la liberté de la presse, antijacobin notoire, et séduit par les hommes d'envergure. Ce texte, *les Francs Parleurs,* s'attache à des journalistes connus sous le Second Empire : About, Barbey, de Pontmartin, Janicot, Rochefort, Sainte-Beuve, Sarcey, Scholl, Weiss. De ceux-là, Vallès, au départ, écrit : *Leur critique est expéditive ; ils affirment plus qu'ils ne discutent, vont droit au but. Ils jettent haut et vite leur pensée : on les croit ou on ne les croit point ! ils passent. Tant mieux s'ils ont, de leur coup de sabre, crevé un nuage : s'ils ont fait une blessure, tant pis ! Ils avaient leur conviction pour arme ; ils l'ont aussi pour bouclier.*
— *Ces hommes-là, ne vous y trompez pas, sont l'avant-garde de la révolution : à quelque parti qu'ils appartiennent, qu'ils soient légitimistes ou républicains, croyants*

ou athées, bulletinistes, critiques, nouvellistes, chroniqueurs, de la grande presse ou de la petite, n'importe ! Eussé-je affaire à un sceptique ou un traditionnaliste, quand passe un de ces esprits indépendants, je salue, et je dis que le spectacle d'une individualité vaillante sert, mieux que tous les prêches libéraux, la cause de la liberté... Sans doute pourra-t-on s'étonner de me voir qualifier de *politique* une telle déclaration, et appliquée justement à ces gens-là : Sainte-Beuve notamment, ou Barbey. Mais Sainte-Beuve, par exemple, fut l'une des admirations de Vallès : c'était un sceptique, oui ! mais qui se refusait à être dupe et savait, parfois, parler durement — dans sa fonction — contre les aboiements d'un Sénat ennemi. Il est vrai que Vallès, pour Sainte-Beuve, fut le *cher réfractaire*. Mais il y avait Flaubert aussi, et son mépris « artiste » pour le peuple (il suffit de lire les horreurs qu'il écrivit au temps de la Commune et de la Semaine sanglante) : qu'importe, dit Vallès, puisque Flaubert introduit au réalisme véritable, fait paraître la province, et publie une œuvre qui, au fond, pense autrement que son auteur... Le « cher réfractaire » avait le dégoût du romantisme : *Le romantisme a vieilli, ou, bourré de mauvaise graisse, il a fait des fils rachitiques.* L'exemple privilégié, eh ! bien, c'est encore dans la peinture qu'il faut l'aller chercher : chez Courbet très précisément. C'est aussi que la littérature est un piège, un leurre. Quoi ! s'exclame Vallès, vous adorez Homère ? Mais c'est *l'immortel Patachon.* Quoi! vous lisez Dante? Parole ! *Vous avez lu Allighieri, vous ! Parlez, la main sur la conscience, blague dans le coin... Regardez-moi bien en face, camarade. Parole d'honneur, vous avez flâné avec le père Dante et le père Virgile en Paradis et en Enfer ?...* On a en mémoire les pages dans lesquelles Vallès prenait la défense et donnait l'illustration d'Offenbach, qui fut un peu, baron oblige, le Haussmann de la musique sous le Second Empire : c'est que Vallès s'enchante d'une irrévérence salubre : *Pourquoi donc ne se moquerait-on pas du vieil Homère ?* Etre prisonnier de la littérature, c'est succomber au passé, ce n'est pas être libre : il faut secouer l'arbre des livres, voilà qui plaît aux jeunes. Oui, dit Vallès, mais attention : *La jeunesse est un âge, et non pas un talent, pas plus qu'une vertu.* Il ne faut pas confondre. Et puis, Vallès n'est pas l'homme des drapeaux, ni du sommeil. Il est en proie au mouvement, à l'appétit, à la justice, à l'instant...

La politique ? Elle est illustrée par les « francs parleurs », et tourne le dos au jacobinisme. Elle est basée sur la notion du travail : *Est du peuple quiconque ne doit pas à un simple héritage de traditions ou de coutumes son pain ou son influence, sa place, honnête, étroite ou large, dans le champ de la vie ; du peuple, quiconque lutte avec courage et produit, dans l'obscurité ou au grand soleil, sa part d'outils.* Là-dedans se montre l'affirmation capitale : la fierté. Et puisqu'il s'agit de littérature, Vallès protestait, en son temps, parce que la Société des Gens de Lettres se transformait en société d'aumônes. Et Vallès, lorsqu'il commence à écrire, nous sommes en 1857, à quoi assiste-t-il ? A des procès : l'un contre Flaubert, l'autre contre Baudelaire. Pour se consoler, il peut toujours s'enchanter de la statue que le Pouvoir a ordonné que l'on dresse aux bavardages indolores de Mme de Sévigné : « aux écrivains bien nés, les nantis reconnaissants », c'est presque cela. Pour Vallès, il n'existe pas de majorité silencieuse, mais le mensonge uniquement. C'est le grand mot, la devise : *On a détourné le cours de la Révolution ! Elle est partout centralisatrice, unitaire, c'est-à-dire tradionnaliste et oppressive. Il faut à tout prix réagir et exalter la personnalité en haine de l'enrégimentation.* C'est le sens même de l'« action » de Jules Vallès « communard » ; mais aussi, après tout, celui, majeur, de la série des Jacques Vingtras : *l'Enfant,* puis *le Bachelier,* puis *l'Insurgé,* et enfin *le Proscrit,* ce dernier volume étant composé de la correspondance adressée par Vallès à cet autre « réfractaire », Arthur Arnould.

L'exil de Vallès commence tôt : il vient rompre l'enfance et précipiter dans la pensée adulte quelqu'un qui ne connaîtra pas l'adolescence : nous sommes en 1848. Il le dira : l'un des trois souvenirs oppressants de sa vie se situe au temps où il était collégien et vit passer, tristes et enchaînés, en route vers le bagne, les vaincus de juin 48. Vint alors la comédie du Prince-Président, avec ses tournées démagogiques dans les provinces, les bains de foule et la chienlit des fonds secrets. Puis 1851 : l'étouffoir. La traversée d'un tunnel obscur, jusqu'en 1870 : un réveil qui fut un désastre, Sedan perdu et Paris dressé. Cette génération brimée, obligée au silence, alors que les maîtres du Creuzot dansaient le cancan et que la belle Eugénie dictait la loi de la pointe de son ombrelle, elle est vouée, par l'Olympe des Morny, à subir, comme jamais peut-être si longuement, le mal de vivre. L'échec de 48 signait la condamnation de cette génération d'enfants : il faudrait attendre vingt-trois ans pour réapprendre à parler ! Vallès n'a rien dit d'autre que cela, cette misère constante qui devait se rompre durant trois mois pour renouer, après un bain de sang, avec le sabre et le goupillon de l'Ordre Moral, ce déluge de sacristie et de caserne que Mac-Mahon drôlement disait : *Que d'eau ! Que d'eau !...* Il suffit de parcourir le fragment du dossier de police, rédigé dans ce style particulier aux indicateurs et fleurant bon l'imagination flicarde, qu'a publié Henri Guillemin, pour s'en convaincre : le « cher réfractaire » embêtait bien les inspecteurs de la brigade politique et les Paillasses de l'Intérieur s'en mordaient les doigts, mais ils se vengeaient aussitôt en interdisant les « feuilles » que Vallès entreprenait, avec constance, de faire paraître. Procédé connu. Et cependant, les « Jacques Vingtras » virent le jour en France, alors que Vallès croupissait à Londres. Là, il a beau aimer Dickens, il s'ennuie : l'exil, dira-t-il, est une province. Paris est sous l'étouffoir. A Londres, écrire, lire dans les salles du British Museum, manquer d'argent, donner quelques leçons, et s'isoler : voilà le quotidien. Il n'est pas seul, c'est vrai, mais il se retranche, et les blanquistes ne le séduisent pas plus que les marxistes ou les bakouninistes. Il est resté le Vallès du temps des « francs parleurs », lorsqu'il écrivait de Sainte-Beuve, de Barbey d'Aurevilly, d'Armand de Pontmartin : *Ils sont attachés quelquefois, mais jamais enchaînés, au bâton d'un drapeau ! Et tout est là.* A Londres, Vallès choisit d'être pauvre, habite un grenier, se drape de solitude, et profite du moindre prêt pour poursuivre la publication de sa feuille anglaise. C'est tout lui : un homme de la parole. Journaliste (au sens noble) de la tête aux pieds.

Il a un style surprenant, inimitable. Il est au premier plan des romanciers français de l'instantané. Cette écriture — qui bondit, refuse la période, découvre dans l'abandon de la cadence une cadence nouvelle, comme rompue — marquera Rimbaud (il l'affirme, dans une lettre). Mais, singulièrement, Vallès a longtemps effrayé. Je me demande même s'il ne continue pas à susciter une certaine panique. Les bien-pensants, lorsque son nom est prononcé, s'effarouchent. La nouvelle société le trouve par trop peuple. Les conformistes de tous les bords sont gênés par sa liberté d'allure. Il serait temps — enfin — qu'on le lise, en y mettant cette passion généreuse qui ne cessa de l'animer. Il appartient à la Commune, qu'il nommait : *la grande fédération des douleurs ;* il est le romancier de l'exil. Jamais il n'a composé, ni pactisé avec la société, et c'est pourquoi Vallès occupe une si haute place dans le Panthéon des hommes libres. C'est un témoin de la dignité.

VALLÈS L'ACTUEL

Ce qui frappe le lecteur moderne, lorsqu'il entreprend de lire Vallès de bout en bout, c'est assurément le ton résolument « actuel » de cet auteur. Il convient là-dessus de s'expliquer. Voir d'abord que *ce petit Auvergnat chevelu, laid, noireau* (comme lui-même se dépeint) décide tôt de se tourner contre les propositions qui lui sont faites par la société : il récuse, étudiant, et fils de professeur, l'enseignement qu'on lui donne, y voit un carcan qu'on lui passe, se gausse des idées toutes faites, dénie la moindre valeur à l'abstraction des connaissances, ridiculise examens et diplômes, hait les académies et les sociétés savantes, réprouve le « ton » des études et des concours. Dans l'effort qu'il ne cesse de faire pour se détourner absolument de l'héritage, il va de soi qu'il se rebiffe contre la rhétorique, entreprend de la briser, d'en rompre le rythme qui s'apparente au sommeil et persévère dans le ressassement. On peut suivre ce travail de démantèlement, de retournement, depuis les premiers textes pour en découvrir l'absolue réussite, enfin, dans la fameuse *Trilogie*. C'est la voix de Jacques Vingtras qui donne à la voix de Jules Vallès cet étrange pouvoir sur les effets duquel le temps qui passe n'a pas de prise. Mais à peine commence-t-il à publier qu'on ressent, par éclairs, ce besoin de rompre, de parler autrement, d'écrire hors des chemins tracés. Voilà l'un des points essentiels de cette œuvre. Jules Vallès est un « homme de lettre » avec une conviction, un soin, une constance qui fascinent. Qu'il soit à Paris, se débattant avec la misère, mangeant de rien, dormant d'errances, « réfractaire » parmi les saltimbanques, les banquistes, les prostituées, les paysans du bitume, il ne songe qu'à écrire : rien ne compte que la liberté de parler, pour lui. A-t-il trois sous, il crée une feuille. Elle périt, il recommence. Il donne aux journaux bien des « papiers », mais comme il ne consent à rien — sinon l'épisode singulier de *L'Argent* — à quoi il ne consente lui-même, d'abord, et seul, il refuse une plume bridée. Plus tard, lors de l'exil dans le gris plombé des bords de la Tamise, dans une sorte de sous-sol à la Dickens, l'idée ne lui vient même pas de travailler à quelque chose qui ne soit pas de son « métier ». Un artisan des lettres, si l'on veut. Mais qui a l'exigence de sa propreté.

Ce qu'on retient de ses écrits, c'est une impression de mouvance, une succession rapide sinon mouvementée. Son style, qu'il travaillait beaucoup afin de l'approcher du naturel, est une virevolte constante où les personnages s'avouent en trois mots et se logent dans des constructions mobiles que définissent des taches colorées : c'est une sorte d'organisation symphonique dont on aurait ouvert la structure jusqu'à la briser. Il s'est désencombré du prolongement musical de la période rhétorique : on sait que celle-ci, basée sur un balancement verbal, vise à prolonger auditivement son propre rythme, sacrifiant le poids (et le sens) des mots à l'harmonie de l'ensemble. Rien de semblable chez Vallès : il dénoue le procédé métaphorique par l'incongruité soudaine d'une « pointe » inattendue. Il a le sens de la caricature vraie. Il dénonce par l'ironie. Il est sec avec générosité. Il éparpille des « mots » qui valent le meilleur Jules Renard, comme à poignées, dans des textes tout bouillants de colère, de révolte et de honte, des textes blessés. Il a des allures de vandale et un appétit de Gargantua. Il ne comprend pas que l'on puisse écrire pour écrire. Que diable ! un menuisier s'il fait une table c'est pour qu'on y mange ; un lit, pour qu'on y dorme. Il se fie aux métiers, où il voit sa noblesse. Son métier, à lui, est d'écrire. Mais son métier serait dérisoire, menteur, failli, si ce qu'il écrit ne servait à rien. Sa Muse, c'est l'irritation. Son goût, c'est le journalisme. On doit la *Trilogie* à l'exil : c'est évident. Vallès est l'homme du corps à corps. Il écrit comme on se bat en duel : il faut que les coups portent.

Regardez-le dans la Commune : hier, enfermé à Mazas, interné à Sainte-Pélagie, interdit d'écrire par les incessantes poursuites du Ministère de l'Intérieur, il ne cessait, sur tous les tons, de demander la liberté de la presse ; aujourd'hui qu'il est à l'Hôtel de Ville, élu de la Commune, et qu'il participe au Pouvoir, il s'oppose à la censure, il se préoccupe de laisser à tous — et à ses ennemis d'hier — cette liberté de parole qui lui sera, demain, de nouveau, si durement contestée. C'est tout naturellement qu'il trouvera son frère dans le paria de la grande ville. C'est tout naturellement qu'il découvrira la poésie de l'insolite en se penchant sur les singularités citadines. C'est tout naturellement qu'il fera vivre Paris, promeneur au cœur halluciné et à l'œil d'aigle.

En ce moment où il se retourne contre l'héritage social, et refuse de tenir pour un dieu le moindre professeur de Faculté, et se détermine à tordre le coup, plus tard, à la rhétorique : Vallès se veut décidément autodidacte. Oui ! mais ce n'est pas simple : les idées reçues demeurent des idées reçues, tunique de Nessus qui brûle le maniement même du langage et marque au fer rouge le mécanisme des pensées. Il y a cent endroits dans l'œuvre de Vallès où l'on voit comment il succombe aux facilités de l'appareil qu'il récuse. Mais il est sévère, et acharné. Pour le moment, il s'agit de se mettre à l'école que l'Ecole ne peut contaminer : la débine (comme il dit), la misère, la rue, voilà son *pain cuit* ! Mais aussi les manifestations républicaines, les fréquentations de ces hauts lieux de la pensée que sont, dans la seconde partie du XIX° siècle, les prisons de Paris. Bref ! l'école de l'autodidacte qu'est Vallès, c'est le refus. Il refuse même le confort, dont il rêve parce qu'il est gourmand, coquet et amateur d'écus. S'il tient à la nourriture, c'est parce qu'elle est un signe de la liberté. Non parce qu'elle est plus ou moins abondante, mais parce qu'elle cesse d'être imposée, comme, dans l'enfance, dans *l'Enfant*, Jacques *devait* manger, pour obéir aux parents, les bas morceaux ou les plats détestés. Pour le costume, c'est autre chose encore, mais de la même sorte : le petit paysan mal vêtu, le Nantais ridicule dans un habit de hasard, mal coupé par la mère, imposé par l'autorité paternelle, voilà que par ce ridicule, par ce signe, il est *situé* dans les marges de la société. La redingote tellement usée qu'elle brille comme cul de chaudron au soleil, le col miteux d'une casaque aux manches trop courtes, le chapeau pelé, ne sont rien que l'*exil* signifié. Il suffit de l'accoutrement marginal pour être basculé loin des humains. On verra, à le lire, combien Vallès fait grand cas du vêtement qui peut être tantôt le signe de la justice, tantôt celui de l'injustice. Il condamne au bagne des rues, ou permet le gagne-pain. Il définit l'homme, lequel en souffre. Il autorise la brimade, il justifie l'échec, il avoue pour qui le porte. Mais qui l'impose ? La société, par la misère, oui ! mais aussi, mais surtout, dans ces âges où la vie se dessine, la famille... L'habit abhorré est de même coupe que la culture avilie. Il est taillé aux mêmes césures que la rhétorique.

Puis, c'est vrai, Vallès était gourmand. Il tombait le genou devant une bonne épaisse plâtrée de ragoût et de haricots. Qu'on ne lui demande pas d'apprendre la théorie : cela lui passe à cent coudées par-dessus la tête. Il dédaigne les avocats, les *bavards* comme il dit, reprenant le mot populaire : Gambetta ? un *Danton de pacotille.* Sa science économique, lui qui se pique de tenir des chroniques boursières et de savoir jusqu'au tréfond l'agiot et la rente, est courte : il a lu Proudhon, mais j'imagine que ses compagnons de Sainte-Pélagie y furent pour beaucoup. Il se méfie de Blanqui, mais c'est qu'il n'apprécie pas les coups de main risqués. Sa politique ? Celle qu'il invente ? Une sorte de socialisme du cœur, une nébuleuse d'idées propres, nettes, généreuses. D'ailleurs, il l'invente à chaque instant, et pour répondre aux exigences de chaque instant. Il n'a pas un principe continu (sinon celui du refus, de la contestation), mais il recompose de circonstances en circonstances une parole vive qui s'articule autour d'une revendication butée : la liberté pour tous.

Voilà le journaliste : il parle parce qu'il étouffe, il crie. Les feuilles où il collabore sont obligées de l'éloigner. Il en crée, qui meurent. C'est lui, *l'insurgé.* Qu'il passe à la littérature, et il se trompe de vocation. Il fait un peu par hasard, et pressé par les événements, sa *Trilogie.* Il méditait une grosse machine impersonnelle, alors qu'il n'est pas fait pour s'extraire de sa propre vision du monde.

Il y a autre chose encore : c'est le Vallès portraitiste des êtres qui se meuvent dans les bas-côtés de la vie. Il a fait de la ville une sorte de poème extraordinaire, blanc et noir, rouge et jaune, atroce et tendre : il y a là les insoumis et les errants, ceux qui refusent et ceux qu'on refuse, une humanité dévorée, étonnante, outragée mais outrageante, pitoyable mais impitoyable. Entre le gris des murs et le ciel fixé bas, ceux-là mettent à la ville les couleurs qui la font vivante. Ils ont leur propre manière de dire (qui est une façon d'être) que rien n'est jamais fini. S'ils sont désespérés, ils témoignent encore pour l'espoir. Mais ils témoignent aussi pour le malheur. Un barricadier, lors de la Semaine Sanglante, se fera tuer sur les créneaux de fortune non tant par idéologie que par surcroît intolérable de malheur. Des épaves ? Pas tous. Ils sont là parce que la société telle qu'elle est, ils la refusent : refusent son langage hypocrite, ses leçons de manigances, ses contraintes abjectes. Pittoresque ? Non.

Il n'existe pas un Vallès doctrinaire, et c'est tant mieux. Ecrivain, il mérite sans doute qu'on lui applique ce que Mallarmé disait de Dujardin lorsqu'à son propos il invoquait un *impressionnisme éperdu*. Mais ce Jules Vallès impérissable, *épaules de lutteur, voix de cuivre, dents de chien*, c'est celui qui n'a jamais consenti à faire taire, en lui, et dans son langage, la voix de l'exigence.

LOUISE MICHEL, LE ROMANTISME
ET LA RÉVOLUTION

Il y a d'abord Victor Hugo. Elle n'a pas six ans que déjà les poèmes du romantisme triomphant la bercent. Fille naturelle d'un noble de province, entre Champagne et Lorraine, elle est élevée dans un château qui menace ruine, tiraillée entre un grand-père voltairien et républicain (un signe qui ne trompe pas : de De Mahis, la famille a fait Demahis, et est demeurée ainsi sous l'Empire et la Restauration), et le catholicisme superstitieux, contaminé de légendes des femmes qui s'occupent d'elle et l'éduquent comme elles peuvent. Exaltée avec naturel, Louise Michel (qu'on nommera dans son enfance et son adolescence : la demoiselle Demahis), qui est née en 1830, avec la bataille et la victoire d'*Hernani*, voudra premièrement être une sainte. Elle ne peut rien faire ni entreprendre sans y mettre de l'excès. La sainteté et la lecture : deux préoccupations majeures et qui n'ont pas un caractère bien juvénile ! De la lecture, on passe à l'écriture. La grand-mère et le grand-père Demahis font facilement des poèmes qui sont des brimborions dans le goût du temps. Louise Michel leur emboîte le pas, mais elle songe aussitôt à une épopée, qui tourne court. Dépitée par l'*Histoire universelle* que Bossuet a rédigée pour le Dauphin, elle grapille dans les bibliothèques et commence à en rédiger une à son tour (elle a dix ans, à peine), qui ne dépassera pas le prélude. Elle tient de famille : un de ses parents a acheté une bibliothèque en vrac, et chacun s'est mis à lire, le mauvais avec le bon, dans un désordre qui tient du tintamarre et se retrouve, tel quel, dans les ouvrages romanesques de Louise Michel, frénétiques par les cadavres qui s'y promènent, étonnants par leur rapport avec la science-fiction, et romantiques par les sentiments, mais écrits dans vingt directions à la fois. Très tôt, la jeune fille enverra ses poèmes à Victor Hugo, qui, bien entendu, lui répondra : voilà l'âme-sœur lointaine, le conseiller magistral. Louise Michel dit volontiers, le temps des *Mémoires* étant venu, qu'elle est née dans la révolte. Voire ! Sa religion est d'une bonne trempe, si l'on excepte des sensations un peu vives qui lui sont venues — vers cette même époque : dix ans — de la lecture des *Paroles d'un croyant.*

Ce qu'il y a de vrai, et de sensible, c'est qu'à la mort des grands-parents, l'univers merveilleux s'est brisé. Il n'est rien resté de ces veillées où allaient bon train les histoires anciennes et les contes fantastiques. Il n'est rien resté du monde à moitié végétal, à moitié animal où vivait l'enfant, traînant ses livres, et surtout Hugo avec Lamartine, du chenil jusque parmi les fleurs du jardin. Avec son cousin, ils arrangeaient les pièces de Hugo : *Hernani* justement, ou *les Burgraves* — afin de les rendre propres à être interprétées par deux comédiens, lesquels ils devenaient aussitôt. La demoiselle Demahis est bousculée hors des enchantements de l'enfance. On lui rend le seul nom qu'elle puisse désormais porter, celui de sa mère, la servante séduite : Michel. Derrière elle, il y a Vroncourt et ses merveilles : elle a approché de bien près le bonheur : on la chasse. Petit à petit vont se faire ses convictions politiques. Elle va revendiquer de plus en plus les temps heureux *qui sont derrière elle.*

Sa République idéale se nomme Vroncourt, lieu de sa naissance, paradis perdu, enfance interdite. Cela se lit assez clairement dans la première partie de ses *Mémoires*. Entre les lignes. Dans l'arrière-texte.

Du coup, elle se convertit au culte des morts. Mieux encore : il y a chez elle, constamment à l'œuvre, une idée de la mort qui tient à la fascination : elle en parle à diverses reprises avec des accents qui relèvent de la mystique. Au terme de la Semaine Sanglante, lorsque la Commune est réduite dans le sang, elle éprouve entre la tombe d'une de ses amies et le tombeau de Murger une véritable illumination : la mort y est perçue comme une pluie de fleurs. Elle est athée de profession, certes ! mais sa pensée demeure vague lorsqu'elle évoque les *disparus* qu'elle va rejoindre : sa mère, ses amies, Ferré. *Je n'ai pas le mal du pays*, écrit-elle, *mais j'ai le mal des morts.* C'est sur ce sentiment que s'articulent les *Mémoires*. Le pays, c'est Vroncourt. Les morts, c'est cette parenthèse idéale, — les passagers, jurerait-on, du navire *République universelle* qui s'en va vers la mer libre au terme de l'immense fresque, si peu connue, d'Eugène Sue : *les Mystères du Peuple,* et où le romancier, lui aussi, fait figurer ses héros morts en même temps que ses personnages vivants. Charles Fourier est passé par là : le vrai Fourier, celui de la cosmogonie. Pour Sue, cette présence de Fourier est possible, non certaine. Louise Michel parle trop souvent d'attraction et de métamorphose pour que le doute soit permis : *Depuis que l'humanité gît, les ailes enveloppées, des sens nouveaux ont germé ; même physiquement, l'homme nouveau ne nous ressemblera plus.* Fourier ne dit, sur ce point, rien d'autre. Louise, la « bonne Louise » comme on la nommait (pour d'autres, cette mégère n'était que la « Pétroleuse »), pense elle aussi que si la justice doit un jour régner, elle doit étendre ses bienfaits aux défunts eux-mêmes, qui ont souffert de l'oppression et des vices de la *civilisation*. Elle ne le proclame pas, certes ! mais elle a des inflexions de plume qui ne trompent pas. Déjà, les *Mémoires* organisent ce salut : *On dirait des tableaux passant à perte de vue et s'en allant sans fin dans l'ombre je ne sais où.* Il ne faut pas oublier, sur ce terrain, l'influence de Victor Hugo.

Louise Michel continue à lui écrire, à lui envoyer des poèmes. Elle le rencontre dans l'automne 1851, quelques mois ou quelques semaines avant le coup d'Etat du 2 décembre. Elle mentionne ce rendez-vous en une phrase dans ses *Mémoires :* on s'en étonne ! Comme les carnets de Victor Hugo, touchant à cette période, ont disparu, nous ne sommes guère renseignés sur ce qui, alors, a pu se passer entre cette jeune femme de vingt ans et le satyre. Louise Michel est laide ? Oui. Mais elle est d'une laideur *convaincante*. Ceux qui feront son portrait ne la regarderont vraiment qu'après l'amnistie des Communards, et c'est une femme vieillie. Laurent Tailhade, par exemple, note qu'elle a *un visage aux traits masculins, d'une laideur de peuple.* Il parle d'un *masque d'Euménide éclairé par les plus beaux yeux du monde.* Il ajoute : *Tout le caractère de la bouche énorme, aux lèvres mordantes, fait voir un singulier mélange de douceur et de mépris.* En 1898, P.-V. Stock, qui éditera son livre *la Commune*, retient des traits semblables. Elle a, écrit-il dans son *Memorandum d'un éditeur*, un visage *masculin, taillé à coups de serpe, des yeux francs exprimant une grande bonté, une voix d'une douceur extraordinaire.* Cinquante-huit ans, le deuil accumulé, l'agitation des réunions publiques, ces circonstances ne contribuent aucunement à l'élégance. Stock remarque qu'elle est *entièrement de noir vêtue*, et *coiffée d'un chapeau informe*, qu'elle est *habillée à la six-quatre-deux, la jupe ajustée au hasard, sur le côté, ou le derrière devant.* Mais à vingt ans ? Avec la fraîcheur campagnarde, et un peu du fantôme de Vroncourt dans le beau regard ? Les poèmes envoyés au mage dans son exil ne disent rien que de très vague :

> Qui donc sera mon guide ? Est-ce Mozart ou toi ?
> Je veux voir par-delà les routes de la terre
> Si, dans quelque phalange, il y a place pour moi...

C'est d'un poème de 1853. Plus tard, lorsqu'elle sera envoyée en Nouvelle-Calédonie en déportation, elle gravera sur un rocher de la baie de l'Ouest : *Victor Hugo !* Cela s'accompagne, le 18 juin 1876, d'un nouveau poème :

> Il est un noir rocher près des flots monotones.
> Là j'ai gravé ton nom pour les bruyants cyclones...

Elle a signé des textes « Enjolras ». C'est le nom qu'il arrive qu'Hugo lui donne dans ses *Carnets,* ces fameux *Carnets* auxquels nous voici revenus, et qui, sur ce point précis, font problème. On y trouve, en 1870, deux fois mention de Louise Michel, les 13 et 18 septembre : *une heure de voiture avec Enjolras, deux francs cinquante,* — et surtout la lettre « *n* », qui appartient, on le sait, à l'écriture secrète de Victor Hugo. Cette lettre « *n* », dit Guillemin, signifie : « nue ». Pourquoi, rétorque Edith Thomas, ne voudrait-elle pas dire : « non », indiquant ainsi que la femme s'est refusée ? Aucun document ne permet de trancher le débat. Mais au moins faut-il voir que la sexualité de Louise Michel n'est pas très nette. Lorsqu'elle meurt, à Marseille, en 1905, l'année de la première tentative révolutionnaire en Russie (le dimanche sanglant), un nom revient par deux fois dans les documents officiels, puis disparaît : *Le corps de la nommée Michel Savion, dite Louise Michel,* sur l'un ; et sur l'autre : *La nommée Michel (Savion), Louise, dite Louise Michel...* Puis, ce nom de Savion disparaît totalement. S'agit-il de l'erreur d'un fonctionnaire ? C'est possible, mais dénonce, en ce cas, une sérieuse dose d'imbécillité, si l'on remarque que Louise Michel ne pouvait pas faire un pas sans être suivie par un policier, ni prononcer une parole sans être écoutée par un mouchard. Ce nom de Savion indique-t-il, sinon un mariage, du moins une « union libre » vécue par Louise Michel avant 1871 ? Certains affirment qu'elle eut un enfant, une fille, dont la lignée serait encore existante aujourd'hui. Autre mystère. Certains, se basant sur l'étude de son comportement et l'analyse de ses propos, parlent de saphisme. On sait ce que vaut l'aune de ces ananlyses-là ! Pour d'autres, c'est à cette tendance du tempérament de l'insurgée qu'il faut attribuer la brouille qui la séparera de Nathalie Lemel et de quelques autres de ses compagnes. Un grand amour cependant : celui qu'elle éprouve pour Théophile Ferré. Il a vingt-cinq ans. Elle, quarante. Louise n'hésite pas à se rajeunir : je suis née en 1836, voilà ce qu'elle maintiendra jusqu'au bout. Mais Ferré, laid lui aussi, est un révolutionnaire actif. Il s'est distingué dans toutes les occasions. Il sera fusillé à Satory en compagnie de Rossel et de Bourgois. C'est un activiste. Un pur. Dès qu'il sera arrêté, jugé, condamné, Louise Michel, prisonnière des Versaillais, voudra tout prendre sur elle : elle affirmera qu'elle est membre de l'Internationale, ce qui est faux. Ce qu'elle a été sous la Commune : infatigable. Elle est de cette admirable cohorte de femmes qui jouèrent un rôle capital dès le 18 mars. D'ailleurs, au moment où les troupes régulières viennent sous le commandement de Vinoy s'emparer des canons du parc de Montmartre, Louise est là, qui donne l'alarme, et monte vers la troupe. Elle est là lorsqu'on fusille Lecomte et Clément Thomas. C'est à son côté que Turpin est blessé à mort. Elle est dans les forts, dans les tranchées, dans les clubs, dans les ambulances. Elle est au milieu des derniers fédérés qui résistent. On la voit partout, mais ce qui est essentiel : elle voit tout. C'est de là que sortira son livre sur *la Commune*, une chronique inoubliable. Comme elle n'occupe aucun poste dirigeant (les Communards sont misogynes comme on l'était en ce temps), elle ne tronque rien : ce sont ses « choses vues », et elle y atteint à un lyrisme maîtrisé qui est admirable. Avant les événements du 18 mars, et sous le Gouvernement du 4 septembre, elle a été de toutes les manifestations. Elle a vu les Bretons de Trochu tirer sur la foule massée devant l'Hôtel de Ville. Sapia est tombé, elle est là. Elle est arrêtée lors des manifestations en faveur de Strasbourg. Elle marche avec les gardes nationaux envoyés par le gouvernement des Jules à l'abattoir de Buzenval. Elle assiste à la libération de Flourens, et d'Eudes. Elle serre la main de Dombrowski. Elle salue au passage un employé modeste au mariage duquel elle a assisté : Paul Verlaine, qui, plus tard, écrira sa ballade :

Citoyenne ! votre évangile
On meurt pour ! c'est l'Honneur ! et bien
Loin des Taxil et des Bazile,
Louise Michel est très bien.

Ce poème paraît en 1888, lorsque Louise Michel est la Vierge rouge de l'anarchie. Charles Malato, ex-communard, ex-compagnon de déportation, à Londres, en 1892, note : *Louise apparaît en quelque sorte comme une Velleda de la Sociale.* Mais au moment de la répression du mouvement communard, c'est Victor Hugo qui prend la parole. Il écrit *Viro Major* en décembre 1871. Il a été frappé par les réponses de Louise Michel à ses juges, par ce partage en elle entre la haine et l'amour, entre sa dureté et sa faiblesse :

Ton long regard de haine à tous les inhumains
Et les pieds des enfants réchauffés dans tes mains, —

ce qui est une vue assez juste de cette femme emportée contre le « pouvoir » jusqu'au « tyrannicide » : elle veut tuer Napoléon III, elle combine de gagner Versailles pour abattre Thiers (c'est Ferré qui lui ordonne de n'en rien faire), elle rêve de l'assassinat de Gambetta, — mais elle est toujours démunie à force de tout donner, elle recueille le chat perdu, le chien égaré, l'homme délaissé. On entre chez elle. Un homme est à table, qui mange. On lui dit : Mais vous savez, c'est un voleur ! Et elle : Est-ce que cela l'empêche d'avoir faim... Durant le siège, en 70, Hugo lui donne de quoi acheter une couverture, tant elle grelotte dans sa chambre. Il apprend que la somme a été distribuée. Il lui en donne une autre, équivalente, à la condition que cette fois elle la réserve pour elle. Louise : Gardez-là, je ne puis promettre cela... Cette duplicité qui est le signe de la foi éprouvée par Louise Michel, elle se devinait dans le procès de la Commission des Grâces. Cette femme était accablée par l'échec de la Commune, blessée à mort par la mise à mort de Ferré. Elle brillait de rage et de bonté mélangées ! Victor Hugo :

Tu fus haute, et semblas étrange en ces débats ;
Car, chétifs comme sont les vivants d'ici-bas,
Rien ne les trouble plus que deux âmes mêlées
Que le divin chaos des choses étoilées
Aperçu tout au fond d'un grand cœur inclément
Et qu'un rayonnement vu dans un flamboiement.

Son attitude en Nouvelle-Calédonie en sera la demonstration. Elle aide autant qu'elle peut les proscrits. Elle soutient le moral de Henry Bauër, qui a vingt ans. Elle dresse un dictionnaire des termes usuels du langage des canaques, et s'intéresse à leurs rites, à leurs légendes, à leur musique. Lorsqu'ils se révolteront, en 1878, elle se rangera de leur côté. Son attitude tranchera sur celle de ses compagnons, tant la pensée de « gauche » était alors convaincue que le colonialisme apportait les bienfaits civilisateurs aux peuples obscurs. Sur ce terrain, elle ne variera jamais, s'emportant contre l'expédition au Tonkin, contre l'administration de l'Algérie. Sa sensibilité rencontre la justesse politique.

Mais elle s'est convaincue — dit-elle — dès son départ pour la relégation, d'une chose, qui est l'inutilité du suffrage universel : *Le mancelinier, qui tue ceux qui s'endorment sous son ombre, tel est le suffrage universel !* Le suffrage, les élections, cela revient à conforter le Pouvoir, ou à se perdre. Voyez la Commune ! Si les Comités de base, celui des vingt arrondissements, celui de la garde nationale n'avaient pas cédé aux leurres du légalisme, on marchait sur Versailles. Qu'a-t-on fait ? Des élections. Le temps passait. L'affaire était dès lors manquée. Or, qu'est-ce que le Pouvoir ? C'est ce qui avilit ! *Les hommes ne sont pas méchants, c'est le pouvoir qui les gâte et en fait des bandits* (1886). Et, dans les *Mémoires,* ceci : *Eh oui, messieurs, il y en a des millions qui se foutent de toute autorité, parce qu'elles* (les femmes) *ont vu les petits travaux accomplis par le vieil outil à multiples tranchants qu'on appelle le pouvoir.* Et encore ceci : *Le pouvoir ! c'est se servir d'un ciseau de verre pour sculpter le marbre. Allons donc ! dominer c'est être tyran, être dominés c'est être lâches ! Que le peuple se mette donc debout, il y a assez longtemps qu'on fouette le vieux lion pour qu'il casse la muselière.*

Elle a cette idée de la perversion par le Pouvoir si solidement ancrée dans la tête qu'elle excuse les mouchards et les donneurs. Qu'un Breton évangélisé, Lucas, lui tire dessus et lui loge une balle près de la tempe, c'est elle qui intervient en sa faveur et s'agite tellement qu'elle obtient sa relaxe. Son point constant de référence demeure la Commune. Au moment de l'affaire Dreyfus, partagée entre son propre antisémitisme et son amitié pour Ernest Vaughan qui publie, dans son journal, le *J'accuse* de Zola, — mais aussi ses liens privilégiés avec Rochefort, vieux compagnon de captivité, marquis rouge qui a viré au nationalisme —, Louise Michel ne prend pas parti. Pas plus qu'elle ne prend parti, malgré Rochefort, malgré son amie la duchesse d'Uzès, ce caractère étonnant, pour ou contre Boulanger. A bien voir, son avis sur les attentats anarchistes est nuancé : elle est contre *avant ;* elle est pour *après.* Un peu avant le vote des lois « scélérates » qui vont, après le procès des Trente, stopper la veine terroriste, elle s'expliquera sur Emile Henry, celui qui, le 12 février 1894, plaça une machine infernale au café Terminus, gare Saint-Lazare. C'est qu'Emile Henry est le fils d'un communard condamné à mort par contumace. Louise Michel : *C'est Hamlet rêvant au cimetière d'Elseneur, le crâne de son père dans les mains. Qu'on empêche la semaine de mai d'avoir existé si l'on veut empêcher que les fils des condamnés à mort aient eu, dans les rêves de leurs berceaux, la vision de l'hécatombe, les enterrements dans les squares, les geôles de l'agonie, les charniers de Galliffet.* Autant de détermination mélangée à autant d'imprécision lui attirent des sympathies singulières. Maurice Barrès s'engage à être son premier biographe et remplit des pages de son grand œuvre : *Mes Cahiers* — de paragraphes qui la dessinent. Il s'exclame : *Ne la battez pas, agents, soyez respectueux. Juges, taisez-vous. Cette vieille folle vaut mieux que vous qui dites :* La femme Michel. *Si vous insistez, vous me faites connaître qu'elle est une sainte. Pourquoi donc ? Elle a la flamme.* La confusion est complète. C'est que Louise Michel, une sorte de Sarah Bernhardt de meeting, est trop naïve. Récusant la Politique, elle donne prise à tout. Ainsi, le préfet Andrieux, dit le chat-tigre, trouve là une belle occasion de noyautage. C'est un personnage assez répugnant. *La Bataille,* en décembre 1884, le dépeint de cette façon : *Ses yeux troubles, ses gestes arrondis, ses effets de hanche, sa démarche traînante et lâche, tout en lui n'est qu'hystérie écœurante.* Bon. Mais l'habile Andrieux, jugeant qu'il vaut mieux être dedans que dehors, offre, par un espion belge interposé, un hebdomadaire aux anarchistes : c'est *la Révolution sociale.* C'est exactement comme si le préfet de police siégeait au fauteuil du rédacteur en chef. Il est averti de tout, et il dicte l'essentiel. Il suggère, toujours par le Belge Egide Spilleux dit Serreaux interposé, des attentats. Allez donc vous fier aux anarchistes ! Les attentats ratent... Andrieux écrira, dans son livre de souvenirs : *Mlle Louise Michel était l'étoile de ma rédaction, inconsciente du rôle qu'on lui faisait jouer. Je n'avoue pas sans quelque confusion, le piège que nous avions tendu à l'innocence.* La « confusion » ! voilà qui est joli. Le comble, c'est que lorsque Serreaux est démasqué, c'est Louise Michel qui prend sa défense...

Depuis son retour lors de l'amnistie des communards jusqu'à sa mort en 1905, Louise Michel n'a cessé de tenir conférence sur conférence. Mais à mesure que le parti ouvrier s'organise, elle perd de son efficacité, de sa popularité réelle. Elle erre, fantôme oublié par les fusils des Versaillais, à la quête d'un paradis pour tous, qui serait *la terre libre.* Vieille, elle se guide sur l'enfance. Pas de maître, jamais ! *J'en vins rapidement à être convaincue que les honnêtes gens au pouvoir y seront aussi incapables que les malhonnêtes sont nuisibles et qu'il est impossible que jamais la liberté s'allie à un pouvoir quelconque.* Son romantisme était devenu utopie. Son réalisme avait trouvé des motifs vrais : l'anticolonialisme, le féminisme, la dénonciation de la « politique politicienne ». Elle ne voulait voir, agonisante, que le soleil qui devait se lever, alors même que le noir des nuages s'accumulait à l'horizon. Son enterrement, qui regroupa des foules considérables, fermait une page de l'histoire, une page à vrai dire glorieuse, parce qu'elle portait inscrite en elle la croyance en la bonté native et la foi dans le progrès.

HENRY BAUER

La vie sentimentale d'Alexandre Dumas père ressemblait à ses romans : elle grouillait de personnages. Le « bon géant » se perdait parfois dans les dédales de dix intrigues amoureuses menées de front. Sa fille lui servait, en ce domaine, de secrétaire et de pense-bête, mais il lui arrivait de mettre quelque malice à brouiller l'écheveau, d'où provenaient des complications où Dumas, naïf — mais avec des roueries d'enfant —, se perdait et se retrouvait comme il pouvait, jurant qu'on ne l'y reprendrait plus, et succombant à la moindre occasion. C'est ainsi qu'il rencontra l'épouse d'un commissionnaire en marchandises venu de Graz en Autriche pour s'installer à Paris, associé à une maison de commerce, rue d'Enghien. Là, Anton-Karl Bauër épouse une jeune personne du même pays que lui, et qui est une juive piquante et têtue : Anne Herzer. En 1850, alors qu'Alexandre Dumas est criblé de dettes, traîne à ses chausses une meute de créanciers, termine les extravagances assez sublimes du château de Monte-Cristo, il partage ses faveurs entre trois dames : madame Guidi, Isabelle Constant, et Anna Bauër. De cette dernière, il aura un enfant, Henri (qui préférera plus tard orthographier son prénom : Henry) qui aura pour nom de famille celui de son père putatif : Bauër. Ce père de

fiction est un curieux homme, romantique à sa façon :
la cinquantaine venue, en 1857, il vend son négoce et
s'embarque pour l'Australie, courant après des chimères
et mourant quelques années plus tard sans que l'on
sache jamais ni de quoi ni comment, ni ce qui lui advint
réellement dans l'aventure. Le petit Henry devint de
plus en plus le fils de sa mère, qui était une femme qui
ne s'en laissait nullement conter sur le plan des affaires,
et ne manquait pas de détermination en toutes circonstances. Cependant, plus les années passaient, et plus
Henry Bauër se mettait à ressembler à Alexandre Dumas. Il était non seulement conforme au physique, avec
le teint foncé et les cheveux crépus, l'énorme tête et la
corpulence, mais encore était-il porté aux mêmes exagé-
rations généreuses. Ayant le goût de la plume, il se lança
dans le journalisme, alors que son appétit de liberté
(*Vivre libre* fut tôt sa devise) le jetait dans l'opposition.
Si Alexandre Dumas avait été rejoindre des révolutionnaires, Henry Bauër ne vit qu'une révolution où s'engager, mais elle était d'une gravité certaine : la Commune
de Paris. Il a dix-huit ans, mais il entre dans l'appareil
militaire des fédérés. On le trouve dans l'état-major
d'Eudes. On le voit aux côtés de Lisbonne, ce d'Artagnan
de la Commune. Henry Bauër n'est pas de ceux qui
disparaissent lorsque viennent les mauvais jours. Il se
bat au carrefour Vavin et Bréa. Auparavant, depuis le
soulèvement du 18 mars, il n'appartient qu'à l'organisation militaire. Il est l'homme des coups de feu. C'est vers
cette époque, le 10 avril, que le *Journal officiel de la
Commune* relevait que : *Dans les rangs du 61ᵉ bataillon
combattait une femme énergique. Elle a tué plusieurs
gendarmes et gardiens de la Paix*. Il s'agit de Louise
Michel avec laquelle, après son procès devant la Commission des Grâces, Henry Bauër sera relégué en Nouvelle-Calédonie.

On lit dans *l'Insurgé* de Jules Vallès : *J'ai à peine le*

temps, depuis qu'on lutte, d'aller voir comment on se
défend. Deux ou trois fois, j'ai voulu remonter du côté
où Lisbonne et Henry Bauër tiennent comme des enra-
gés... mais j'ai été retenu, rappelé, repris. Avant ces derniers combats et l'investissement de Paris par les Versaillais, on voit le jeune Henry Bauër se détourner des
vanités du général Eudes et ne jurer que par la capacité
et le courage de Dombrowski. Il est contre la majorité
du conseil communal parce que ces gens se perdent en
palabres. Il réprouve le Comité de salut public, lequel,
à ses yeux, commit — et c'est vrai — l'erreur, dès l'entrée de l'ennemi, de laisser les bataillons fédérés à la
défense de leurs quartiers et de leurs barricades, rendant
ainsi impossible une stratégie d'ensemble. Il regrette
qu'en ces journées décisives, Henri Place, rédacteur
au *Cri du Peuple,* ait été capturé avec son bataillon
avant d'avoir pu bouter le feu à la poudrière Beethoven
qui s'étendait vers le Trocadéro assez loin sous les pieds
des soldats de Thiers. Bref ! on voit un jeune homme
vigoureux et actif, payant de sa personne, voyant juste,
mais on devine aussi bien que sa conviction politique
est mince. Cela lui vaudra des mésaventures à son retour
de déportation, et donc des accusations : un jeu d'em-
brouille et de manipulation qui va le maintenir jusqu'à
sa mort éloigné de la politique. En effet, le parti opportuniste guidé par Gambetta et Jules Ferry va tirer parti
de l'incompétence de Bauër. Bien sûr, ce dernier — et il
n'est pas le seul — juge que c'est à ce parti au pouvoir
qu'est due l'amnistie aux communards du 11 juillet 1880.
À bien voir, cette gratitude est fort indue : les opportunistes n'ont accordé l'amnistie que pour désarmer la
gauche qui leur est hostile. En 1880, le parti ouvrier,
que les opportunistes redoutent, met sur le rang des
candidatures aux élections des communards amnistiés
qui n'ont pas renoncé à l'action révolutionnaire. C'est
ainsi qu'aux municipales du 9 janvier 1881, se présen-

tent dans le XIV° arrondissement, un opportuniste, un socialiste ex-communard, un républicain, un conservateur, et Henry Bauër. Il y a ballottage. Les voix obtenues par Bauër permettent l'élection soit de l'opportuniste, soit du socialiste. Bauër se désiste, et c'est l'opportuniste qui est élu. Trahison ? Peut-être. Mais les choses se compliquent lorsqu'on observe que le candidat du pouvoir est lui aussi un ex-communard, Monteil, lieutenant d'état-major des troupes fédérées et dernier secrétaire du vieux Delescluze. Mais Henry Bauër jugea qu'on l'avait leurré et se promit de n'y plus revenir, en quoi il tint parole.

Il reprit son activité de journaliste, d'abord au *Réveil* puis à *l'Echo de Paris*. Son feuilleton dramatique, qui paraît deux fois par semaine, en fait littéralement un roi de la capitale. Il domine, pousse des coups de gueule, comme Mirbeau. Et, comme Mirbeau, il n'hésite pas à réduire à rien les gloires consacrées et à donner, du jour au lendemain, de la gloire à un débutant. Il est riche et dépensier. Il est marié et il aime les femmes. Il sera durant plusieurs années l'amant en titre de Sarah Bernhardt à laquelle il ne cesse de reprocher la fadeur de son répertoire. A la naissance de la bicyclette, il devient un apôtre de la petite reine. Il soutient Antoine avec lequel il se brouille. Puis il se dévoue à Lugné-Poë, et met Ibsen en français. Il n'aime pas les œillères, et défend ce qu'il y a de bon chez les naturalistes ET chez les symbolistes.

Au moment de l'affaire Dreyfus, il se déchaîne et appuie Zola tant qu'il peut. Il flirte avec les anarchistes. Il condamne les vieilleries et prône les audaces. Cela lui vaudra de perdre sa place. Il est l'un des rares à défendre avec obstination une pièce insolite et insolente que Gémier a interprétée avec génie : *Ubu roi,* d'un certain Alfred Jarry. Et cela, avec des éclats de plume, dans le très respectable *Echo de Paris.* C'est sa perte. On lui ôte son feuilleton. La grande presse le boude tout de bon. Il donne des papiers aux revues d'avant-garde, ce qui ne lui permet plus de mener grand train. Il vieillit. Il survit. A *la Petite République,* la feuille socialiste de Gérault-Richard, il n'a plus sa verve d'antan. Il glisse petit à petit dans l'indifférence, l'oubli. Il a par moment de beaux éveils et des sursauts : c'est pour défendre *Louise* de Gustave Charpentier, opéra-comique dont le livret est de Saint-Pol Roux, ou le *Pelléas et Mélisande* de Claude Debussy, ce qui le range parmi les *Pelléastres* dénoncés et moqués par Jean Lorrain. Bref ! au moment de la séparation des Eglises et de l'Etat, en décembre 1905, Henry Bauër devient fonctionnaire : il a pour mission de dresser l'inventaire des objets précieux qui se trouvent dans les églises. La guerre de 1914 achève de ruiner son espoir, maintenu depuis 1871, d'une concorde universelle. Et c'est un fantôme qui meurt le 21 octobre 1915, dans la maison de santé du docteur Boinet, rue de la Chaise, à Paris.

TABLE

LA COMPOSITION, L'IMPRESSION ET LE BROCHAGE DE CE LIVRE
ONT ÉTÉ EFFECTUÉS PAR FIRMIN-DIDOT S.A.
POUR LE COMPTE DES ÉDITIONS U. G. E.
ACHEVÉ D'IMPRIMER LE 18 OCTOBRE 1977

Imprimé en France
Dépôt légal : 4e trimestre 1977
N° d'édition : 1008 — N° d'impression : 1089

Collection

dirigée par
Christian Bourgois

AUTOMNE 1977

LISTE ALPHABÉTIQUE
DES OUVRAGES DISPONIBLES
AU 31 DÉCEMBRE 1977
